ein Ullstein Buch

D0610115

ein Ullstein Buch
Nr. 20348
im Verlag Ullstein GmbH
Frankfurt/M – Berlin – Wien
Englischer Originaltitel:
A Wind in the Rigging
Übersetzt von Walter Klemm

Deutsche Erstausgabe

Umschlagentwurf:
Hansbernd Lindemann
unter Verwendung einer Illustration
von NEL
Alle Rechte vorbehalten
© James Dillon White 1973
Übersetzung © 1983 Verlag Ullstein
GmbH, Frankfurt/M – Berlin – Wien
Printed in Germany 1983
Gesamtherstellung:
Mohndruck Graphische
Betriebe GmbH, Gütersloh
ISBN 3 548 20348 5

Juli 1983

CIP-Kurztitelaufnahme
der Deutschen Bibliothek
White, James Dillon:
Geier am Ganges:
Kommodore Kelsos Kampf mit
d. Flusspiraten von Kalkutta;
Roman/James Dillon White.
[Übers. von Walter Klemm].
– Dt. Erstausg. –
Frankfurt/M; Berlin; Wien:
Ullstein, 1983.
    (Ullstein-Buch; Nr. 20348)
    Einheitssacht.:
    A wind in the rigging ‹dt.›
    ISBN 3-548-20348-5
NE: GT

James Dillon White

Geier am Ganges

Kommodore Kelsos Kampf
mit den Flußpiraten
von Kalkutta

Roman

ein Ullstein Buch

Die Kriegstrommeln waren verstummt, als Kelso und Susan Lashley heirateten. Unter den dreihundert Gästen glaubte jedoch kein einziger, daß der Friede von langer Dauer sein würde. Die Franzosen waren zwar bei Wandewash besiegt worden, jedoch hielten sie noch immer Pondicherry. Die Holländer leckten sich bei Chinsurah ihre Wunden. Im Augenblick hatte sich also das Gleichgewicht der Kräfte wieder einmal zugunsten Englands verschoben.

Sie wurden am 4. März 1760 in Kalkutta in der Kirche von St. John getraut, der Kirche der Ostindischen Handelskompanie*. Die heiße Jahreszeit hatte bereits in vollem Umfang eingesetzt. Das Gras auf dem *Maidan*** war braun wie das Fell eines Schakals, Magnolien, Hibiskus und Rhododendron waren verwelkt. Vor der Kirche neben dem Geländer, im Schatten der riesigen Himalayazeder, hockten wohl hundert Palkiträger***.

». . . sind wir hier versammelt in der Liebe Gottes und im Angesicht dieser Gemeinde . . .«

Kalkutta lag bereits um neun Uhr morgens apathisch unter der erbarmungslos brennenden Sonne.

Im Inneren der Kirche war es verhältnismäßig kühl. Trotzdem spürte Kelso, der seine Kommodoreuniform trug, wie ihm unter dem prall sitzenden Rock und der engen Kniehose der Schweiß ausbrach, wie ihm die Seidenstrümpfe an den Beinen klebten. Er fühlte sich unbehaglich und kam sich ein wenig lächerlich vor. Sehnsüchtig überlegte er, wie lange er wohl noch warten mußte, bis er ein Bad nehmen konnte. Der Gottesdienst würde bestimmt noch eine halbe Stunde dauern (und länger, wenn Reverend Elphinstone richtig in Fahrt kam). Dann das Unterschreiben des Registers und der Heiratsurkunden, das Küssen und Händeschütteln, etwa zwanzig Minuten. Die Fahrt in der offenen Kutsche zur Residenz des Gouverneurs nochmals zehn Minuten.

Dann kam noch der Empfang dort.

Unwillkürlich seufzte Kelso. Als Seemann verachtete er die Eitelkeiten des Lebens an Land, die exaltierten Manieren, die über-

---

* Die Ostindische Handelskompanie, 1600 gegründet, hatte unbeschränktes Monopol für den Handel mit Indien, besaß eigene Handels- und Kriegsmarine, ein eigenes Heer und eigene Gerichtsbarkeit. Sitz des Direktoriums war London.
** Großer freier Platz oder Esplanade in indischen Städten
*** Palki = gedeckte indische Sänfte

spitzte Ritterlichkeit, den unsinnigen, übertriebenen Ehrenkodex, der in diesem Klima nur allzuoft den Tod beim Degen- oder Pistolenduell bedeutete. Er haßte die Bälle, das leere Geschwätz auf den Gesellschaften und die Tees mit ihrem Getratsche, bei dem oft genug der gute Ruf eines Menschen ruiniert wurde. Am meisten jedoch waren ihm die gewaltigen Diners zuwider, die Ratsmitglieder, Kaufleute und leitende Kompanieangehörige sich gegenseitig zu geben pflegten, gewöhnlich während der heißesten Tageszeit, als müsse das so sein.

Würden sie wohl auch heute ein derartiges Diner über sich ergehen lassen müssen?

»Natürlich gibt es ein Hochzeitsessen«, hatte Susan ihm lachend geantwortet und sich dabei über seinen Ärger mokiert.

»Und woraus besteht es?«

»Das wirst du schon sehen!«

Wenn es nach ihm gegangen wäre, hätten sie auf See geheiratet, auf einem Kompanieschiff, am liebsten auf einem der Kriegsschiffe. Da seine geliebte *Paragon* nicht mehr existierte, wäre es wohl an Bord der *Protector 44** gewesen. Fenton – jetzt Kapitän Fenton, Kommandant der *Protector* – hätte den Gottesdienst gehalten. Es wäre ruhig und angemessen zugegangen, lediglich unter Beteiligung der braven Seeleute, die er selbst ausgebildet und geführt hatte; keine Musik, nur das Knarren des Holzes und der Gesang des Windes in der Takelage.

»Aber Liebling!« hatte Susan protestiert, als er ihr dies vorschlug. »Du bist eine Berühmtheit! Seit Robert Clive nach England zurückgekehrt ist, bist du der berühmteste Mann in Indien.«

»Selbst wenn es stimmte«, hatte er gegrollt, »heißt das denn, daß ich mich wie ein abgerichtetes Äffchen produzieren muß?«

»Dann schon eher wie ein Tanzbär«, hatte sie schlagfertig erwidert. »Ein brummiger, verdrießlicher Bär.« Aber sie hatte dabei gelächelt.

»Somit sind Roger Kelso und Susan Lashley willens, in den heiligen Stand der Ehe zu treten ...«

Der Schweiß lief ihm in die Augen, aber er traute sich nicht, sein Taschentuch hervorzuziehen und ihn abzuwischen. In einem Lichtstrahl, der durch das Altarfenster fiel, tanzte ein Mückenschwarm unaufhörlich auf und ab. Selbst die Gemeinde empfand die Hitze. Man merkte es am Scharren der Füße, am Knarren der

---

* mit 44 Kanonen bestückt

Sitze. Metall klirrte auf dem Steinboden, als irgend jemand –
Gouverneur Vansittart? – seinen Degen fallen ließ. Ein leichter
Mimosenduft lag in der Luft.

»Gesegnet sind, die in der Furcht des Herrn leben . . .«

Hundert Rupien, dachte Kelso, wenn ich mir das Gesicht abwischen könnte.

Endlich war alles vorüber, das Unterschreiben des Kirchenregi-
sters, die Glückwünsche, der Weg durch das Kirchenschiff, wobei
Susan an seinem Arm völlig kühl und frisch wirkte und sehr schön
aussah, mit leicht triumphierendem Gesicht. Unterhalb der Kir-
chenstufen präsentierte die Wache der Marineinfanteristen das
Gewehr.

Es gab noch ein wenig Unruhe mit den Pferden, die durch die
Menschenmenge, die lauten Kommandos und das Knallen beim
Präsentiergriff scheu geworden waren. Padstow, sein Steward,
versuchte, sie zu beruhigen. Schließlich gelang es Kelso, seine
Braut in die Kutsche zu heben.

Sie kuschelte sich an ihn, schob ihre Hand in die seine, und ihr
Lächeln sagte ihm, daß sie seine Gefühle verstand.

»Blödsinn!« sagte er laut, als jemand aus der Menge der Kaufleute, Ladenbesitzer, Bankangestellten und Kompanieschreiber
ein im Augenblick populäres Lied anstimmte: »Unsere tapferen
Jungs von der Marine . . .« Im nächsten Augenblick wurde es von
den Nächststehenden aufgegriffen: »Von Coromandel bis Malabar, von Comorin bis nach Bengalen . . .« Hunderte von Stimmen
störten die friedliche Morgenstille, jedermann schien aufgeregt zu
sein. Mädchen, hübsche junge Engländerinnen von der Höheren
Mädchenschule Kalkuttas, warfen Blumen. Selbst die Sänftenträ-
ger waren auf den Beinen.

»Fahr los, Padstow, um Gottes willen!«

»Aber die Menge, Sir?«

»Die wird schnell genug Platz machen, wenn Sie drohen, sie
über den Haufen zu fahren!«

»Aye, aye, Sir.«

»Roger!« Susan ergriff ihn am Arm und blickte ihn vorwurfs-
voll an, aber er wußte, daß sie noch ein gut Teil härter und zäher
sein konnte als er, wenn es darauf ankam. Sie hatte zwei Ehemänner überlebt, einen mit Trauer, den anderen mit Erleichterung,
und Kelso war bereits zu Lebzeiten des unbeklagten Lashley ihr
Liebhaber gewesen. Sie ist einunddreißig, dachte er, ein Jahr älter
als ich, sie hat zweimal die lange und beschwerliche Reise von

England nach Indien überstanden, hat Seeschlachten, Schiffbruch und fünf Jahre dieses mörderischen Klimas erlebt und sieht dennoch so schön und frisch aus wie eine englische Rose.

»Jetzt dauert es nicht mehr lange«, sagte sie und strahlte ihn mit ihren dunklen Augen an. »Sobald wir uns auf anständige Weise drücken können . . .«

»Das kann für mich nicht früh genug sein.«

Padstow knallte mit der Peitsche. »Haut ab, ihr Halunken!« Die Kutsche schaukelte vorwärts, und wie Kelso vorausgesagt hatte, öffnete sich auf wunderbare Weise eine Durchfahrt. Mehr Blumen flogen durch die Luft, mehr Glückwünsche ertönten. »Hoch lebe der Kommodore und Lady Susan!« rief ein Seemann, und mit diesen ehrlich gemeinten Worten im Ohr fuhren sie die sonnengesprenkelte Esplanade entlang zur Residenz des Gouverneurs.

Daß ausgerechnet Henry Vansittart ihr Gastgeber war, bedrückte Kelso am meisten. Welche Schwächen oder Fehler der junge Kommodore auch haben mochte, niemand, nicht einmal seine erbittertsten Feinde, konnte ihn der Heuchelei bezichtigen. Er war ehrlich, manchmal auf unbequeme, ja geradezu aggressive Weise offen. Einen Narren nannte er einen Narren und einen Schurken einen Schurken. Es war bekannt, daß er für Vansittart schon beide Ausdrücke gebraucht hatte.

»So! Kelso und Lady Susan«, sagte der Gouverneur, als er ihnen im Speisesaal mit offenen Armen entgegentrat. »Endlich vereint – offiziell, meine ich. Gestatten Sie mir, meine herzlichsten Glückwünsche auszusprechen.« Er lächelte sein wärmstes Lächeln und schüttelte ihnen die Hände.

Kelso musterte ihn mit kühlem Blick. Alles an diesem Gouverneur mißfiel ihm, die gepuderte Perücke, der brokatbesetzte, taillierte Rock, die pompösen Manschetten, die enge Kniehose, die Silberschnallen an den Schuhen.

»Wie gefällt Ihnen mein Rock?« fragte Vansittart, während er die Arme spreizte und sich wie ein Pfau drehte. »Er ist das Neueste, was England zu bieten hat.«

»Er kleidet Sie«, sagte Kelso.

»Wirklich?« Der Gouverneur war überrascht und geschmeichelt.

»Man sieht Ihnen darin an, was Sie wirklich sind.«

»Roger!« Susan hieß Kelso mit einer energischen Handbewegung schweigen.

Einen Augenblick starrten die beiden Männer einander an wie Duellanten, die sich in die günstigere Position zu stellen trachten. Vansittart war wütend, sein Hals über der eleganten Krawatte puterrot. Schließlich lachte er aber und sagte: »Immer derselbe alte Kelso. Hoffen wir, daß die Heirat seine Manieren bessert.« Dann zückte er ein Taschentuch und wandte sich Lady Susan zu. »Wir verlassen uns auf Ihren guten Einfluß, Lady Susan.«

Das Mahl war schlimmer, als Kelso befürchtet hatte: Suppe, gebratenes Geflügel, Curryreis, eine Hammelpastete, Lammschulter, ein Reispudding, süßes Gebäck und schließlich eine Käseplatte. Die indischen Diener flitzten mit dampfenden Schüsseln zwischen Küche und Speisesaal hin und her und kamen niemals zur Ruhe. Kaum stellten die Gäste ihre Gläser auf den Tisch zurück, wurden sie wieder mit Madeira gefüllt. Die Damen tranken ebensoviel, ja bisweilen sogar mehr als die Herren.

Nicht jedoch Susan. Sie aß wenig und trank sogar noch weniger. Kühl beobachtete sie, wie die Hochzeitsgäste nach und nach ihre Zurückhaltung verloren. Die Reden wurden allmählich rührselig und unzusammenhängend. Die Jacken wurden aufgeknöpft, die Fächer flatterten immer lebhafter. Vansittart, der bereits angetrunken war, stritt sich mit Holwell, einem älteren Ratsmitglied.

»Sie sind ein Narr, Holwell, wenn Sie das zurückweisen. In vier, fünf Jahren – falls Sie dann überhaupt noch am Leben sind – kehren Sie sonst als armer Mann nach England zurück.«

»Aber als rechtschaffener, ehrlicher Mann.«

»Was hat Rechtschaffenheit damit zu tun? Wir sind doch hier, um Geld zu verdienen. Oder nicht? Die Ehrenwerte Ostindische Handelskompanie: Sogar der Name verrät es.«

»Die Ehrenwerte Handelskompanie: Dem stimme ich zu. Aber ist es ehrenwert, die Schatzkammer jedes Nabobs zu plündern, der in unsere Gewalt gerät? Ist es ehrenwert, die Hindubankiers auszuquetschen? Und die Grundbesitzer, die Kaufleute?«

»Mein lieber Holwell, Sie sind zu sentimental! Haben Sie schon jemals einen Nabob getroffen, der nicht gegen uns konspirierte, während er uns mit Gaben überschüttet? Haben Sie schon einmal einen dünnen Bankier gesehen oder einen verhungerten Kaufmann?«

»Und was ist mit dem einfachen Volk?« fragte Kelso.

»Ach, das!« Eine wegwerfende Bewegung mit dem Taschentuch war beredter als Worte. Der Gouverneur nahm ein Stück Kuchen vom Tisch und zerkrümelte es zwischen den Fingern. »Wenn es nicht Ihr Hochzeitstag wäre, Kelso, würde ich Ihnen genau sagen, was ich von der Herde des einfachen Volkes halte.«

Plötzlich herrschte Schweigen an der Tafel, als spüre jeder Gast, auch der betrunkenste, die Spannung zwischen den beiden Männern. Lediglich das gleichmäßige, fauchende Geräusch der *Punkah** störte die Stille. Die indischen Diener warteten bewegungslos an den Wänden des Saales.

»Es sind menschliche Wesen«, sagte Kelso.

»Und Sie sind ein Radikaler! Waren Sie jemals in Black Town, Mann? Haben Sie je gesehen, wie die dort hausen?«

»Öfter als Sie, das kann ich wohl behaupten.«

»Dann wissen Sie, was dort los ist. Sie haben kümmerliche, elende Hütten. Und doch vermehren sie sich wie die Karnickel.«

»Gouverneur!« Mrs. Pettingill, eine etwas törichte Dame in geblümtem Kleid und Krinoline, kicherte und wedelte eifrig mit ihrem Fächer.

»Aber es ist wahr, Madam. Diesen Hindus macht es nicht das geringste aus, ein Dutzend Bälger oder sogar noch mehr in die Welt zu setzen.«

»Und wie viele von ihnen bleiben am Leben?«

Der Gouverneur steckte sich die letzten Kuchenkrümel in den Mund und wischte sich sorgfältig mit der Serviette die Lippen.

»Wen interessiert das schon? Soviel ich weiß, werfen sie die stinkenden Kadaver in den Fluß.«

»Oder lassen sie im Mahrattengraben verwesen«, sagte ein stattlicher Herr.

»Das stimmt«, erwiderte ein anderer Gast. »Es ist eine Schande, wie die Leichen als Fraß für die Schakale herumliegen, ganz zu schweigen von den Fliegen.«

»Gentlemen!« protestierte Lady Susan. »Dies ist unser Hochzeitsessen!«

»Ganz richtig, meine Liebe«, rief Vansittart. »Ich bitte um Entschuldigung. Aber um gerecht zu sein: Wenn irgend jemand zu tadeln ist, dann nur Ihr tapferer Ehemann.«

Herausfordernd blickte er Kelso an, aber bevor ein Streit entstehen konnte, schaltete sich Holwell ein, der mit sichtlichem Unbehagen der Entwicklung der Unterhaltung gefolgt war. »Wir sprachen vom Eintreiben der Kompaniegewinne, Lady Susan«,

---

* Indischer Deckenfächer, der vom *Punkah-Wallah* mittels Seilzügen auf und ab bewegt wird sagte er. »Der Gouverneur hat mir die Position des Zemindar* angeboten.«

»Und Holwell, dieser Narr, lehnt ab«, fügte Vansittart hinzu.

»Aber warum denn?« Susan blickte über die Tafel hinweg den Mann an, der wahrscheinlich ihr ältester Freund in der Kolonie war. »Es ist doch bestimmt nichts Ehrenrühriges, Zölle, Steuern und Pacht zu kassieren? Das ist doch Geld, das der Kompanie zusteht.«

»Außerdem«, warf Vansittart ein, »brauchen Sie es ja nicht selbst einzutreiben. Dafür haben Sie Ihren Black Zemindar**.«

»Gobindram Mitra!« rief Holwell. »Dieser Schurke! Gerade seinetwegen lehne ich die Position ab.«

Lachend schüttelte der Gouverneur den Kopf. »Klar, Gobindram Mitra ist ein Halsabschneider«, gab er zu, »das ist nicht zu leugnen. Aber er betreibt ein schweres Geschäft, und wenn er ein paar Kaufleute hart anfaßt, ist das nicht seine Aufgabe? Dafür ist er ja da! Können Sie sich vorstellen, daß unser Direktorium mit geringeren Einnahmen zufrieden wäre, nur weil der Steuereintreiber ein Ehrenmann ist und Skrupel hat?«

Holwell fühlte sich noch immer unbehaglich, vor allem weil er spürte, daß die meisten an der Tafel gegen ihn waren. Gewinn war alles, was zählte. Gewinn für den Gouverneur und seine Ratsmitglieder, Gewinn für die Anwälte, die Ärzte, die Geistlichkeit, ja sogar für die kleinen Angestellten und Schreiber, die völlig mittellos von England herüberkamen und mit einem Jahresgehalt von fünf Pfund anfingen, aber trotzdem erwarteten, ein Vermögen zu verdienen, und das auch häufig schafften. Jeder – oder fast jeder –, der die Hitze und die Fliegen, die Seuchen und die drohenden Kriege ertrug, dazu die Aussicht auf eine lange und gefährliche Heimreise, glaubte zum Ausgleich, er habe ein Anrecht darauf, das Land auszuplündern. Fragen der Moral wurden nicht in Betracht gezogen oder bestenfalls beiseite geschoben, denn für jede Erpressung, die man ausübte, konnte man auf eine andere, noch eklatantere, verweisen, die von den eigenen Freunden begangen worden war. Die Juwelen, die bei diesem Essen getragen wurden, die Brillantringe und Halsbänder, die wunderbaren Seiden- und Brokatstoffe, sie alle waren nur Symptome der im Lande herrschenden Korruption. Bengalen litt, wie es schon oft während

---

* britischer Steuerpächter in Indien
** eingeborener Steuereintreiber

seiner langen und qualvollen Geschichte unter dem habgierigen Zugriff der jeweiligen Eroberer gelitten hatte.

Da Holwell nur allzu deutlich die Welle der gegen ihn gerichteten Gefühle spürte, senkte er den Kopf und schwieg.

Kelso jedoch war nicht so leicht zu bezwingen.

»Die Kompanie kann auch ohne Gobindram Mitras Hilfe Profit machen. Sie wissen genausogut wie ich, daß die Hälfte des Geldes, das er herauspreßt, niemals das Direktorium in London erreicht.«

Sofort herrschte Schweigen im Raum, und alle starrten gebannt die beiden Männer an: Kelso kühl, arrogant und ein wenig verächtlich, Vansittart puterrot vor Ärger.

»Was heißt das?«

»Ihnen ist doch klar, daß Gobindram Mitra seine Position in Kalkutta nicht behaupten könnte, wenn die erpreßten Gelder nur ihm und nicht auch anderen zugute kämen.«

»Und wem? Drücken Sie sich deutlich aus, Mann! Bezichtigen Sie mich der Korruption?«

»Roger!« Er fühlte Susans Hand auf seinem Arm. »Was ist das für ein Gerede! Und das an unserem Hochzeitstag!«

»Lady Susan hat recht, Kelso«, sagte Holwell. »Lassen Sie uns das Thema wechseln.«

»Nein!« Der Gouverneur war noch immer wütend. Mit verrutschter Perücke und schweißbedecktem Gesicht wirkte er bösartig und häßlich. »Antworten Sie, Kelso: Bezichtigen Sie mich der Korruption?«

Kelsos Gesicht war so ausdruckslos wie immer. Susans Hand lag noch immer auf seinem Arm, während er antwortete: »Weder Sie noch sonst jemanden im speziellen. Unsere gesamte Gesellschaft ist korrupt. Sie wissen das oder sollten es zumindest wissen. Seit Surajah Dowlah besiegt und Mir Jaffir als Marionette an seine Stelle gesetzt wurde, haben wir dieses Land bis aufs Blut ausgesaugt. Wir waren nicht zufrieden mit der anständigen Belohnung, die Robert Clive erhielt – wir wollen nicht vergessen, daß wir ohne sein Feldherrengenie längst nicht mehr in Indien wären – sondern haben mehr und immer mehr gefordert. Bald wird sogar Mir Jaffir schreien: ›Genug!‹ Und was kommt dann? Weiteres Blutvergießen, ein anderer Nabob von Englands Gnaden.«

»Großer Gott, Kelso, Sie sind wirklich ein Radikaler!«

»Ich bin lediglich für Gerechtigkeit.«

Ruhig saß Kelso da und maß seinen zornigen Gastgeber mit

kühlem Blick. Die anderen bösen Gesichter rund um die Tafel, die gemurmelten Proteste, zum Teil nicht gerade höflich, schien er nicht wahrzunehmen.

»Gentlemen!« Susans Ton war schneidend. Ohne den Kopf zu wenden, wußte er genau, wie sie in diesem Augenblick aussah: das Kinn kämpferisch vorgereckt, ihre Arroganz noch größer als seine eigene. »Hören Sie endlich auf mit diesem albernen Streit! Mein Mann...« Er bemerkte, wie sie bei dem Wort zögerte. »Mein Mann ist ein Idealist und ein Mensch, der stets die Wahrheit sagt.« Es folgte eine winzige Pause, bevor sie fortfuhr: »Wie *er* sie sieht.«

Sie mußte bei diesen Worten wohl gelächelt haben, denn er sah, wie der Ärger auf den Gesichtern ringsum dahinschmolz. Einige erwiderten ihr Lächeln und nickten beifällig.

»Mein Mann hat ganz klar gesagt, daß er niemanden der hier Anwesenden beschuldigt. Wir alle wissen, daß es in diesen turbulenten Zeiten Grausamkeit, Ungerechtigkeit und auch Korruption gibt, wenn Sie es so nennen wollen. Das ist wohl nicht zu vermeiden. Aber – wie der Gouverneur bereits gesagt hat – wer hat schon jemals einen dünnen Bankier oder einen verhungerten Kaufmann gesehen? Und was die Grausamkeit betrifft, so darf man wohl sagen, daß Mr. Holwell mit seiner Erinnerung an das Schwarze Loch* ebenso im Recht ist wie jeder Eingeborene südlich der Chowringhee Road.«

Im Nu erhob sich beifälliges Gemurmel, und Kelso, der eigentlich protestieren wollte, konnte nur Susans Intelligenz und Geschicklichkeit bewundern. Während sie ihn mit einer Hand beruhigte, gelang es ihr gleichzeitig, die ärgerliche, halb betrunkene Gesellschaft auf ihre Seite zu ziehen.

»Sie alle, meine Herren, arbeiten nicht nur zum Wohle der Kompanie, sondern auch für die Chance, ein friedliches, zivilisiertes Leben führen zu können. Sicherlich will mein Mann nicht behaupten, daß darin etwas Unrechtes zu sehen ist.«

»Bravo! Gut gesprochen, meine Liebe! Was haben Sie darauf zu antworten, Kelso?« fragte der Gouverneur und sah Kelso triumphierend an.

Kelso erwiderte seinen spöttischen Blick und wandte sich dann an seine Frau, die ihm mit einem halben Lächeln entgegensah. Er

---

* eine winzige Gefängniszelle, in der nach der Eroberung Kalkuttas durch Surajah Dowlah im Jahre 1756 von 146 gefangenen Engländern in einer einzigen Nacht 123 starben.

zögerte mit der Antwort, denn als er ihre makellose Schönheit und schlanken Formen sah, die durch das Kleid noch besonders betont wurden, war ihm plötzlich Vansittart samt seinen Freunden zuwider. Er dachte daran, daß am Anlegesteg der Esplanade seine Gig wartete, beladen mit Proviant, Wein und Trinkwasser, einer Seekiste mit Susans Kleidern und einer kleineren mit seinen eigenen Sachen. In der Gig saß Padstow und erwartete sie. Niemand sonst wußte etwas davon, es war ihr Geheimnis. Eine Stunde, nachdem sie dieses Essen hier verlassen hatten, würde Susan in seinen Armen liegen.

»Roger antwortet nicht«, sagte Susan, während sie zugleich ihre Hand auf die seine legte. »Vielleicht, weil er weiß, daß ich recht habe. Es gibt viele Arten des Geldverdienens in Bengalen, ohne daß man auf Betrug angewiesen wäre. Nehmen Sie zum Beispiel das Salzmonopol. Sie, Mr. Stuart, als hier ansässiger Kaufmann, müßten etwas darüber wissen.«

»Aye.« Der Angesprochene, ein älterer Schotte, war sehr vorsichtig mit seiner Antwort. »Es wirft guten Gewinn ab.«

»Guten Gewinn!« brüllte der Gouverneur. »Sie haben bereits ein Vermögen nach Hause geschickt und sind jetzt dabei, ein zweites zu verdienen.«

»Ich bin ein sparsamer Mann und ein harter Arbeiter.«

»Unsinn! Sie sind doch seit einem Monat oder noch länger nicht mehr in der Hitze des Tages unterwegs gewesen. Ihr Dewan* erledigt das für Sie. Und warum auch nicht? Ich wette, daß er selbst bereits ein vermögender Mann ist.«

Kelso blieb ruhig und unterdrückte die Fragen, die sich ihm aufdrängten. Susans Hand lag noch immer kühl und fest auf seiner. Ihr aristokratisches Profil kam in sein Blickfeld, als sie sich vorbeugte, um der Unterhaltung auf der anderen Seite der Tafel folgen zu können. Was sie auch getan haben mag, dachte er, was sie auch noch tun wird, sie gehört mir. Ich brauche sie. Einen Tag meines Lebens würde ich dafür hergeben, wenn ich sie jetzt berühren, die glatte Haut ihrer Schultern liebkosen könnte.

»Das Betel**-Monopol«, sagte sie, »das Tabakmonopol; die Möglichkeit, den Schiffsoffizieren den Frachtraum abzuhandeln,

---

* eingeborener Steuereintreiber der niederen Klasse, dem Black Zemindar unterstellt

** Betel = in Scheiben geschnittene Nüsse der Arekapalme, bestreut mit Betelpfeffer und Muschelkalk, dann in Betelblätter gewickelt, ist ein beliebtes, in ganz Südostasien verbreitetes Kaumittel. Es soll stark anregende Wirkung haben.

der ihnen zusteht; das Bedürfnis, hier in Kalkutta dieselben Annehmlichkeiten zu genießen, wie sie in London selbstverständlich sind: Cafés, Mode- und Kleiderläden, Putzmacherinnen, Pferdeställe, Wagenremisen, Weinhandlungen: Meine Herren, man kann nur staunen über die Fülle der gebotenen Möglichkeiten zum Geldverdienen!«

Vorsichtig blickten sie Susan an, unwillkürlich beeindruckt. Einige, die selbst schon ein Vermögen verdient hatten, nickten selbstgefällig. Andere, die es durch Trägheit oder durch Mangel an Weitblick noch nicht geschafft hatten, vernahmen es mit Unwillen. In einem Punkt jedoch waren sie sich einig: Bengalen hielt für sie alle verborgene Reichtümer bereit.

»Wissen Sie, meine Liebe«, sagte der Gouverneur, »es ist ein Jammer, daß Sie kein Mann sind. Mit so viel Intelligenz, Weitblick und Mut wären Sie als Kaufmann bestimmt erfolgreich. Sie würden in kürzester Zeit ein Vermögen machen.«

»Genau das ist meine Absicht.«

Susan sprach diese Worte wie eine Herausforderung, und tatsächlich hätte sie ihre Zuhörer kaum mehr schockieren können. Handel war ein Vorrecht der Männer, der Platz der Frauen war im Hause. Kinder kriegen, Haushalt führen, Dienstboten einstellen oder entlassen, Gesellschaften und Empfänge arrangieren, das waren weibliche Aufgaben. Der Mann ging hinaus in die Welt, scheffelte ein Vermögen, wenn er konnte, sei es auf anständige oder auf unsaubere Weise, er trank und spielte und hielt sich eine indische Geliebte.

»Lady Susan!« Selbst ihr alter Freund Holwell war schockiert.

»Warum nicht?«

»Nun . . .«

»Ich war die jüngste Tochter einer großen Familie«, sagte sie. »Ich hatte sechs Brüder, alle mit vorrangigem Anspruch auf die Vermögenswerte. Und ich war zweimal verheiratet, wie Sie wissen. Dreimal«, verbesserte sie sich lächelnd und blickte Kelso dabei an. »Beide Ehemänner haben mir nichts hinterlassen. Der Gouverneur war nun so freundlich, darauf hinzuweisen, daß ich einen erfolgreichen Kaufmann abgeben würde. Und genau das habe ich vor!«

Kelso war so schockiert wie alle anderen, sagte aber nichts. Lediglich seine Hand entzog er ihr.

»Ich war schon einmal die Frau eines Marineoffiziers«, sagte sie, »und weiß, was das bedeutet. Während der langen Monate, die Roger auf See ist, beabsichtige ich, für uns beide ein Vermögen zu verdienen. Sie haben Gobindram Mitra und Mr. Starts Dewan erwähnt. Ich traue mir zu, mit Männern wie diesen beiden besser fertig zu werden als Sie alle.«

Der Gouverneur wiegte bewundernd den Kopf. »Davon bin ich überzeugt, nur . . .« Er blickte Kelso an. »Weiß Ihr Mann das schon?«

»Jetzt weiß er es, und da ich es für uns beide tun werde, wird er es billigen.« Sie griff erneut nach Kelsos Hand, aber er entzog sie ihr. »Ich habe nicht die Absicht, das Klima Bengalens zu ertragen, ohne mir eine Entschädigung dafür zu schaffen. Ich verspreche Ihnen, Gouverneur, und auch all den anderen Herren hier: In einem Jahr bin ich die reichste Frau Kalkuttas.«

2

Kelso war noch immer ärgerlich, als Padstow ins offene Wasser hinausruderte und die Gig, vom vollen Gezeitenstrom erfaßt, Fahrt aufnahm. In der Stadt war es unerträglich heiß gewesen, aber hier auf dem Fluß wehte eine leichte Brise, und das Segel einer vorbeifahrenden Dhau stand voll. Eine Kabellänge* entfernt in der Strommitte lag ein Dutzend Indienfahrer vor Anker, ihre Masten und Rahen hoben sich scharf vom blauen Himmel ab. Ihre Bewacher, die Kriegsschiffe der Bombay-Marine, lagen daneben mit geöffneten Stückpforten, ihre Ausguckleute im Vortopp: *Calcutta, Diana* und *Pindarus*.

Und *Protector*.

Sein Flaggschiff. Er wünschte, er hätte es als schön bezeichnen können, denn schön war es in der Tat, wenn man es mit diesen fetten alten Indienfahrern verglich. Aber es war für Stärke gebaut und nicht für Schnelligkeit. Es konnte sich im Hinblick auf Schönheit nicht messen – kein Schiff konnte das – mit seiner versenkten *Paragon*.

»Die *Protector* ist nicht so elegant wie eine Fregatte«, sagte Susan, die anscheinend seine Gedanken erraten hatte, »aber sie hat Würde.«

Er wandte sich ihr zu, hielt aber noch immer Abstand auf dem gepolsterten Sitz. In ihrem Hochzeitskleid aus blauem Organza

* Kabellänge = ca. 185 m (1 Zehntel Seemeile)

sah Susan noch schöner aus als sonst. Ihr Teint war hell und klar, trotz der grausamen Sonne, und obgleich ihre Lippen zu dünn waren, um auf Sanftmut zu deuten, sprachen ihre Augen nur von Liebe.

»Ein gutes Schiff«, stimmte er zu.

»Das stärkste in diesen Gewässern.« Er wußte, daß sie ihm bewußt Dinge sagte, die er gern hören wollte, aber es machte ihm dennoch Freude.

»Stark ist sie«, gab er widerwillig zu. »Der Beweis muß aber erst erbracht werden, ob sie auch die beste ist.«

»Was heißt das?«

»Frag Padstow. Ein Zweidecker ist hervorragend beim Gefecht auf hoher See. Beim Verfolgen von Flußpiraten in flachen Gewässern wird er sich möglicherweise als weniger tauglich erweisen.«

»Und du meinst, daß es dazu kommen wird?«

Er blickte über den weiten Strom, eine Meile breit an dieser Stelle, und dann hinüber zu der schmalen Bucht, die Padstow ansteuerte, um sie in das Bruchland dahinter und in den Salzsee zu bringen.

»Wer weiß? Wenn unser Nachrichtendienst recht hat, dann werden wir für eine Weile nichts mit den Frogs* oder den Holländern zu tun haben, und das bedeutet, daß wir unsere Aufmerksamkeit den kleineren und hartnäckigeren Feinden in unserer Mitte zuwenden können.«

»Den Piraten?«

»Dacoits**, Madam«, mischte Padstow sich ein und zeigte damit, daß ihm trotz des anstrengenden Ruderns nichts von der Unterhaltung entgangen war. »Schleichende, raubende Gangster, die sich tagsüber im Schilf verstecken und dann mit zwanzig oder dreißig Fahrzeugen herauskommen, um nach Einbruch der Dunkelheit ein Schiff zu überfallen.«

»Kommt das oft vor? Ich habe natürlich von der *Mysore* gehört, aber ich hielt das für einen Einzelfall.«

Padstow schien die Frage nicht gehört zu haben, oder er war zu sehr darauf konzentriert, das Boot durch die Strömung zu bringen, um zu antworten. Die Bucht wimmelte von Fahrzeugen. Dhaus, Schuten, Barkassen, Kutter und Dingis fuhren geschäftig zwischen den Hochseeschiffen hin und her. Am Kai drängten sich

* Froschesser = Franzosen, wegen ihrer Vorliebe für Froschschenkel
** organisierte Räuber in Indien und Burma

Scharen von Eingeborenen, nur mit einem Lendentuch bekleidet, rannten die Laufplanken hinauf und hinunter, beluden oder löschten die Ostindienfahrer. Auf der Straße dahinter, durch Licht und Schatten der Palmen fast verborgen, warteten die Ochsenkarren.

»Du hast davon gehört«, sagte Kelso, nachdem er mit Padstows Kurs zufrieden war, »weil es mitten auf dem Ganges geschah, direkt unter den Kanonen des Forts, und weil Frauen und Kinder niedergemetzelt wurden.«

»Nachts war es«, fügte Padstow hinzu, »während der Steuerbordwache. Die alte *Mysore* war vollgeladen bis zur Halskrause und wartete auf die Morgentide, klar zum Auslaufen. Grabs und Gallivaten* – manche sagen, es waren mindestens fünfzig – kamen an Backbord und Steuerbord gleichzeitig längsseits. Wie raffiniert sie es anstellten, geht daraus hervor, daß nicht einmal Alarm geschlagen wurde, bevor diese schwarzen Teufel über die Decks schwärmten.«

»Passagiere und Besatzung wurden ermordet«, sagte Kelso, »bis auf zwei Leute der Wache, die an Land schwammen.«

»Und sie bekamen jeder fünfzig Peitschenhiebe wegen Feigheit«, fügte Padstow fröhlich hinzu. »Für sie war's also so lang wie breit.«

»Achte auf den Kurs!« rief Kelso, als eine Barkasse ihren Bug kreuzte. Dann wandte er sich seiner Frau zu und fuhr fort: »Die Ladung schafften sie auf die Gallivaten, und als beim Anbruch der Morgendämmerung die Kanonen des Forts endlich feuern konnten, war der Fluß leer.«

»Abgesehen von der *Mysore*«, fügte Padstow hinzu, »die vom Bug bis zum Heck in Flammen stand.«

Sie hatten die Kaianlagen passiert, und die Ufer waren jetzt gesäumt von leuchtendem Rhododendron und Oleander. Fischerhütten, von der Strommitte aus malerisch anzusehen, drängten sich im Schatten der Bäume. Am Rand des Wassers plätscherten und schrien nackte Kinder.

»Das ist also Black Town«, sagte Susan. »Sieht gar nicht so häßlich aus.« Sie mußte wohl gespürt haben, daß sie Kelso mit dieser Bemerkung wieder an seinen Ärger erinnert hatte, denn sie griff sich mit der Hand an die Lippen.

»Von hier aus wirkt es nicht häßlich«, knurrte Kelso.

---

* indische Fahrzeuge mit Lateinersegel, ähnlich der arabischen Dhau

18

»Aber weiter drüben, landeinwärts, wird es schlimmer«, sagte sie rasch, ängstlich darauf bedacht, ihre Worte zu entkräften. »Ich kann die Hütten sehen.«

»Nichts kannst du sehen«, widersprach Kelso, »ohne dort zu sein.«

Sie wurde rot vor Ärger; Padstow, eifrig darauf bedacht, als Friedensstifter zu fungieren, sagte: »Das ist der Bow-Basar, Madam, und dahinter liegt die Gullakutta Gully.«

»Was heißt das?«

»Halsabschneidergasse.«

Es war Mittag, als sie endlich die Bucht hinter sich gelassen und den Rand des Sees erreicht hatten. Ein natürlicher Kanal, stellenweise so breit, daß ein Indienfahrer hindurchsegeln konnte, dann wieder zu schmal, um zwei Dingis einander passieren zu lassen, wand sich durch ein Meer von Schilf. Malven und gelbe Schwertlilien blühten hier am Süßwasser im Überfluß, während Bienen, Schmetterlinge und Eisvögel das Ihre zur Farbenpracht beitrugen. Halb verborgen im Schilf hockten zwei Eingeborene auf ihren Hacken und fischten. Sie mußten wohl ein Boot bei sich haben, aber es war nicht zu sehen.

Keiner sprach ein Wort. Padstow fuhr fort, mit einer Hand zu rudern, mit der anderen lockerte er die Pistole in seinem Gürtel. Kelso hatte den Säbel gezogen.

»Was ist los?« Susan blickte von einem zum anderen.

Keiner antwortete, bis sie aus dem Schilfgürtel heraus auf den offenen See kamen.

»Was gibt es denn?« fragte sie erneut. »Diese zwei Fischer?«

Ihr Mann blickte sie mit ausdruckslosem Gesicht an, die Augen gegen die grelle Sonne halb geschlossen. »Zwei Fischer«, sagte er zustimmend.

»Und trotzdem wart ihr auf der Hut. Doch sicherlich nicht wegen dieser beiden halbverhungerten Eingeborenen?«

Kelso hob die Schultern und steckte den Säbel zurück in die Scheide. »Wenn die Flußpiraten gezwungen wären, genau wie wir Uniform zu tragen, wären die Offiziere der Schiffe hier auf dem Hugli* sehr viel beruhigter.«

»Aye, und auch jeder heidnische Pilger auf dem Weg nach Kalighat**«, fügte Padstow hinzu.

---

* westlicher Mündungsarm des Ganges
** Kalighat = Heiligtum der Göttin Kali, nördlich von Kalkutta

»Das Schwierige ist«, sagte Kelso, »sie rechtzeitig zu erkennen.«

»Jeder könnte es sein, Madam«, erklärte Padstow, »wirklich jeder. All diese dunkelhäutigen Halunken an der Wasserfront, jeder Kuli am Kai, jeder Bettler am Basar, jeder einzelne von ihnen könnte ein Dacoit sein. Sie sehen alle gleich aus, der ehrliche Eingeborene – falls es so etwas gibt – und der raubende, mordende Pirat.«

»Oh, kommen Sie!« Ihr Lächeln zeigte, daß sie ihm nicht glaubte. »Schließlich bin auch ich schon fünf Jahre hier!«

»Und wie oft waren Sie außerhalb des Festungsbereichs, Madam? Wie oft waren Sie ohne Begleitung jenseits der Mauern?«

»Vielleicht noch nicht oft, aber nur, weil . . .« Sie zögerte, und Kelso merkte an der ihr ins Gesicht steigenden Röte, daß sie eine herausfordernde Antwort unterdrückte. »Ich hätte beinahe Lust dazu.«

»Nein!« Kelsos Befehl war unmißverständlich.

»Und wenn du auf See bist?« Sie lächelte schelmisch, froh über seinen Eifer.

»Dann am allerwenigsten, Madam«, rief Padstow entsetzt. »Wenn der Kommodore und ich nicht hier sind . . .«

»Ich bin doch nicht völlig hilflos!«

»Das ist es nicht, Madam. Es ist – nun, daß Sie nicht wissen, was Ihnen droht. Diese mörderischen Teufel sind in letzter Zeit immer dreister geworden. Man weiß nie, was sie demnächst aushecken werden.«

»Was könnten sie mir denn tun – mir, der Frau des Kommodore?«

Padstow stützte sich auf die Riemen. Die tropfenden Blätter glitzerten im Sonnenlicht. »Ich werde es Ihnen sagen, Madam, weil ich der Meinung bin, daß Sie es wissen sollten. Nehmen wir zum Beispiel an, Sie sind einkaufen in Ihrer Sänfte. Auf dem Heimweg kommen Sie über den Maidan. Alles scheint völlig ruhig und friedlich zu sein. Ihre Palkiträger trotten neben Ihnen her, friedlich wie Ponys. Jetzt kommen Sie an einen abgelegenen Ort, kein Mensch weit und breit. Sie halten an, setzen die Sänfte ab . . .« Er zögerte, und Susan, die Padstow wirklich seit langer Zeit kannte, war überrascht über seine plötzliche Verlegenheit. Er wandte den Blick von ihr ab, und sein mahagonifarbenes Gesicht wurde womöglich noch eine Schattierung dunkler.

»Nun?« fragte sie.

»Nichts, Madam.« Klatschend tauchte er die Riemen ins Wasser und ruderte wieder an.

»Was geschieht dann?«

»Nichts, Madam, nichts.«

»Padstow?«

»Nichts für die Ohren einer Dame.«

»Dann werde ich es Ihnen sagen.« Mit einem halben Lächeln blickte sie ihm ins Gesicht. »Sie würden an einem abgelegenen Ort anhalten, vielleicht an einem Dickicht, wollten Sie doch sagen. Vielleicht würden sie die Sänfte zwischen die Bäume schleppen, und dann hätten sie mich zu Boden geworfen, bevor ich mich wehren oder um Hilfe rufen könnte. Meine Handtasche und mein Schmuck kämen als erstes dran, dann meine Kleider ...«

»Bitte, Madam!«

»Zwei von den Kerlen würden mich niederhalten, während die anderen ...«

»Madam!«

Sie schwieg einen Augenblick, und als sie weitersprach, war der Spott aus ihrer Stimme verschwunden. »Nur würde es sich nicht so abspielen, Padstow.«

»Und warum nicht, Madam? Wenn Sie diese Teufel so gesehen hätten, wie ich sie erlebt habe, selbst mit ihren eigenen Frauen ...«

»Ich werde Ihnen zeigen, warum.« Ihre Hand schnellte hoch, und darin hielt sie, ruhig und ohne zu zittern, eine Pistole.

Sie wußte nicht, ob ihr Mann überrascht war. Sein ausdrucksloses Gesicht verriet nicht, ob er gesehen hatte, wie sie die kleine Pistole französischer Machart aus dem Ärmel zog. Bestimmt aber hatte sie Padstow überrascht.

»Gott segne Sie, Madam! Sie sind eine Lady nach meinem Geschmack.«

»Danke«, sagte sie. »Ich fasse das als Kompliment auf.«

»So war es auch gemeint, Madam.«

Sie fuhren jetzt hinaus in den offenen See. Kalkutta mit seinen Kaianlagen, seinen schmutzigen, stinkenden Hütten und dem Gewimmel seiner Basare lag hinter ihnen. Aus dieser Entfernung, ohne den Geruch nach Verfall und Verwesung, wirkte es heiter, ja sogar schön. Die Wälle des noch nicht ganz vollendeten Forts waren von rot leuchtendem Rhododendron bedeckt, dahinter erhob sich der Mastenwald der vor Anker liegenden Ostindienfahrer, auch ein glitzernder Tempel ragte in den Himmel.

»Padstow hat recht«, sagte Kelso. »Es wäre töricht – mehr als töricht –, so ein Risiko einzugehen.«

Sie sah ihn an und hob die Schultern. »Wie du wünschst.«

Vielleicht weil es ihr Hochzeitstag war und sie trotz der Hitze so entzückend aussah, ließ er sich zu einer weiteren Erklärung herbei. »Wie Padstow schon sagte, die Piraten sind überall und nirgends. Wenn du sie suchst, verschwinden sie. Sie sind so wenig zu fassen wie Fische in einem Bach. Einmal sitzen sie am Kai und betteln um Almosen, im nächsten Augenblick schwärmen sie über die Reling, Messer im Mund und Mord im Herzen. Einmal rackern sie sich hinter dem Pflug ab, im nächsten Augenblick schneiden sie einem unvorsichtigen Reisenden die Kehle durch. Niemals kann man sie erkennen, so sehr man sich auch bemüht, bis sie ihr Messer ziehen – und dann ist es meistens zu spät.«

»Für manche«, erwiderte Susan, »aber nicht für mich. Ich habe schon zu lange mit der Gefahr gelebt, um mich überrumpeln zu lassen.«

Er wandte sich ihr zu, wollte sie noch einmal warnen, aber als er ihr energisches Kinn und das Funkeln ihrer Augen sah, hob er resignierend die Schultern.

Es war schon später Nachmittag, als sie die Insel erreichten, doch die Sonne brannte noch immer heiß. Sie näherten sich von Westen und hatten das Licht im Rücken, so daß sich der Bungalow mit seiner langen Veranda, den Bambuswänden und dem strohgedeckten Dach klar von den Bäumen im Hintergrund abhob. Ein Strand war da, gesäumt von blühendem Oleander, weiter hinten stand eine Reihe gelblich blühender Akazien. Buntgefiederte Vögel lärmten in den Zweigen, und ein eingeborener Diener stand zu ihrem Empfang am Anlegesteg.

»Das ist es also!« sagte Susan. Kelso kannte sie zu gut, um ihr diese scheinbar gleichmütige Äußerung übelzunehmen. Er wußte genau, daß sie begeistert und beeindruckt war.

»Es gehört Sinclair«, sagte er.

Sie antwortete nicht, sondern beobachtete kühlen Blickes, wie das Boot auf den Steg zuglitt. Alle Welt wußte, daß Sinclair sich eine Mätresse hielt. Vermutlich war dies hier ihr Liebesnest. Falls Susan überlegt hatte, wo die Frau wohl stecken mochte, war sie jetzt sicherlich erleichtert, daß sie sich offensichtlich nicht in dem Bungalow befand.

Lediglich zwei Bedienstete waren da, ein Hausboy, der die

Fangleine wahrnahm, die Padstow zum Steg hinüberwarf, und ein ältlicher Koch, der sie auf der Veranda erwartete und in ihre Zimmer führte.

Aus dem Fenster mit seiner Bambusjalousie blickten sie hinaus auf einen See, dessen unendliches Blau nur durch verstreute Inseln aufgelockert wurde. Einige waren baumbestanden, andere voll golden blühender Malven. Im flachen Wasser vor der nächsten Insel wateten rosafarbene Flamingos.

Die Vögel in den Bäumen schwiegen jetzt, dafür hatten die Ochsenfrösche bereits ihren Chor angestimmt. In der Luft lag ein Hauch von Mimosenduft.

3

Die Tage vergingen, Tage voller Sonnenschein, Wärme und Farbe, Tage der Stille, Tage der Liebe. Vom ersten Anzeichen der Morgendämmerung, wenn der See noch unter einer Decke goldenen Nebels lag, durch die steigende Hitze des Tages, die aber sogar mittags von einer kühlenden Brise gemildert wurde, bis zur tropischen Abendstille störte nichts die Idylle. Susan und Roger Kelso liebten sich zwischen den schwellenden Kissen des indischen Bettes, auf dem warmen Sand des Strandes unter Palmen und dem blauen Himmel, sie liebten sich im flachen, warmen Wasser, und nur die Flamingos sahen zu wie rosa gekleidete Wachposten.

Während der fünften Nacht, als sie zusammen auf dem Bett lagen, begriff Kelso, daß sein physisches Verlangen nach ihr niemals nachlassen würde. Aus der Heftigkeit ihrer Antwort auf seine Frage entnahm er, daß es ihr genauso ging. Sie waren aneinander gefesselt durch mehr als Verstehen, mehr als Zärtlichkeit, mehr als Respekt: Sie waren verbunden durch eine nie endende Liebe, nie endendes Verlangen.

»Wird es immer so sein?« fragte sie und strich mit der Hand über seine Brust.

»Immer«, versicherte er ihr, »wenn wir zusammen sind. Es kommen aber Wochen, möglicherweise auch Monate, in denen ich auf See bin.«

»Erinnere mich nicht daran!«

»Aber ich werde dich um so mehr brauchen, wenn ich zurückkomme.«

»So wie ich dich brauche – immer!« Leidenschaftlich zog sie ihn an sich. Mitunter, wenn sie sich mit geschlossenen Augen und geradezu animalischer Begierde an ihn klammerte, bereitete es ihm Vergnügen, sie im Geiste mit der kühlen Aristokratin im Salon und bei Empfängen zu vergleichen.

»Was wirst du tun, wenn ich weg bin?«

»Ich werde fleißig sein.«

»Und was wirst du so fleißig tun? Das Haus in Loll Diggy* ist doch fertig. Möbel, Vorhänge, Teppiche sind neu – es sei denn, daß du sie umtauschen willst.«

»Das Haus ist wunderbar.«

Sie zog ihn erneut an sich, erstickte seine Fragen mit Küssen; aber wie sie auch schon bei früheren Gelegenheiten festgestellt hatte, erwies seine Willenskraft sich als ebenso unbeugsam wie ihre eigene.

»Was also willst du tun?«

»Ich werde arbeiten – für dich, für uns.«

»Geld verdienen?«

»Warum nicht? Du mit deinem Kommodoregehalt, ich mit meiner Mitgift: Wir sind nicht gerade reich.«

»Aber wir sind glücklich.«

Sie lächelte und streichelte die harte Linie seines Kinns. »Besser glücklich als reich: Ist das deine Überzeugung? Nun, ich beabsichtige, beides zu sein.«

Er wandte sich ab und blickte durch die Bambusjalousie. Der Mond ging gerade auf, und der See war so glatt wie ein Silbertablett.

»Dann ist es also wahr, was du bei dem Empfang gesagt hast?«

»Ja. Jedes Wort.«

»Und du bist entschlossen, reich zu werden?«

»Die reichste Frau in Kalkutta. Du weißt, daß mir eitle Prahlerei nicht liegt.«

»Reichtum würde dich glücklich machen?«

»Ja. Sogar noch glücklicher, als ich jetzt bin.«

Er blickte weiterhin auf den See hinaus, als wolle er sich der Versuchung ihrer Schönheit entziehen. Schließlich sagte er: »Wenigstens bist du ehrlich. Du weißt, wie verhaßt mir die Korruption in Indien, die Gier von Männern wie Vansittart und Stuart immer gewesen ist. Selbst der arme Holwell wird jetzt in Versuchung ge-

---

* Villenvorort von Kalkutta

führt, und wer weiß, ob er widerstehen kann.«

»Oder ob er es sich leisten kann, zu widerstehen.«

»Geld!« explodierte er und schlug mit der Hand auf die Bettkante. »Ist Geld denn das einzige, was zählt?«

»Für den Europäer in Indien? Ja. Das muß so sein.«

»Warum?«

»Weil er bald einsieht, daß nur ein Dummkopf in dieses Land käme, das ihm kaum eine Chance zum Überleben läßt, ohne am Ende eine greifbare Belohnung für sich zu erwarten.«

»Ein Vermögen in Rupien, den Rang eines Nabob* und die Aussicht, alte Freunde in England zu beeindrucken!«

»Ja, all das, und verachte es nicht. Du weißt genausogut wie ich, daß die wenigen, die überleben, als gebrochene Menschen nach Hause zurückkehren – zumindest gesundheitlich, selbst wenn sie reich sind.«

»Warum dann zurückkehren?« fragte er. »Warum nicht lieber in Indien bleiben?«

»Und einem frühen Tod entgegensehen? Wenigstens sterben diejenigen, die zurückkehren, in behaglichem Wohlstand.«

»Sie hätten gar nicht herkommen sollen«, beharrte er, »wenn ihre einzige Absicht war, sich zu bereichern.«

Susan stützte sich mit dem Ellbogen auf und sah ihn überrascht an. »Du liebst Indien wirklich!« rief sie aus. »Das ist mir noch nie so klargeworden. Du liebst Indien!«

»Ich . . .« Er brach plötzlich ab, legte ihr eine Hand auf die Schulter und drückte sie hinunter in die Kissen.

»Roger . . .«

»Still!« Er richtete sich auf und kniete vor den Bambusjalousien.

»Was ist? Was siehst du?«

»Komm her.«

Sie kniete sich neben ihn, ihre Schultern berührten sich. Sie sah das Mondlicht auf dem See, die nächste Insel mit ihrem Binsengürtel, ihren Palmen, dem weiten Bogen ihres Strandes. Zwischen den Inseln, wie Enten auf einem Teich, segelte eine Flotte von Gallivaten.

»Was sind das – Fischer?«

»In Schiffen dieser Größe, mit Kanonen bestückt und mit Haubitzen am Heck?«

* spöttische Bezeichnung für einen in Indien reich gewordenen Engländer

»Dacoits also? Befürchtest du das?«

»Auf alle Fälle sind es Piraten. Siehst du die kleineren Schiffe, die Grabs? Ich habe seit Malabar* keine mehr gesehen.«

»Was machen sie hier?«

»Was sie immer gemacht haben: Während die größeren Schiffe, die Gallivaten, ihr Opfer ins Gefecht verwickeln, gehen die Grabs so dicht heran, bis sie Enterhaken werfen können. Sobald ein oder zwei von ihnen längsseits festgemacht haben, sind die Aussichten, den Piraten zu entkommen, für einen Ostindienfahrer** äußerst gering.«

»So wird das also gemacht!« Sie kniete neben ihm, ihr nackter Körper schimmerte silbern im Mondlicht. »Weißt du, die Fahrzeuge sind eigentlich ganz eindrucksvoll.«

»Eindrucksvoll? Ich glaube nicht, daß es ein Schiffsoffizier so ausdrücken würde.«

»Aber du wirst doch nicht behaupten wollen, daß eine Breitseite von Achtzehnpfündern diese buntscheckige Flotte nicht versenken würde!«

»Du verstehst nichts davon«, sagte er, »und ich habe keine Zeit, es dir zu erklären.« Barfuß lief er durch den Raum, riß den Bambusvorhang an der Tür beiseite und rief: »Padstow!«

»Was hast du vor?«

»Ich will hinter ihnen her. Was dachtest du denn?«

»Du kannst sie doch niemals einholen.«

»Ich kann's versuchen.«

»Aber Roger!«

»Was?«

»Dies sind unsere Flitterwochen!«

Er schien es nicht zu hören, zumindest aber hielt es ihn nicht vom raschen Ankleiden ab. »Padstow! Wo, zum Teufel, steckst du?«

»Roger!«

»Was ist denn nun schon wieder?«

»Du kannst doch Padstow nicht hier hereinlassen!«

»Warum nicht?«

»Möchtest du, daß er mich so sieht?«

»Dann zieh dir was an.«

Er nahm Säbel und Pistole unter den Arm und verließ den

* Westküste Indiens
** die bewaffneten Handelsschiffe der Ostindischen Kompanie

Raum, noch immer an seinem Hemd zerrend. Im Wohnzimmer stieß Padstow zu ihm. Er hatte nur seine Breecheshose an, aber ebenfalls die Pistole in der Hand.

»Was ist, Sir?«

»Schau nach draußen.«

Im Türrahmen nahmen sich die vorbeifahrenden Schiffe wie ein schönes Marinegemälde aus mit ihren windgeblähten Lateinersegeln. Ein friedliches Bild, so schien es, bis man die geöffneten Geschützpforten sah.

»Flußpiraten!« rief Padstow. »Möchte wissen, hinter welchem armen Teufel sie heute nacht her sind.«

»Irgend etwas Großes muß es schon sein, sonst bräuchten sie nicht eine so starke Streitmacht.«

»Ein Ostindienfahrer? Aber die sind gut geschützt, Sir. Die Schiffe der Marine lassen sich nicht überrumpeln.«

»Hoffentlich nicht.«

»Bei diesem Mondlicht!«

Kelso erwog die Möglichkeiten, während er hastig seinen Rock anzog. »Du könntest recht haben. Wo aber wollen sie dann hin?« Im Gehen schnallte er das Säbelgehenk um. »Eine Pilgergruppe auf dem Weg nach Kalighat? Dazu würden sie aber nicht diese ganze Flotte losschicken!«

»Vielleicht ein besonderer Pilgerzug, Sir? Irgendein heidnisches Fest?«

»Möglich. Aber ich nehme an, es geht um etwas Größeres, zumindest um einen Indienfahrer, der klar zum Auslaufen ist.«

»Die liegen alle mitten auf dem Fluß, Sir, bewacht von den Schiffen der Marine.«

»Und den Kanonen des Forts darüber.« Kelso schüttelte den Kopf. »Es wäre sinnlos.«

»Und was ist mit den Indienfahrern, die gerade eingelaufen sind?« ließ sich Susan vernehmen, die ins Zimmer getreten war. »Sind die nicht ebenso verlockend?«

Beide Männer wandten sich um und starrten sie an. Lady Susan trug nur ein Sommerkleid über dem nackten Körper, wirkte aber ruhig und gefaßt wie immer.

Kelso erwog ihre Anregung ernsthaft. »Aber die liegen in der schmalen Bucht. Wenn diese ganze Flotte dort hineinsegelt, dann ist sie so vollgepackt . . .«

»Vielleicht ist genau das ihre Absicht.«

Bewundernd sah er sie an. »Du könntest recht haben. Wenn die

Bucht verstopft ist, können keine anderen Schiffe eingreifen. Die Fahrzeuge der Marine auf dem Hugli, sogar die Geschützführer des Forts hätten Angst zu feuern, weil sie dabei die Ostindienfahrer treffen könnten, die sie ja gerade schützen wollen.«

»Falls sie die Rohre der Kanonen so weit senken können, Sir«, gab Padstow zu bedenken. »Die Bucht liegt doch beinahe unter den Mauern des alten Forts.«

»Zieh dich an!« befahl Kelso. »Komm mit zum Boot.«

Er rannte hinaus auf die Veranda und dann die Stufen zum Wasser hinunter. Seine Gig lag am Steg. Eine leichte Dünung, vielleicht von der Piratenflotte verursacht, ließ sie gegen die Holzpfähle stoßen. Die letzte Gallivate kam gerade außer Sicht.

»Padstow!«

»Ich komme, Sir.«

»Beeil dich, verdammt!«

In der Gig lagen zwei Paar Riemen, und er fragte sich, wie Padstow und er wohl mit den Piraten Schritt halten sollten. Deren Flotte hatte bereits einen beträchtlichen Vorsprung, und der Wind frischte allmählich auf.

»Noch mehr Patronen, Sir. Vielleicht brauchen wir sie, bevor die Nacht vorbei ist.«

»Leg sie ins Heck.« Kelso stand mit einem Fuß auf dem Dollbord und beobachtete, wie die Lateinersegel mit der Dunkelheit verschmolzen. »Bambus!« rief er plötzlich, »Leinen! Bettlaken!«

»Sir?«

»Los, Mann! Hol das alles! Wir riggen ein Rahsegel auf.«

Wenn Padstow auch nicht völlig begriff, worum es ging, so kannte er doch seinen Kommandanten zu genau, um lange Fragen zu stellen. Nach ein paar Minuten war er zurück, zusammen mit Susan. Sie brachten Arme voll Bettlaken, Tischtüchern und Bambusstangen. Ruhig, trotz seiner Ungeduld, laschte Kelso Bambusrahen an einen längeren Pfahl, der als Mast fungieren sollte. Mit seinem Messer und einer Rolle Bindfaden befestigte er das Behelfssegel daran.

»Also los, Padstow! Nimm die Riemen!«

In seinem Eifer vergaß er Susan völlig, bis Padstow, die Riemen bereits in der Hand, murmelte: »Sollten Sie sich nicht lieber verabschieden, Sir?«

»Was? Ach so, ja – verdammt!« Er sprang noch einmal zurück auf den Steg und nahm Susan in die Arme. »Wiedersehen, Liebes!

Paß gut auf dich auf, bis wir zurück sind.«

»Wann wird das sein?«

»Wer weiß? In ein paar Stunden vielleicht. Kommt darauf an, was diese Teufel vorhaben.«

»Roger!« Hilflos blickte sie ihn an. »Nimm mich mit!«

»Das ist nicht möglich, wie du weißt.«

»Warum ist es nicht möglich?«

»Das ist Männerarbeit. Es wird zum Kampf kommen. Ich möchte nicht, daß du verletzt wirst.«

»Ist das der einzige Grund?«

»Natürlich.«

»Wenn es zum Schußwechsel kommt: Ich bin ein besserer Pistolenschütze als du, erinnerst du dich?«

Er vergaß seine Ungeduld einen Augenblick und küßte sie auf die Stirn. »Du hast recht, bei Gott! Das hatte ich ganz vergessen.«

»Heißt das . . .«

»Trotzdem bleibst du hier und paßt gut auf.« Er sprang ins Boot, langte aber noch einmal nach oben und ergriff ihre Hand. »Es ist wichtig. Ich würde dich nicht bitten, wenn es nicht wirklich wichtig wäre. Seit Monaten versuchen wir, die Piraten zu stellen. Sie haben schon allzu lange geraubt und gemordet. Diese Gelegenheit jetzt dürfen wir nicht versäumen.«

Kühl nickte sie und entzog ihm ihre Hand. »Auch wenn es in unseren Flitterwochen ist.«

4

Sowie sie aus dem Windschutz der Insel kamen, drückte die Brise das Behelfssegel gegen die Bambusrahen. Durch das zusätzliche Pullen zog die Gig in rascher Fahrt durchs Wasser. Eine weitere Insel tauchte an Steuerbord auf, die sie in so geringem Abstand passierten, daß sie nur knapp über die Untiefen hinwegrutschten. Öfter stieß der Bug gegen einen Hügel aus Riedgras oder Schilf, was Padstow zu greulichen Verwünschungen veranlaßte.

Von der Piratenflotte war nichts zu sehen.

»Glauben Sie, daß wir sie verfehlt haben, Sir?« fragte Padstow, als sie einmal kurz verschnauften.

»Vielleicht.« Kelso blickte über die Schulter auf den weiten See. Die Sicht, schätzte er, betrug etwa eine Viertelmeile, und die hellen Segel mußten das Mondlicht reflektieren. Wenn der Anführer der Piraten nicht Kurs geändert hatte, mußten seine Schiffe noch vor ihnen sein. »Mit etwas Glück werden wir noch rechtzeitig genug eintreffen.«

»Bei dem günstigen Wind segeln diese Heiden mit ihren Lateinersegeln doppelt so schnell wie wir, Sir.«

»Und segeln doppelt so weit.«

»Sir?«

»Sie haben keine flache Gig wie wir, müssen also der tieferen Fahrrinne folgen. Bis sie ein dutzendmal oder noch öfter über Stag gegangen sind, sollten wir sie eigentlich in Sicht bekommen.«

Tatsächlich stießen sie schon viel früher auf die Piratenflotte, als Kelso erwartet hatte. Als sie eine Landzunge rundeten, hörte Padstow, der im Bug saß, plötzlich auf zu rudern.

»Was ist los, zum Teufel?«

»Sehen Sie, Sir – dort drüben!«

Genau vor ihnen lag der Schilf- und Binsengürtel, der sich bis zur Breite einer halben Meile rund um den See erstreckte und der im schwachen Mondlicht wie festes Land wirkte. Es war Kelso klar, daß sie noch ein gutes Stück von der Durchfahrt entfernt waren, die sie auf dem Herweg vor fünf Tagen benutzt hatten. Dennoch erkannte er bereits die gelben Blumen und die Rohrkolben, ja sogar die hölzerne Plattform, auf der die beiden Fischer gekauert hatten. Als er sich noch ein wenig weiter umwandte, sah er die Piratenflotte.

Sie bestand aus einem guten Dutzend Gallivaten und aus ebenso vielen Grabs. Die Schiffe lagen vor Anker und wirkten mit ihren provisorisch aufgetuchten Segeln beeindruckend, ja beinahe geisterhaft. Obgleich die nächstgelegenen von ihnen nicht weiter als eine Kabellänge entfernt waren, hörten sie weder ein Geräusch noch bemerkten sie eine Bewegung, bis von der führenden Gallivate ein Kanu zu Wasser gelassen wurde und einer der Piraten von einem Boot zum anderen paddelte, wobei er keins der Fahrzeuge ausließ.

»Was haben die vor, Sir?«

»Letzte Befehlsausgabe vielleicht. Oder sie warten auf Nachzügler.«

»Sind es wirklich die neu eingelaufenen Indienfahrer, hinter denen sie her sind?«

»Bestimmt. Da bin ich ganz sicher.«

»Würden wir dann nicht besser . . .«

»Still!« Kelso wog die Möglichkeiten gegeneinander ab. Wenn sie das Behelfssegel herunternahmen und zum Rand des Schilfgürtels ruderten, konnten sie wahrscheinlich vor dem dunklen Hintergrund kaum gesehen werden und somit der Aufmerksamkeit der Piraten entgehen. Andererseits mußten sie vorher hundert Meter oder sogar noch mehr offenes Wasser überqueren. Irgendeiner der Inder würde sie dabei sicherlich bemerken.

Er warf einen Blick zum Himmel. Obwohl der Mond und die Sterne noch hell leuchteten, zogen im Westen Wolken auf. In zehn – wenn sie Glück hatten, vielleicht schon in fünf – Minuten würden sie den Mond verdecken.

»Runter mit dem Mast!«

Sie verstauten die Laken und Bambusstangen unter ihren Füßen und warteten. Der Bote im Kanu hatte seine Runde beendet und war zu der Gallivate zurückgekehrt, die das Flaggschiff zu sein schien. Dann sahen sie ein letztes Fahrzeug zum Gros stoßen und mußten damit rechnen, daß jeden Augenblick das Signal zum Ankerlichten gegeben würde.

Padstow starrte ungeduldig auf die sich träge dem Mond nähernden Wolken. Kelso sagte nichts, war sich aber darüber klar, daß sie losfahren mußten, sowie die Piratenschiffe anfingen, Segel zu setzen.

»Gleich ist es soweit, Sir.«

Er blickte auf. Ein Wolkenzipfel schob sich vor den Mond, das Licht wurde merklich schwächer. Ein paar Augenblicke zumindest würde es dunkel sein.

»Jetzt!«

Mit mächtigen Schlägen ruderten sie das Boot um die Landzunge. Noch während Kelso, im gleichen Takt mit Padstow, die Riemen durchs Wasser zog, sah er die nächstgelegenen Gallivaten und hörte ein Kommando – oder einen Alarmruf. Dann senkte sich die Dunkelheit herab.

Sie hatten so viel Fahrt, daß der Bug sich tief ins Schilf bohrte, bevor die Gig zum Stehen kam. Padstow, dessen Riemen sich in den Wasserpflanzen verfingen, fiel kopfüber hin, und eine Ente flog laut quäkend auf.

»Ruhe!« befahl Kelso wütend.

Sie warteten, lauschten dem Plätschern des Wassers und dem Geräusch des Schilfs im Wind. Eine Ratte oder eine Wasserschlange schwamm vorbei und hinterließ ein V-förmiges Kräuseln auf der Wasserfläche.

»Nichts, Sir. Alles klar.«

»Gut. So schnell wir können – und leise.«

Schweigend ruderten sie mit kurzen Schlägen am Rand des Schilf- und Binsengürtels entlang. Auf den Piratenschiffen herrschte jetzt Bewegung. Sie hörten das Trappeln von Füßen, kurze Befehle und das Rasseln der Ankerketten in den Klüsen. Die Dacoits machten seeklar.

»Wie weit noch?« fragte Kelso; aber bevor er die Frage ganz ausgesprochen hatte, riß er kräftig an seinem Backbordriemen. Das Boot drehte in die Fahrrinne, und als der Mond ein paar Minuten später wieder hervorkam, waren sie jeglicher Sicht entzogen.

Kelso, der seit seiner Kadettenzeit nicht mehr ernsthaft gerudert hatte, spürte schmerzhaft seine Muskeln; in seinen Handflächen bildeten sich bereits Blasen, aber in Anbetracht der Eile pullte er verbissen weiter. Über den Schilfspitzen sah er schon das erste Lateinersegel auftauchen, dicht gefolgt von den anderen. Die Piratenflotte setzte zum vernichtenden Schlag an.

»Die Halunken holen uns ein, Sir«, knurrte Padstow. »Sie werden uns in Grund und Boden rammen, bevor wir die Bucht erreichen.«

Kelso nickte. Trotz der vielfach gewundenen Fahrrinne würden die im hellen Mondlicht segelnden Gallivaten sehr bald das von zwei ermatteten Männern geruderte Boot einholen.

Ohne seinen Schlag zu unterbrechen, blickte er über die Schulter. In geringem Abstand erhob sich eine kleine Insel, nicht größer als zehn Quadratfuß, mit einer mächtigen Weide. Auf der anderen Seite der Rinne, die hier so schmal war, daß sie kaum genügend Platz für die Gallivaten bot, lag noch eine Insel, nur wenig größer, über und über mit Rhododendren bedeckt.

»Auf Riemen!«

Er steuerte die Gig dicht ans Schilf heran und fand dort rasch, was er suchte: einen halbversunkenen Baumstamm.

»Nimm ihn mit, während ich rudere!« befahl er.

Sie schoben sich an die Insel heran, und mit Padstows Hilfe zwängte Kelso den nassen Stamm so gegen die Weide, daß er in die Fahrrinne hineinragte, aber noch genügend Platz zum Passieren der Gig ließ. Vorsichtig ruderten sie durch die Lücke, dann suchten sie nach weiteren Baumstämmen und sonstigem Treibgut.

Sie brauchten nicht weit zu rudern. Während der Trockenzeit

schrumpfte der See auf die Hälfte seiner Größe zusammen und legte Landstreifen und Inseln frei, auf denen Bäume wuchsen, die später unterspült wurden, wenn der Monsunregen besonders heftig ausfiel. Das Schilf steckte voll teilweise vermoderten Baumstämmen.

Kelso und sein Steward arbeiteten rasch. Während die Segel immer näher kamen, zerrten sie jedes Stück Holz und Buschwerk, das sie finden konnten, heran und häuften es in der Durchfahrt auf. Äste wurden auf Stämme gepackt, und bald türmte sich eine zehn Fuß hohe Barriere in der Fahrrinne, die die Piratenflotte passieren mußte.

»Wird sie halten, Sir?« fragte Padstow, Gesicht und Arme schlammbedeckt; er sah furchterregend aus.

»Vielleicht lange genug, um uns einen guten Vorsprung zu sichern.«

Die führende Gallivate bog bereits in die Durchfahrt ein und war nur noch einen Steinwurf weit vom Hindernis entfernt, als die beiden endlich ihre Fahrt fortsetzten. Sie sahen das spitze Segel majestätisch überm Schilf seine Bahn ziehen, hörten die Alarmrufe, hörten und sahen das Durcheinander, das beim Auflaufen der Gallivate auf das Hindernis entstand.

So hoch war die Geschwindigkeit des Schiffes, daß der Bug sich durch die Barriere bohrte, aber die Wucht des Aufpralls warf es herum. Bevor der Anführer noch Befehle erteilen konnte, war es die weiche Schlammbank des Inselchens hinaufgeglitten, wo es steckenblieb.

Jetzt überstürzte sich alles. Inder im Lendenschurz sprangen über Bord und versuchten, den Bug wieder in die Fahrrinne zu schieben, während andere in den Mast kletterten.

»Wird sie eine Zeitlang beschäftigen«, bemerkte Padstow schadenfroh.

Sein Optimismus war begründet. Bevor die erste Gallivate flottgemacht werden konnte, war die zweite ahnungslos herangekommen, und unter den lautstarken Flüchen beider Kommandanten bohrte sich ihr Bug tief in die Flanke des Führerschiffs, das sich stark überlegte, wobei sich der Mast mitsamt den Toppsgasten im Gewirr der Baumkronen verfing.

Eines nach dem anderen kamen jetzt auch die übrigen Fahrzeuge heran; so groß war das Durcheinander, daß nicht ein einziger der Komandänten rechtzeitig den Befehl zum Segelstreichen erteilen konnte.

»Das sollte uns genügend Zeit lassen, die Indienfahrer zu warnen«, bemerkte Padstow, »wenn es dieses Heidenpack nicht ganz und gar von seinem teuflischen Plan abbringt.«

»Hoffentlich nicht«, sagte Kelso. »Sie sollen angreifen und glauben, wir seien völlig unvorbereitet. Wahrscheinlich bietet sich uns nie mehr eine so gute Gelegenheit, sie zu vernichten.«

Nichts war zu sehen von der Piratenflotte, als sie aus dem Schilfgürtel in die offene Bucht ruderten. Die Hütten am Ufer lagen still und dunkel, kein einziger Fischer war auf dem Wasser.

»Sieht so aus, als wüßten alle Bescheid, was sich hier gleich abspielen wird«, sagte Padstow. »Hoffentlich gelingt es ihnen nicht, die Dacoits zu warnen!«

»Wenn sie erst einmal bis hierher gekommen sind«, erwiderte Kelso, »haben wir sie.«

Seine Muskeln schmerzten erbärmlich, als sie die letzten hundert Meter zum Kai ruderten. Sie machten das Boot fest und stiegen an Land. Dort erwarteten sie einen Anruf der Wache, aber nichts geschah. Dank des Mondscheins war es fast so hell wie am Tage. Ein Stapel Lattenverschläge, wohl zu schwer, um fortgeschafft oder gestohlen zu werden, lehnte an einer Lagerhauswand. Die Festmachetrossen der Ostindienfahrer hingen lose von ihren Pollern herab. Von Wachtposten war nichts zu sehen.

»Komm mit!«

Sie schritten rasch über den Kai, und Kelso hielt nur einmal kurz an, um den Namen des Schiffes zu entziffern: *Hyderabad.*

Ohne auch nur angerufen zu werden, stiegen sie die Gangway hinauf, und erst, als sie die Schanzkleidpforte passiert hatten und an Deck sprangen, erhob sich ein verschlafener Posten und trat ihnen entgegen. Kelso schob ihn beiseite.

»Wo ist Ihr Kapitän?«

»An Land, Sir, nur ...«

»Wo ist der wachhabende Offizier?«

Ein junger Leutnant, völlig entgeistert über das plötzliche Auftauchen des Kommodore, empfing ihn am oberen Ende der Treppe zum Achterdeck.

»Wo sind Ihre Posten?«

»Unten, Sir – auf dem Hauptdeck.«

»Da ist nur einer, und der ist so verschlafen, daß ich ihn leicht hätte erstechen können, bevor er einen einzigen Laut von sich gegeben hätte. Wo sind die anderen?«

»Da sind keine anderen, Sir, wenigstens ...«

»Lesen Sie eigentlich keine Kompaniebefehle, Mr. – Mr. – . . .
Wie ist Ihr Name?«

»Entwistle, Sir.«

»Lesen Sie keine Kompaniebefehle, Mr. Entwistle?«

»Doch, Sir.« Der junge Mann war den Tränen nahe.

»Wissen Sie, wie viele Posten auf Wache sein sollen – Tag und
Nacht?«

»Ja, Sir.«

»Nun?«

»Vier sollen es sein, und der Rest der Wache in Sofortbereit-
schaft.«

»Das wissen Sie also!«

»Ja, Sir, aber es schien alles so ruhig.«

»Ruhig!« Kelso lachte ärgerlich. »Ich glaube, Mr. Entwistle,
Sie werden gleich eine böse Überraschung erleben.« Er wandte
sich um und sah einen Kadetten an der Querreling stehen. »Sie da
– wie heißen Sie?«

»Westerby, Sir.«

»Gut, Mr. Westerby. Als erstes alarmieren Sie jetzt alle hier am
Kai liegenden Indienfahrer. Wie viele sind es?«

»Drei, Sir, außer uns. Die *Theseus*, die . . .«

»Gleichgültig, wie sie heißen. Laufen Sie los und wecken Sie
alle Mann.«

»Aye, aye, Sir.« Der Junge rannte zur Treppe, hielt dort aber
noch einmal an. »Was soll ich denn sagen, Sir?«

»Daß eine ganze Flotte von Flußpiraten aus dem Salzsee heran-
segelt. Sie sollen alle Mann an Deck rufen, bewaffnet.«

»Aye, aye, Sir!« Nicht schnell genug konnte der Junge die
Treppe hinunterpoltern.

»Noch eins, Mr. Westerby!«

»Sir?«

»Die Leute sollen sich aber versteckt halten. Alles muß ruhig
und friedlich aussehen, bis die Piraten angreifen.«

»Aye, aye, Sir.«

Kelso ging zum Rand des Achterdecks und warf einen Blick
über die Lagerhäuser hinweg zum alten Fort. Obwohl es bald ab-
gerissen werden sollte, waren die Geschützbatterien noch immer
besetzt und sollten auch besetzt bleiben, bis das neue Fort, mit
dessen Bau Robert Clive* begonnen hatte, beendet war. Er

* früherer Gouverneur von Kalkutta

schätzte den Winkel und kam zu dem Schluß, daß die Kanonen auch mit der größtmöglichen Senkung nicht auf das Kaigelände feuern konnten. Aber von ihrer hohen Warte aus konnten sie mühelos das Gebiet des Schilfgürtels unter Feuer nehmen.

»Sir?«

Gereizt wandte er sich um und sah den jungen Leutnant an, der neben ihn getreten war. »Welche Befehle haben Sie für mich?«

»Welche Befehle! Großer Gott, Mann, wenn Sie es nicht inzwischen längst veranlaßt haben – *Alle Mann an Deck, klar zum Gefecht!*«

Ein paar Minuten später, aufgeschreckt von der Pfeife des Bootsmanns und vom Klatschen seines Rohrstocks beflügelt, kam die Freiwache an Deck getaumelt. Zwei Offiziere waren darunter, der Erste und der Zweite, und der Schiffsarzt.

»Mallory, Sir«, sagte der Erste Offizier und salutierte stramm.

»Gut, Mr. Mallory. Sind das alle Leute, die Sie haben?«

»Ja, Sir. Der Kapitän und die anderen Offiziere sind an Land, auch die gesamte Steuerbordwache.«

Kelso nickte. »Und Sie sind frisch aus England gekommen?«

»Ja, Sir. Heute – das heißt, gestern.«

»So, Mr. Mallory, und Sie dort alle, hören Sie, was ich Ihnen jetzt sage, und hören Sie gut zu! Eine Piratenflotte segelt aus dem Salzsee heran und wird jeden Augenblick hier sein. Ich bin davon überzeugt, daß Sie das Angriffsziel sind.«

Unter den Männern entstand Bewegung, und Kelso stellte zu seiner Beruhigung fest, daß ihre Gesichter eher Kampfesfreude als Furcht ausdrückten. Nach sieben Monaten auf See waren sie zweifellos streitsüchtig und freuten sich auf einen Kampf.

»Es ist keine Zeit mehr, Ihre Kameraden von Land herbeizuholen. Bestimmt werden sie von selbst kommen, wenn sie das Schießen hören. Aber inzwischen sind wir abwehrbereit – und die Piraten wissen es nicht. Nicht wir, sondern sie werden die Überraschten sein.«

Ein rauhes Hurra erklang, wurde aber sofort von den Offizieren und Unteroffizieren unterdrückt.

»Eine Frage, Sir?«

»Ja, Mr. Mallory?«

»Wie stark ist die Flotte?«

»Zwei Dutzend, möglicherweise sogar mehr Schiffe.«

»Zwei Dutzend, Sir! Dann ist ja die ganze Bucht verstopft, und es bleibt kein Platz zum Manövrieren!«

»Genau das haben sie auch geplant.« Er lächelte. »Andererseits werden sie ihren Plan bereuen, wenn das Schlachtglück sich gegen sie wendet, denn dann gibt es kein Entkommen, weder zum Fluß noch zum Salzsee.«

»Auf dem Fluß wird die Marine sie erwarten«, sagte Mallory.

»Sie müssen dann kehrtmachen, so gut es geht, und zum See durchbrechen.«

Mallory nickte. »Wo dann einige, möglicherweise die meisten, sich in Luft auflösen werden.«

»Ich sehe, Sie hatten schon mit Flußpiraten zu tun, Mr. Mallory.«

»Ja, Sir, auf meiner letzten Reise hierher, und einen schlüpfrigeren Gegner habe ich noch nie erlebt.«

»Nun, wir werden bald sehen, wie schlüpfrig er heute ist.« Dann lächelte er. »Auf eure Stationen, Leute, und denkt daran: Keiner bewegt sich oder feuert, bis ich das Signal dazu gebe. Habt ihr verstanden?«

»Aye, aye, Sir.«

»Gut denn. Viel Glück!«

Während die Seeleute zu ihren Gefechtsstationen hinter dem Schanzkleid oder an den Geschützpforten eilten, stützte sich Kelso auf die Querreling. Trotz der Erregung über den bevorstehenden Kampf fühlte er sich plötzlich müde. Arme und Beine schmerzten ihn, und sein Kopf fühlte sich an, als habe er einen Fieberanfall.

»Sir?« Padstow war neben ihm. »Sind Sie in Ordnung, Sir?«

»Warum sollte ich nicht in Ordnung sein?«

»Weiß nicht, Sir, aber Sie sehen so aus . . .«

»Gleichgültig, wie ich aussehe. Habe ich irgend etwas vergessen?« Noch während er es aussprach, spürte er, daß es falsch klang. Padstows Miene bestätigte es ebenfalls. »Was ich meine, ist . . .« Seine Worte wurden undeutlich.

»Sir? Sind Sie wirklich gesund?«

»Natürlich bin ich gesund, verdammt!«

»Dann wäre da nur noch eine Sache.«

»Und welche?«

»Nun, Sir, ich dachte – vielleicht. . .«

»Ja?«

»Meinen Sie nicht, Sir, es wäre besser, das Fort zu alarmieren?«

»Gottverdammt! Hab ich das nicht getan?« Er taumelte mehr als er ging über die Schanz und rief: »Mr. Mallory!«

»Sir?«

»Schicken Sie einen intelligenten Kadetten zum Fort.«

»Zum alten Fort«, warf Padstow ein.

»Der Batteriekommandeur soll sich bereithalten.«

»Aye, aye, Sir.« Mallory war offensichtlich ebenso betroffen wie Padstow. »Aber, Sir, die Kanonen des alten Forts können nicht hier herunter feuern, und wenn sie es täten . . .«

»Nicht hierher, Mr. Mallory. Sie sollen feuern, wenn die Piraten versuchen, in den Salzsee zu entkommen.«

»Aye, aye, Sir.«

Kelso merkte, daß er sich an der Reling festhalten mußte. Mallorys besorgtes Gesicht verschwamm vor seinen Augen. »Das ist alles.«

Er wandte sich um und legte seine brennende Stirn auf die Hände. Es war Schwäche, nichts weiter. Er konnte es sich nicht leisten, krank zu werden.

Mit einer übermenschlichen Anstrengung hob er den Kopf und zwinkerte, um wieder klare Sicht zu bekommen. Einen Augenblick hielt er alles für ein Trugbild, das ihm das Fieber vorgaukelte: die stille Bucht, die vor Anker liegenden Schiffe. Dann aber sah er – wie Traumfiguren – die heransegelnden Gallivaten.

5

»Ruhe!«

Mallorys Befehl war kaum nötig, denn die Besatzung der *Hyderabad*, die hinter dem Schanzkleid und an den Stückpforten kauerte, war so still und reglos wie eine Gruppe von Statuen. Kelso konnte sie im Mondschatten kaum ausmachen. Von seiner Position vermochte er bis zur Back zu sehen. Die Deckstützen, die Ladeluken, die drei ungeheuren Masten, alles hob sich im Mondlicht klar ab, und der Schatten der Takelage schien wie ein Netz ins mondbeschienene Deck geätzt. Kelsos Augen brannten, sein ganzer Körper wurde vom Fieber geschüttelt, aber er beachtete es nicht. Mit gezogenem Säbel erwartete er den Feind.

»Sie kommen!«

Ein Scheuern, so leicht, daß es kaum von den normalen Schiffsgeräuschen zu unterscheiden war, sagte ihnen, daß die ersten Piraten längsseits lagen. Im nächsten Augenblick flog ein Enterhaken durch die Luft und verankerte sich hinter dem Schanzkleid, ein zweiter saß bereits weiter vorn fest. Kelso fragte sich, ob die anderen Indienfahrer gleichzeitig angegriffen wurden.

Der erste Pirat erschien, mit erheblichem Abstand vor seinen Kameraden. Ein Sprung über das Schanzkleid, geräuschloses Aufsetzen der nackten Füße, dann stand der Mann, ein kleiner, aber muskulöser Inder, geduckt und breitbeinig an Deck. In der Hand hielt er stoßbereit seinen Dolch, während er sorgfältig die Umgebung musterte.

Sein Rücken war dem Achterdeck zugekehrt. Kelso beugte sich weit über die Querreling und zerschnitt mit einem einzigen Säbelhieb den Piraten vom Hals bis zum Brustbein. Ohne einen Laut von sich zu geben, fiel der Mann tot zu Boden. Im nächsten Augenblick quollen zwanzig oder dreißig seiner Kameraden über die Reling und sprangen an Deck.

»Auf sie!« rief Kelso.

Als sich die Piraten dem Rufer zuwandten, fiel die Besatzung von hinten über sie her und machte sie nach einem kurzen Kampf alle nieder. Das Deck war übersät mit Leichen; im Mondschein sah Kelso das Blut in die Speigatten fließen. Von den anderen Schiffen hörte er ebenfalls Kampflärm, dann wurde seine Aufmerksamkeit wieder durch die Vorgänge in unmittelbarer Nähe gefesselt. Die anfängliche Niederlage hatte die Piraten keineswegs abgeschreckt, sondern schien sie im Gegenteil zu neuen Anstrengungen anzuspornen. Schreiend kamen sie über die Reling geschwärmt, Dolche oder Säbel in den Händen, Mordgier im Blick. Offenbar waren sie durch Drogen aufgeputscht. Die britischen Seeleute traten ihnen entgegen, genauso entschlossen wie ihre Gegner.

Kelso stand oben an der Schanztreppe und durchbohrte jeden dunkelhäutigen Piraten, der versuchte, auf das Achterdeck zu gelangen. Er kämpfte eher instinktiv als mit Geschick, denn seine Sicht war getrübt und undeutlich, sein Arm schwer wie Blei. Der Lärm wirkte betäubend. Es schien eine Taktik der Piraten zu sein, durch ihr Kampfgeschrei sich selbst Mut zu machen und zugleich den Gegner zu verwirren. Überall auf dem Oberdeck waren die Männer in Zweikämpfe verwickelt. Unter den Toten sah Kelso auch manches Besatzungsmitglied neben den vierzig oder mehr gefallenen Piraten. Vorläufig war die Schlacht noch keineswegs gewonnen.

»Padstow!« rief er, und im selben Augenblick bahnte sich sein Steward den Weg aus dichtem Kampfgetümmel zum Achterdeck.

»Sir?«

»Halt die Treppe, Padstow!«

Von der Querreling aus konnte Kelso die längsseit liegenden Grabs sehen und die noch immer über die Bordwand schwärmenden Piraten. Das nächste Schiff am Kai, die *Theseus*, wurde genauso angegriffen, und der Kampf wogte auch dort hin und her.

Jetzt traten die größeren Gallivaten in Aktion, wie er schon vermutet hatte. Sie segelten in Kiellinie auf der anderen Seite der Bucht heran, bereit, Breitseiten aus ihren Zwölfpfündern zu feuern, falls der erste Angriff abgeschlagen werden sollte. Auf diese geringe Entfernung mußte das verheerende Folgen haben. Drei Gallivaten und ebenso viele Grabs kamen augenblicklich auf jeden Indienfahrer, und wenn sie versenkt oder in Brand gesetzt wurden, warteten schon andere in der Bucht darauf, ihren Platz einzunehmen.

»Mr. Mallory!«

»Sir?«

»Geben Sie Ihren Stückmeistern Feuerbefehl!«

»Aye, aye, Sir.«

Es dauerte einen Augenblick, bis der Befehl bei dem herrschenden Kampfeslärm bis zu den Geschützführern gelangt war, dann aber donnerten die zwölf Kanonen der *Hyderabad* gleichzeitig ihre Ladung heraus. Die Wirkung war verheerend. Zwölf Achtzehnpfünder, auf ebenem Kiel und geringste Entfernung abgefeuert, brachten dem Gegner vernichtende Verluste bei. Einer Gallivate wurde der Mast weggeschossen. Eine andere, die durch ihre Position in der Mitte der Kiellinie die meisten Treffer erhielt, legte sich über und sank in wenigen Minuten. Eine dritte lief schwer beschädigt auf Grund.

»Davon sollen die sich erst einmal erholen«, sagte Mallory triumphierend.

»Sie sind noch nicht erledigt«, bemerkte Kelso trocken. »Genügend andere warten weiter unten in der Bucht, um ihren Platz einzunehmen. Wenn ich mich nicht täusche, sind sie schon auf Schußdistanz.«

Wie zur Bestätigung eröffnete die nächstgelegene Gallivate das Feuer. Der Knall der Abschüsse und das Heulen der Kugeln über ihren Köpfen fielen beinahe zusammen. Eine Kugel landete an Deck und zog eine gräßliche Spur vom Großmast nach vorn zur Back. Dabei zerriß sie das Bein eines unglückseligen Seemanns, der sich zufällig auf ihrer Bahn befand. Kelso fragte sich, wie tüchtig wohl die Geschützbedienungen der *Hyderabad* waren.

Darüber sollte er nicht lange im unklaren bleiben; trotz des ungünstigen Schußwinkels erledigten die Achtzehnpfünder die vierte Gallivate genauso rasch und gründlich wie ihre drei Vorgängerinnen. Klaffende Löcher wurden vorn eben über der Wasserlinie sichtbar, sie krängte und blieb mit Schlagseite liegen.

Hurrarufe erklangen, die aber rasch erstarben, als vier oder fünf Piraten sich ihren Weg aufs Achterdeck erkämpften. Padstow war auf die Knie gesunken und blickte verwundert seinen Arm an, der bis auf den Knochen durchschlagen war. In seiner Benommenheit bemerkte er den Angreifer nicht, der sich anschickte, mit dem Degen zum Todesstoß auszuholen.

Mit drei schnellen Schritten war Kelso zur Stelle und stieß dem Piraten seinen Säbel zwischen die Rippen.

»Alles in Ordnung?«

Padstow stützte seinen Arm mit der Hand und blickte verlegen grinsend zu Kelso auf. »Gewiß, Sir. Ich mache einen Verband drum und . . .«

»Nichts machst du. Du setzt Dich an die Reling, bis das hier vorbei ist.« Ohne auf den Protest seines Stewards zu achten, ergriff er ihn unter den Armen und schleppte ihn zum Heck. Vor Anstrengung verschwamm ihm alles vor den Augen, und nur mit Mühe parierte er den Dolchstoß eines Piraten, der sich von der Schanztreppe auf ihn stürzte. Die Wucht des Stoßes warf den Inder gegen die Reling, wo er versuchte, sich erneut zu stellen, aber im nächsten Augenblick von Kelsos Säbel gefällt wurde.

Auf dem Hauptdeck tobte der Kampf hin und her, mal hatte die eine, dann die andere Seite die Oberhand. Die Zahl der Piraten schien unbegrenzt. Kaum waren sie am Rande der Niederlage und nur ein paar Überlebende verteidigten sich noch verzweifelt, schon strömte Verstärkung über die Reling. Von seinem Beobachtungsstand auf dem Achterdeck sah Kelso, daß die Grabs dichtgedrängt die ganze Bucht bedeckten und die halbnackten Piraten von einem Schiff zum anderen sprangen.

»Wir können sie nicht aufhalten«, schrie Mallory. »Meiner Meinung nach sollten wir uns zurückziehen.«

»Und das Schiff aufgeben?« Wütend starrte Kelso ihn an. »Ihre Aufgabe ist es, das Schiff zu verteidigen, Mr. Mallory, und meine ist es, die Piraten zu vernichten. Mit etwas Glück werden wir beides schaffen.«

»Aye, aye, Sir, aber . . .«

»Kein Aber, Mr. Mallory. Sie übernehmen das Kommando.«

»Sir! Wo wollen Sie hin?«

»Etwas ausprobieren, was ich vor langer Zeit in einem ähnlichen Kampf gemacht habe.« Obgleich ihm der Kopf schmerzte und jede Bewegung Pein bereitete, rannte er den Niedergang hinunter zu den Kanonen, wo ein Maat in Abwesenheit des Stückmeisters seine Befehle rief: »Auswischen! Nachladen!«

Als er Kelso sah, zögerte er und salutierte kurz.

»Machen Sie weiter, Mr. . . . Wie ist Ihr Name?«

»Lampard, Sir.«

»Sie haben Ihre Sache gutgemacht, Mr. Lampard. Ich werde Sie in meinem Bericht erwähnen.«

»Danke, Sir.«

»Jetzt möchte ich vier Mann von Ihnen.«

»Aye, aye, Sir, nur sind wir mächtig knapp mit Leuten, da die Freiwache an Land ist und . . .«

»Diese Grabs längsseits, können Sie nichts dagegen machen?«

»Nichts, Sir. Wir können sie nicht unter Beschuß nehmen, weil wir die Rohre nicht so tief senken können.«

»Das dachte ich mir – und deshalb brauche ich die vier Mann.« Er musterte kurz die Geschützbedingungen und suchte sich die vier stämmigsten Seeleute aus. Als die Männer sich um ihn versammelt hatten, sagte er: »Jeder von euch holt sich eine Kanonenkugel, besser noch zwei, wenn ihr sie tragen könnt.«

»Wohin damit, Sir?«

»Aufs Oberdeck.«

Sie zögerten, offensichtlich hielten sie ihn für verrückt. Doch durch seinen entschlossenen Ausdruck oder durch seine Kommodoreuniform wurden sie schwankend. Schließlich knieten sie nieder und hoben die schweren Kugeln hoch.

»Folgt mir!«

Mit gezücktem Säbel schritt Kelso voran. An der Schanztreppe mußten sie warten, da über ihnen auf dem Achterdeck gerade der wildeste Kampf tobte. Als sich das Getümmel ein wenig verzogen hatte, ging er mit ihnen zur Reling.

An Deck herrschte noch immer unglaublicher Tumult: Männer riefen, die Verwundeten schrien, und aus den Wanten, in die die Seesoldaten gemäß Kompaniebefehl geklettert waren, wurden Musketen abgefeuert. Jetzt ertönte auch Gewehrfeuer vom Kai, wo eine Abteilung des Neununddreißigsten Infanterieregiments eingetroffen war.

»Beeilt euch!« rief Kelso.

Die vier Seeleute hasteten heran, so rasch es ihnen möglich war. Beladen mit sechsunddreißig Pfund Eisen, war es trotz ihrer Kräfte für sie schwierig, das vom Blut schlüpfrige, mit Leichen und Verwundeten übersäte Deck zu überqueren. Wenn in diesem Augenblick ein Pirat über das Schanzkleid gesprungen wäre und sie angegriffen hätte, wäre Kelsos Säbel ihr einziger Schutz gewesen.

»Hierher!« Er bedeutete ihnen, daß sie eine Kugel auf die Reling heben sollten.

Der erste Kanonier behielt eine Kugel unterm Arm und bemühte sich, die zweite anzuheben. Das gelang aber erst, als Kelso mit zupackte.

»Jetzt!« Vorsichtig rollte er sie über Bord.

Nur er konnte den Fall verfolgen, nur er sah, wie unten ein getroffener Dacoit zerquetscht wurde.

»Die nächste!«

Diesmal wartete er, bis das Deck der Grab unter ihm frei war. Die achtzehn Pfund Eisen, die aus einer Höhe von siebzig Fuß hinunterstürzten, durchschlugen mühelos Beplankung und Boden des Piratenschiffes, in das sofort Wasser einströmte.

»Noch eine!«

Die dritte Kugel landete dicht neben dem Loch und vergrößerte es erheblich. Noch stärker schoß das Wasser herein.

Zwei weitere Grabs lagen längsseits. Beide wurden durch Kelsos List leckgeschlagen und sanken kurz darauf genauso wie die erste.

Als die letzte Kugel über Bord geworfen war und ihr Unheil angerichtet hatte, wandte Kelso sich um, völlig verwirrt von Fieber und Erschöpfung; er stellte fest, daß der Kampf vorüber war.

Der Überfall endete so abrupt, wie er begonnen hatte. Eben wimmelte es an Deck noch von kämpfenden Männern, im nächsten Augenblick war alles ruhig bis auf ein paar letzte, planlose Schüsse, vom Achterdeck gerufene Kommandos und die Schreie der Verwundeten. Die noch einen Funken von Leben zeigten, wurden nach unten ins Orlopdeck geschafft, wo der Arzt mit Messer und Säge nur allzu häufig vollendete, was die Piraten begonnen hatten. Die wenigen, die diese Prozedur überstanden, mußten den Rest ihres Lebens mit amputierten Armen oder Beinen verbringen, konnten jedoch als Pensionäre der Handelskompanie mit einem Ruhegehalt von drei Pfund pro Jahr rechnen.

Ob nun der plötzliche Rückzug aufgrund eines Befehls oder infolge sinkenden Mutes erfolgte, auf alle Fälle zeigte sich, daß die Piraten auch in der Niederlage Meister im Kampf auf engem Raum waren. Obwohl die Bucht von den Wracks ihrer Schiffe völlig verstopft und mit den Leichen ihrer Gefallenen übersät war, schafften es die Grabs und Gallivaten weiter stromaufwärts trotzdem, über Stag zu gehen und in Richtung des Salzsees zu flüchten.

Wie sie das in derartig engen Gewässern fertigbrachten, erregte Kelsos Bewunderung. Auf ein Kommando des Schiffsführers sprang die Besatzung der nächstgelegenen Gallivate ins Wasser und manövrierte mit Tauen oder bloßen Händen ihr Fahrzeug so lange, bis der Bug auf die Durchfahrt zum Salzsee zeigte. Andere folgten ihnen, und innerhalb weniger Minuten hatte die gesamte Piratenflotte, soweit sie noch schwimmfähig war, gewendet und fuhr mit vollstehenden Lateinersegeln der Sicherheit entgegen.

»Sie entkommen!« schrie ein Kadett verzweifelt.

»Nicht alle«, erwiderte Mallory und wies auf die Wracks von fünf Gallivaten und sechs Grabs, die wirkungsvoll die Bucht blockierten. »Und außerdem ist die *Hyderabad* mitsamt ihrer Ladung gerettet.«

»Das reicht nicht«, sagte Kelso. »Wir hatten sie in unserer Gewalt.«

»Es kommt eine andere Gelegenheit, Sir.«

»Sicher, aber ohne vorherige Warnung.«

Der Schüttelfrost übermannte ihn derartig, daß er sich an der Reling festhalten mußte. Er fühlte sich entsetzlich müde und fror erbärmlich.

»Sind Sie in Ordnung, Sir?«

»Ja.«

»Meinen Sie nicht, daß Sie an Land gehen sollten?«

Kelso warf einen Blick über das mit Leichen übersäte Deck, dann weiter über die Wracks der Piratenschiffe, von denen teilweise nur noch der Mast übers Wasser ragte, und schließlich über die vielen Toten im Fluß, am Ufer und auf dem Kai. »Vielleicht haben Sie recht«, sagte er. »Hier kann ich nicht mehr viel tun.«

Er taumelte die Schanztreppe hinunter, und als jemand versuchte, ihn zu stützen, zog er ärgerlich seinen Arm weg. Auf dem Kai stand die Abteilung der Neununddreißiger angetreten, der Feldwebel salutierte stramm, als der Kommodore näher kam.

Kelso tippte an seinen Hut und taumelte weiter.

Schwankend blieb er stehen, als er ein an einen Pfahl gebundenes Pferd entdeckte. Er wandte sich um und fragte einen Soldaten: »Wessen Pferd ist das?«

»Es gehört Oberleutnant Medwell, Sir. Er ist an Bord gegangen.«

»Sagen Sie ihm, ich hätte es mir ausgeliehen.«

Kelso war kein guter Reiter, und Medwells Pferd, ein feuriger Fuchs, schien das zu spüren. Als er sich bemühte, den Fuß in den Steigbügel zu schieben, ging das Tier rückwärts, und er verdankte es mehr dem Glück als seiner Geschicklichkeit, daß es ihm gelang, sich auf den Sattel zu ziehen.

»He, Sie! Ich muß schon sagen . . .«

Kelso galoppierte bereits über den Kai, bevor der Oberleutnant ausgeredet hatte.

Er war zu fiebrig, um klar zu denken, aber besessen von der Idee, am Fluß entlang zum Salzsee zu reiten. Daß er dabei auch Black Town durchqueren mußte, verdrängte er. Die Verfolgung der Piraten war sein einziger Gedanke.

Wenige Weiße hätten es riskiert, das Eingeborenenviertel am Tage zu betreten, und wenn, dann höchstens mit einer Leibwache. Bei Nacht hindurchzureiten, hätte jedermann für Irrsinn erklärt.

Trotzdem verlief Kelsos Ritt mehr oder weniger ereignislos. Während er, tief über den Hals des Pferdes gebeugt und sich am Zügel festhaltend, durch Black Town galoppierte, hatte er einen vagen Eindruck von Lehmhütten, schmutzstarrenden Straßen, die nach Exkrementen stanken, von Toten oder Schlafenden am Straßenrand. Er kam an einem hellerleuchteten Bordell vorbei, aus dem lautes Gelächter ertönte. Mehr als einmal rannte ein Eingeborener neben ihm her, eine Hand am Steigbügel, mit der anderen um Almosen bettelnd.

Es war eine Erleichterung für ihn, als er endlich aus dem Gewirr der Hütten ins offene Gelände kam. Der Mond stand schon tief, spendete aber noch immer genügend Licht, um ihn den Pfad durch Reisfelder und Palmenhaine erkennen zu lassen und das glitzernde Band der Fahrrinne daneben. Schließlich erreichte er das Sumpfgelände des Ufers, von wo aus er die Piratenflotte entdeckte. Im schwachen Mondlicht leuchteten die Lateinersegel.

Etwa hundert Meter vor dem Kanal stieg er ab, denn er wollte vermeiden, daß die Piraten ihn bemerkten. Er erreichte den Rand des Gewässers in dem Augenblick, als das Führerboot, eine Gallivate, die Stelle passierte. Ihr folgten – soweit er das in der Dunkelheit erkennen konnte – viele weitere Boote.

An eine Palme gelehnt, blickte er zurück und konnte hinter sich eben noch die hohen Mauern des alten Forts ausmachen. Die Gallivaten waren gut in Reichweite seiner Kanonen. Nun mußte er ihnen nur Richtung und Entfernung signalisieren.

Er dachte an ein Feuer, aber auf dem feuchten Boden gab es nichts Brennbares. Hätte er sich eine Art Fackel zurechtgemacht, wäre das Licht vermutlich zu schwach gewesen, um vom Fort bemerkt zu werden.

Eine Gallivate war infolge der Strömung oder durch eine Unaufmerksamkeit des Rudergängers so weit vom Kurs abgekommen, daß sie fast die Böschung streifte. So dicht kam sie heran, daß Kelso fast die sonnengebleichten Planken der Bordwand berühren konnte.

Plötzlich wußte er, was er zu tun hatte.

Als die Gallivate auf einen zornigen Ruf hin wieder in die Kanalmitte drehte, sprang er. Tatsächlich war es mehr ein Schritt als ein Sprung, so nahe kam das Heck. Er klammerte sich an und verhielt sich vollkommen still. Wenn ihn jemand gesehen hatte, sei es auf diesem oder dem nachfolgenden Schiff, so mußte er mit einer Kugel rechnen. Aber nichts dergleichen geschah. Über sich hörte er Stimmen – zwei Stimmen, so schien ihm. Der größte Teil der Besatzung schlief wohl erschöpft.

Langsam und vorsichtig zog er sich zum Heckschanzkleid empor. Er war sich bewußt, daß jede hastige Bewegung ihn verraten würde. Noch immer geschah nichts. Die Gallivate fuhr rasch – viel rascher, als ihm lieb war – dem Salzsee entgegen. Die Zeit drängte.

Er zog sich zum oberen Rand des Schanzkleids hinauf und blickte hinüber. Zwei Männer befanden sich an Deck, der eine stand an der Pinne, der andere hockte neben ihm. Für weitere Einzelheiten war es zu dunkel.

Kelso umfaßte die Heckreling und hangelte sich außenbords langsam weiter nach vorn. Sicherlich mußte doch der Rudergänger die Bewegung seiner Hände sehen, dachte er. Aber als die schleppende Unterhaltung weiterging, wurde ihm klar, daß seine Glückssträhne anhielt.

Über sich hörte er bald nichts mehr, auch die Stimme des Rudergängers war allmählich verstummt.

Inzwischen war er bereits mittschiffs und befand sich in Höhe des Mastes. Höchstwahrscheinlich lagen einige der Besatzungsmitglieder an Deck. Er hangelte sich noch ein wenig weiter, zog sich dann mit schmerzenden Armen höher und blickte erneut über das Schanzkleid.

Ein paar Meter achterlich lagen schlafende Gestalten. Weiter vorn sah er niemanden. Direkt vor ihm war eine offene Luke.

Vorsichtig wie ein Dieb, der sich durch ein Fenster zwängt, kroch er über die Verschanzung und ließ sich lautlos an Deck gleiten. Ein Schritt, und er war durch die Luke geschlüpft.

Nun klammerte er sich atemlos und mit wild klopfendem Herzen an die Niedergangsleiter und wartete auf den Alarm, den er doch zweifellos ausgelöst haben mußte.

Aber es kam keiner. Also stieg er leise die Leiter hinunter, weiter in vollkommener Dunkelheit.

Er befand sich in einer Art Laderaum. Unter sich roch er die Bilge und hörte das träge Plätschern des darin befindlichen Wassers. Schließlich stand er auf einem Deck aus rohen Brettern und fühlte das vertraute Gewebe von Segeltuch. War er in der Segellast? Auch andere Ladung mußte schon darin befördert worden sein, denn er spürte den strengen Geruch von Ziegen und stolperte über einen Heuballen.

Seine Stimmung hob sich. Er durchschnitt das Tau, mit dem das Heu zusammengebunden war, breitete es aus und verstreute es an der zundertrockenen Bordwand. Dann zog er seinen Feuerstein aus der Tasche und schlug Funken, die das Heu schwelen ließen. Als er hineinblies, qualmte es stärker; bald brachen die ersten Flammen hervor.

Über seinem Kopf hörte er Schritte und die ruhige Unterhaltung einiger Männer. Wenn die Piraten ihn entdeckten, bevor das Feuer richtig brannte, war all seine Mühe umsonst gewesen.

Er versuchte, den Rauch mit seinem offenen Rock abzuschirmen, während er gleichzeitig in die Flammen blies.

Plötzlich fing das Heu in vollem Umfang Feuer. Flammen liefen zur Bordwand hin und erhellten den ganzen Laderaum.

An Deck war jetzt mehr Bewegung zu hören; Fragen und Rufe wurden laut.

Verzweifelt schnitt Kelso einen Streifen vom Segeltuch und steckte ihn in die Glut. Er brannte sofort lichterloh. Er riß und schnitt weitere Streifen los und fütterte die gierigen Flammen, obwohl bereits die ersten Piraten die Leiter herunterkletterten.

6

Als Kelso die Augen öffnete, sah er ein Filigranwerk aus Blättern und Zweigen und gelben Blüten vor tiefblauem Himmel. Er spürte Sonnenwärme auf seinem Gesicht und das sanfte Wiegen der Hängematte, in der er lag. Frieden! Das überraschte ihn nicht, obwohl er sich immer noch nur in Umrissen an den Alptraum der letzten Tage erinnern konnte: an das Feuer, an den Kampf mit den Piraten und daß er ins Wasser gesprungen war, als die Gallivate in Flammen aufging. Neben ihm schrien Männer Flüche und Verwünschungen, als die Kanonen des Forts das Feuer eröffneten. Die Piratenflotte geriet in völlige Verwirrung, eine wachsende Zahl von Wracks blockierte bald die schmale Durchfahrt im Schilfgürtel.

Danach hüllte ihn barmherzige Dunkelheit ein, bevor der wirkliche Alptraum begann. Im Delirium hatte er einen Mann gesehen – oder zu sehen geglaubt –, der sich als Anführer der Piraten ausgab. Er war ziemlich jung, groß und stattlich für einen Inder, ein Mann mit harten, erbarmungslosen Augen.

»Mohammed Khan«, hatte er sich vorgestellt, wobei seine Säbelspitze auf Kelsos Kehle wies, »Fürst der Dacoits. Sieh mich an, Kommodore Kelso! Und präge dir ein, was du siehst, denn ohne Augen wirst du später nichts mehr sehen, ohne Ohren wirst du nichts mehr hören, ohne Zunge wirst du nicht mehr sprechen.«

Dann war – sicherlich nur in seinen Fieberphantasien – Susan aufgetaucht. Sie hatte ruhig gewirkt, auch wenn ihm ihre Wangen bleich schienen. Ihre stolze Haltung stand in seltsamem Kontrast zu der Angst in ihren Augen.

Er war dann so an den Handgelenken aufgehängt worden, daß sein Körper über dem niedrig brennenden Feuer baumelte. Auf ein Zeichen Mohammed Khans trat ein Dacoit mit einem Dolch auf Kelso zu.

»Halt!«

Hatte er wirklich Susans Schrei gehört, oder war das alles nur ein Traum?

Hatte sie wirklich still dagestanden, ohne zurückzuweichen, als der Piratenfürst ihr Kleid aufriß?

Sonnenlicht und Schatten, Nacht und Tag: Wer konnte mit Bestimmtheit sagen, ob sich all das wirklich ereignet hatte? Er machte einen Versuch, sich zu bewegen, der aber nur die Hängematte schaukeln und die Wunden in seiner Brust schmerzhaft pulsieren ließ.

Wunden! Er erinnerte sich an das Blitzen des Dolches, an den Schmerz, den ihm die tiefen Einschnitte verursachten. Einer plötzlichen Eingebung folgend, hob er die Arme und sah die Spuren der Stricke an seinen Handgelenken. Ob auch seine Füße Brandwunden trugen? Die Folter schien ihm jetzt wirklicher als der Kampf mit den Flußpiraten oder der Ritt auf dem Pferd des Oberleutnants.

»Susan!« Mit schwacher Stimme rief er ihren Namen und war kaum überrascht, daß er keine Antwort bekam. Ein Vogel mit glänzendem Gefieder und gelbem Schnabel beobachtete ihn von einem Zweig aus. Es wehte ein leichter Wind – kaum mehr als eine Brise –, aber stark genug, um kleine, plätschernde Wellen an den Strand zu werfen.

Das Geräusch war ihm genauso vertraut wie die gelben Blüten über seinem Kopf. Er vermutete, daß er sich auf einer Insel irgendwo im Salzsee befand. Vielleicht im Versteck der Piraten? Aber das schien unwahrscheinlich. Auch wenn sie die feste Absicht hatten, ihn umzubringen, würden sie ihr Versteck wohl kaum dem Mann zeigen, der gelobt hatte, sie zu vernichten. Also eine andere Insel?

»Susan!« Wieder rief er, und als er keine Antwort erhielt, drehte er vorsichtig – denn die geringste Bewegung war eine Qual – den Kopf, bis er über die Seite der Hängematte blicken konnte.

Mehr Bäume, mehr Vögel mit glänzendem Gefieder, mehr blauer Himmel. Irgendwie mußte er sich um ein oder zwei Zoll höher aufrichten, damit er über den Rand der Hängematte spähen konnte.

Er hätte nie geglaubt, daß eine so einfache Bewegung sich als fast unmöglich erweisen würde. Er stemmte die Ellbogen gegen das Segeltuch und strengte sich mit aller Entschlossenheit an, fiel aber sofort wieder zurück, halb bewußtlos vor Schmerz und Übelkeit. Jeder Muskel, jeder Knochen seines Körpers schrie geradezu Protest.

Mein Gott! dachte er. Was haben sie mit mir gemacht?

Er wartete eine volle Minute und warf sich dann auf die andere Seite. Während der Drehung sah er Susan, oder wenigstens schien es ihm so, bevor er wieder in der Hängematte versank.

Sie badete vor der flachen Sandbank in der Bucht, die er so gut kannte. Sie hatte kaum etwas an und sah so schön und sinnlich aus wie in ihrer Hochzeitsnacht. Das nasse Hemd klebte an ihrem

Körper, und als sie bis zur Taille im Wasser kniete, schien es, als liebkosten die Wellen ihre schneeigen Brüste.

»Susan!«

Sie konnte ihn nicht gehört haben, denn sein Ruf war nicht lauter als das schwache Wimmern eines kranken Kindes; aber sie erhob sich, legte den Kopf schief und wrang das Wasser aus ihrem Haar.

Wie schön sie war! Trotz seiner Schmerzen und seiner Schwäche fühlte er ein plötzliches Verlangen nach ihr, während sie jetzt barfuß über den Strand schritt. In jeder ihrer Bewegungen lag Wärme und wollüstige Grazie. Sie ließ sich auf dem sonnenbeschienenen Sand nieder, Arme und Beine weit geöffnet in einer Pose der Hingabe, die ihn schmerzlich an die Tage ihrer Liebe erinnerte. Sogar der Platz unter dem blutrot blühenden Oleander und dem zarten Gelb der Mimosen war derselbe, auf dem sie so häufig gelegen hatten – vor wie vielen Tagen, wie vielen Wochen?

Derselbe Platz! Erst jetzt ging ihm die Bedeutung dieser Tatsache auf. Dies war nicht *eine* Insel, es war *ihre* Insel! Das hieß also, daß er befreit – wie, das konnte er allerdings nicht einmal vermuten –, daß er hierhergebracht und von Susan gepflegt worden war. Bedeutete es auch, daß seine Alpträume nur Einbildung waren? Er hätte weinen können vor Erleichterung. Susan war hier, lag auf ihrem Strand und machte nicht den Eindruck einer Frau, die vergewaltigt worden war.

Und dennoch – bei jeder Bewegung in der Hängematte spürte er die Schmerzen, die verbrannten Fußsohlen, die Messerschnitte in der Brust, die zerschundenen Handgelenke. Dies zumindest war Wirklichkeit.

Er atmete tief ein und rief, so laut er konnte: »Susan!«

Die Anstrengung war zuviel für ihn. Er biß die Zähne zusammen und wartete mit geschlossenen Augen darauf, daß die Wellen des Schmerzes verebbten.

Als er sie wieder öffnete, sah er Susan, die sich mit zärtlichem und besorgtem Gesicht über ihn beugte.

»Liebster!«

»Susan, bist du es wirklich?«

»Ich bin hier, Liebling. Du bist in Sicherheit und brauchst dir keine Sorgen mehr zu machen.«

»Aber wie . . .«

»Nicht jetzt. Schließ die Augen.« Sie küßte ihn leicht auf die Stirn. »Später werde ich dir alles erklären.«

»Aber was ist geschehen? Wie bin ich hierhergekommen?«

»Später! Jetzt mußt du ruhen.«

Lebhaft sagte er: »Wie kann ich ruhen, bevor ich weiß, was sich ereignet hat?«

Ihre Blicke trafen sich, trotzig sah sie ihn an, dann gab sie nach, vielleicht aus Mitleid mit seiner Schwäche. »Na gut, aber erst muß ich mir etwas anziehen.«

»Warum?« Mühsam brachte er ein Lächeln zustande. »Du gefällst mir so, wie du bist.«

»Und ich mache mir Sorgen wegen deines Gesundheitszustandes!« Sie beugte sich über ihn, um ihn erneut zu küssen, dies Mal aber fester und auf die Lippen. Mit äußerster Anstrengung schaffte er es, die Hand zu heben und ihre Brust zu streicheln. »Liebling«, sagte sie, »ich dachte schon, daß wir uns niemals mehr lieben könnten, nachdem sie dich so grausam gefoltert hatten.«

»Die Dacoits?«

»Natürlich. Erinnerst du dich nicht?« Vorsichtig beobachtete sie ihn.

»Ich weiß es nicht genau. Auf alle Fälle ist mir nicht klar, wie ich hierhergekommen bin.«

»Sie haben dich hergebracht – Mohammed Khan und seine Leute.«

»Er also war Wirklichkeit!«

»Ich dachte, du könntest dich an nichts erinnern?«

Er schloß die Augen, um sich ganz auf die schwache Erinnerung zu konzentrieren. »Mohammed Khan – ein großer, gutaussehender Inder. Ich hing an einem Baum. Unter meinen Füßen brannte ein Feuer, und ein Inder mit einem Dolch kam auf mich zu. War das Mohammed Khan?«

»Nein!« Ihm fiel ihre rasche Verneinung auf. »Es war ein anderer.«

»Aber er handelte auf Mohammed Khans Befehl?«

»Natürlich, der ist ja ihr Anführer; und schließlich warst du verantwortlich für die Vernichtung seiner Flotte.«

»Wir haben sie also vernichtet? Die Geschütze des Forts haben also eingegriffen?«

»Sogar sehr wirkungsvoll, soviel ich heraushören konnte. Mohammed Khan schien der Meinung zu sein, daß du dafür verantwortlich warst.«

Kelso seufzte erleichtert auf. »Es war eine zu günstige Gelegenheit, um sie ungenutzt verstreichen zu lassen. Wer weiß, ob sich uns jemals wieder eine solche Chance bieten wird.«

Sie streichelte mit den Fingerspitzen seine Stirn. »Was hat sich denn abgespielt, Liebling? Ich habe noch kein einziges Mal die ganze Geschichte gehört.«

»Sie flüchteten. Ein paar haben wir in der Bucht erwischt, bei den Kaianlagen.«

»Fünf Gallivaten und sechs Grabs.«

»Das weißt du?«

»Ja. Was geschah dann nachher im Schilfgürtel?«

»Sie flüchteten. In einer Gallivate brach ein Feuer aus.«

»Das du gelegt hattest?«

»Ja. Ich mußte den Kanonieren des Forts Richtung und Entfernung zeigen.«

»Du hattest vollen Erfolg damit. Nur sieben Gallivaten und ein Dutzend Grabs entkamen in den Salzsee.«

»Das sind noch immer zu viele«, sagte er mit gerunzelter Stirn. »Aber wenigstens haben wir ihnen den Stachel gezogen.« Mit plötzlicher Überraschung, die fast an Argwohn grenzte, sah er sie an. »Woher weißt du das alles? Haben sie dir das erzählt?«

»Ja.«

»Mohammed Khan?«

Einen Augenblick schien Susan zu zögern. »Das meiste hörte ich von ihm. Wie ich schon sagte, er ist ihr Anführer. Er war wütend über das, was du getan hattest.«

»Also brachte er mich her, da er wußte, daß er dich hier finden würde.«

»Das glaube ich auch.«

»Aber wieso? Auf welche Weise hat er das erfahren?« In dem Bemühen, zwischen Traum und Wirklichkeit die Wahrheit zu finden, schloß er wieder die Augen. »Könnte es sein, daß die beiden Diener uns verraten haben?«

»Das bezweifle ich, da sie beide ermordet wurden.«

»Dann müssen es die beiden Fischer – die sogenannten Fischer – gewesen sein. Du erinnerst dich, die am Ufer hockten, als wir durch den Schilfgürtel in den See ruderten?«

»Ich erinnere mich.«

»Aber ausgerechnet hier . . . Ein Suchtrupp aus Kalkutta würde uns hier doch zuerst vermuten.«

»Es kam aber kein Suchtrupp, das ist die Antwort. Bestimmt haben sie uns in Kalkutta als tot abgeschrieben.«

»Dann irren sie sich gewaltig.« Sehnsüchtig griff er nach oben und streichelte ihre Wangen und ihr Kinn. »In ein paar Tagen, wenn dies hier vorbei ist, werde ich dir zeigen, daß ich dich noch lieben kann.« Er spürte, wie sich sein Herzschlag beschleunigte, als er die glatte Haut ihrer Arme streichelte. Mit einer fließenden Bewegung ließ sie das Hemd zu Boden fallen.

»Liebste!«

Später, als er ihre Hand hielt, versuchte er immer noch zu verstehen, was sich ereignet hatte. Die Piraten hatten ihn also hierher gebracht – warum? Um ihn zu foltern? Aber er war noch am Leben! Als Geisel? Aber sie waren ja wieder abgezogen, während er und Susan ...

»Ich hatte Fieber«, sagte er. »Ich kann mich so schlecht erinnern.«

»Mach dir deswegen keine Sorgen.«

»Sie fingen an, mich zu foltern.« Als sie nicht antwortete, sah er sie an. »Aber sie hörten wieder auf damit, deshalb bin ich noch am Leben. Ich kann sehen, hören und sprechen.«

»Und lieben.«

Er war zu sehr in die Lösung seines Problems vertieft, um ihr Lächeln zu erwidern. »Sie ließen mich frei. Warum?«

Ihr Blick, normalerweise so offen, schien dem seinen auszuweichen.

»Warum also, Susan?«

»Weil ich sie darum gebeten habe.«

Ungläubig sah er sie an, und jetzt begegnete ihr Blick dem seinen mit einer gewissen Herausforderung. »Meine Liebe, ich kenne deine Überredungskunst, aber nicht einmal du brächtest es fertig, einen Piraten zu beschwatzen.«

»Du unterschätzt meine Fähigkeiten.«

»Vielleicht.« Er schüttelte den Kopf.

»Mohammed Khan ist trotz seiner schwarzen Haut ein Gentleman.«

»Wenn *du* es sagst?« Jetzt willigte er ein zu ruhen, denn er war zu müde, um noch weiter über das Problem nachzugrübeln. »Nur meine ich, ihn gesehen zu haben, wie ...«

»Ja?«

»Wie er sich an dir vergriff – dein Kleid zerriß.«

Als er wieder die Augen öffnete, beugte sie sich lächelnd über ihn. »Mein armer Liebling«, sagte sie. »Was für Alpträume mußt du erduldet haben!«

7

Als sie sechs Tage später von der Insel abgeholt wurden, waren Kelsos Wunden geheilt, wenn er auch nur mühsam gehen konnte. Aber trotz der Schmerzen, die ihm die Fleischwunden besonders beim Baden im Salzwasser bereiteten, gehörten diese sechs Tage zu den glücklichsten seines bisherigen Lebens. Susan war ihm Krankenschwester und Geliebte, in beiden Eigenschaften gleich zärtlich und nur auf seine Annehmlichkeit bedacht. Ohne Dienstboten mußten sie selbst für ihren Lebensunterhalt sorgen, aber Sinclair, der Eigentümer der Insel, war offenbar ein eifriger Angler, und so lebten sie von Fischen, die sie mit seinem Gerät fingen.

Während all dieser Tage und Nächte sahen sie kein einziges Segel. Die glatte Fläche des Sees kräuselten nur Wasservögel und gelegentlich vorbeitreibende Inseln schwimmender Malven. Es kam ihnen vor, als lebten sie in einer anderen Welt. Kalkutta, Black Town, der stinkende Mahrattengraben, der Maidan waren meilenweit entfernt; unter dem stets blauen Himmel und den sich sanft wiegenden Akazien konnten sie sich lieben und ausruhen.

Wenn Kelso auch bisweilen das Gewicht der vielen unbeantworteten Fragen spürte, war er doch zu müde oder vielleicht auch zu glücklich, um sie Susan zu stellen. Wieso, zum Beispiel, war er noch am Leben? Warum hatte der Anführer der Dacoits ihn verschont? Wieso sahen sie keinerlei Piratenschiffe mehr? Einige waren doch entkommen, und es mußten sich noch weitere irgendwo hier auf dem Salzsee verstecken – davon war er jetzt überzeugt. Doch wenn er zu einer Frage ansetzte, wurde sie von Susans Küssen erstickt, bevor er sie aussprechen konnte. Sie wollte ihn nicht über die Vergangenheit, sondern nur über die Zukunft – und die Gegenwart – reden lassen. »Liebster«, sagte sie und schloß ihn in die Arme, »ich brauche dich.«

Am Nachmittag des sechsten Tages erschien ein Segel, aber obgleich es dreieckig war wie eines der Eingeborenen, sahen sie bald, daß es zu einem Dingi gehörte, das von Briten gesegelt wurde.

Es waren zwei Männer in Kompanieuniform, ein Offizier und ein Seemann. Der Offizier, groß und breitschultrig, stand am Mast, als sie sich der Insel näherten, der Matrose an der Pinne trug einen Arm in der Binde.

»Padstow, bei Gott!« rief Kelso aus. »Und Fenton!«

Kelsos Überraschung und Erleichterung waren nicht geringer als die seiner Befreier. Das Boot legte am Steg an, Fentons Gesichtsausdruck zeigte, daß er zwischen Lachen und Weinen hin- und hergerissen war, während Padstow, der jede Gemütsbewegung scheute, leise vor sich hinfluchte.

»Kommodore! Was für ein Glück! Wir hatten Sie schon aufgegeben.« Fenton sprang auf den Steg, schien dann jedoch vor seinem Vorgesetzten ein wenig zu zögern. Schließlich aber überkam ihn doch die Freude, so daß er ihn kräftig am Arm packte. »Sir! Bin ich froh, Sie wiederzusehen!«

»Und ich freue mich auch, Fenton.«

»Wie lange sind Sie schon hier?«

»Fünf, sechs Tage?« Fragend sah er Susan an. »Wir dachten schon, Sie würden uns nie finden.«

»Wir waren so sicher . . .« Fenton zögerte. »Als eine Gallivate im Schilfgürtel in Flammen aufging, glaubten wir, das sei Ihr Werk, Sir. Dann wurde Oberleutnant Medwells Pferd gefunden . . .«

»Wessen Pferd?«

»Medwells, Sir, Oberleutnant bei den Neununddreißigern.«

»Ich erinnere mich. Ich nahm sein Pferd, das auf dem Kai angebunden war.« Er strich sich mit der Hand über die Stirn, als versuche er, Ordnung in sein verwirrtes Gedächtnis zu bringen. »Ich hatte Fieber. Die Piratenflotte drohte zu entkommen . . .«

»Da schnappten Sie sich Medwells Fuchs und jagten ihr nach.«

Kelso schüttelte den Kopf. »Ich bin mir immer noch nicht ganz sicher, wie sich alles abgespielt hat. Aber das ist jetzt vorbei. Wie viele Schiffe der Dacoits wurden vernichtet?«

»Sechzehn Gallivaten, Sir, und ein Dutzend Grabs. Jetzt werden wir eine ganze Weile nichts mehr von Mohammed Khan hören.«

»Nein.« War es Zufall, daß Kelso dabei Susan anblickte und sie dadurch verwirrt schien?

»Ich war auf der *Protector*«, sagte Fenton, »als die Kämpfe begannen. Da die im Fluß verankerten Indienfahrer unseren Schutz benötigten, war ich in einer verzwickten Lage. Wir hörten zuerst Musketenfeuer, dann aber auch die Schiffskanonen. Ich wagte nicht, die Reede zu verlassen und meine Handelsschiffe ungeschützt einem Angriff auszusetzen. Andererseits konnte ich nicht den Kanal und die Bucht beschießen, weil dort unsere Indienfahrer am Kai lagen.«

»Sie hatten recht, im Fluß zu bleiben«, sagte Kelso. »Im Kanal gab es ohnehin genügend Verwirrung. Aber da die Schiffe gewarnt waren ...«

»Durch Sie, Sir, wie wir erfuhren.«

Warum fühlte Kelso sich verwirrt durch die Bewunderung, die aus Fentons Worten sprach? Seit Jahren hatten sie zusammen gekämpft, zuerst auf der Fregatte *Paragon*, später auf der *Protector*. Daß sie beide alle Gefechte überlebt hatten, sprach sowohl für ihr Glück als auch für ihr Können und ihre Geschicklichkeit. Kelso wußte, daß Fenton und er sich gut ergänzten, er mit seiner – nach dem Urteil seiner Freunde – oft an Leichtsinn grenzenden Unbekümmertheit, seinem Draufgängertum, Fenton mit seinem soliden Können und seiner Gründlichkeit. In Fentons Augen konnte sich sein Kommodore niemals irren, niemals einen Fehler begehen.

»Wir sahen sie vorbeifahren«, sagte Kelso, »es war eine mondhelle Nacht. Padstow und ich nahmen die Gig ...«

»Und überholten die Piratenflotte trotz des für sie günstigen Windes.«

»Ja, aber ...« Abrupt wandte sich Kelso dem Boot und dem stämmigen Mann aus Cornwall zu, der noch immer im Heck saß. »Nun, Padstow? Was gibt es Neues zu berichten? Als letztes erinnere ich mich daran, daß du auf dem Achterdeck an der Reling saßest, den Arm bis auf den Knochen durchschlagen.«

»Das war nicht schlimm, Sir«, erwiderte Padstow fröhlich und hob den Arm, wenn auch ein wenig steif. »Sie wollten mich ins Lazarett hinunter schaffen, wo der Arzt mir wahrscheinlich den Arm abgenommen hätte. Aber ich sagte nein. Wenn der Kommodore es schafft, trotz hohen Fiebers hinter diesen schwarzen Halunken – Verzeihung, Madam – herzujagen, dann werde ich mich nicht wegen eines zerschnittenen Arms auflegen lassen.«

»Er folgte Ihnen«, erklärte Fenton voller Bewunderung, denn er kannte Padstow genauso lange wie Kelso. »Er folgte Ihnen zu Fuß durch Black Town und mit einem Arm, der – wie Sie selbst sagen – bis auf den Knochen durchschlagen war. Es ist wirklich ein Wunder, daß Sie beide noch am Leben sind.«

»Sie kennen ja das Sprichwort«, sagte Kelso grinsend, »wonach der Teufel seinesgleichen beschützt.«

»Die ganze Nacht habe ich gebraucht«, sagte Padstow, »zu Fuß von der Bucht bis zum Schilfgürtel. Als ich endlich dort ankam und die vielen Leichen im Wasser sah, dachte ich, Sie wären auch darunter, Sir. Ich konnte nicht glauben, daß Sie noch am Leben seien.«

»Nun, wie du siehst, bin ich das noch – und durchaus imstande, dich weiterhin zu piesacken.«

»Und dafür danke ich Gott, Sir!«

»Amen«, fügte Fenton hinzu.

Kelso wandte sich um und lehnte sich an Susan, da das lange Stehen ihm noch Schwierigkeiten bereitete. »Kommen Sie an Land, meine Herren. Ich muß nicht viel packen, nur meine Frau hat noch ein paar Sachen. Je eher wir nach Kalkutta kommen, desto besser.«

»Natürlich.« Fenton trat neben ihn, bemüht zu helfen. »Darf ich Sie ablösen, Lady Susan?«

»Wie Sie wünschen.« Susan bedachte Fenton mit einem Lächeln. »Meine Sachen sind schnell gepackt. Sie können sich inzwischen auf der schönen Insel umsehen.«

Einen Arm auf Fenton, den anderen auf Padstows breite Schultern gestützt, humpelte Kelso über den Rasen zwischen Bungalow und Strand. Es war heiß, aber vom Wasser her wehte eine angenehme Brise. Ein leuchtend rot und gelb gefärbter Langschwanzpapagei schrie gellend, als sie vorbeikamen. Im flachen Wasser rings um die Insel standen die rosa Flamingos und fischten.

»Ein schönes Fleckchen Erde«, bemerkte Fenton. »Welch ein Unterschied zu dem Lärm und der drückenden Hitze Kalkuttas.«

»Ja.«

»Es wird Ihnen leid tun, die Insel zu verlassen.«

»Nein.« Kelsos spontane Verneinung überraschte ihn selbst. Unter den Bäumen hindurch sah er zum Strand mit dem sonnendurchwärmten Sandstreifen und den kleinen Wellen, die sich daran brachen. Er sah auch die flachgedrückte Stelle in den Binsen, wo Susan und er so oft gelegen hatten. »Es wird höchste Zeit, daß ich zurückfahre!«

»Nun, Sir, Sie werden einen wahrhaft königlichen Empfang erhalten, dafür garantiere ich. Aber da die Piraten besiegt sind, gibt es im Augenblick nichts weiter zu tun. Darf ich vorschlagen, daß Sie sich bis zu Ihrer vollkommenen Genesung noch Ruhe gönnen?«

»Großer Gott, Fenton, Ruhe hatte ich jetzt mehr als genug. Ich bin schon über drei Wochen hier!«

»Und die Kompanie besteht noch immer«, erwiderte Fenton. Humorvolle Entgegnungen lagen ihm nicht gerade, und es war durchaus zweifelhaft, ob er seine Antwort überhaupt humorig gemeint hatte. »Der Konvoi unter Führung der *Maid of Kent* ist ausgelaufen, Sir.«

»Mit welchem Geleit?«

»*Diana*, Sir, und *Pindarus*.«

Zwei Schiffe – eine Fregatte und eine Korvette mit zwanzig Kanonen –, um einen langsamen Konvoi von Ostindienfahrern auf der langen Reise nach St. Helena zu schützen! Würde wohl jemals die Zeit kommen, da den Schiffen der Marine nicht nur Unmögliches abverlangt wurde? Die Gefahren solch einer Reise waren nur zu gut bekannt: Angriffe durch Kriegsschiffe der Franzosen, der Holländer oder einer anderen Nation, mit der sich England gerade im Kriegszustand befand (bei einer Reisedauer von sieben Monaten oder mehr konnte ein Krieg beendet oder verloren sein, bevor die Nachrichten darüber Bengalen erreichten), Angriffe durch Freibeuter oder Piraten, widrige Winde, die eine Reise verlängerten, bis der Mangel an Proviant und Trinkwasser lebensbedrohlich wurde und Passagiere wie Besatzungsmitglieder von Skorbut gequält wurden. Die größte Gefahr waren jedoch die oft plötzlich aufkommenden Orkane, besonders südlich vom Kap der Guten Hoffnung und im Gebiet der Île de France*.

»Was ist mit den Indienfahrern in der Bucht?«

»Sie sind alle unbeschädigt – dank Ihres Eingreifens, Sir. Sie haben das Löschen beendet und werden in den nächsten Tagen mit dem Laden beginnen.«

»Und danach?«

»Werden sie sich in der Strommitte sammeln, wie gewöhnlich.«

»Bis wir von irgendwoher Geleitschutz für sie herbeizaubern können.« Wütend schlug Kelso mit der Faust auf Fentons Arm. »Aber wo soll er denn herkommen? Wie viele Marineschiffe liegen augenblicklich hier?«

»Fünf, Sir. Die *Carnatic* kam gestern aus Madras.«

»Eine Fregatte, eine Korvette und zwei Bombenwerferboote.«

»Und die *Protector*.«

Kelso blieb stehen und setzte sich, unterstützt von Padstow, auf einen Stein. Die Sonne schien warm auf seine Beine, und in der Luft lag Blütenduft.

»Was würden Sie davon halten, den neuen Konvoi zu begleiten, Fenton?«

---

* alter Name der Insel Mauritius (französisch, seit 1814 britisch)

»Sehr viel, Sir. Ich muß gestehen, im Augenblick habe ich genug von Kalkutta. Aber ich weiß nicht . . .«

»Die *Protector* und ein zweites Schiff, vielleicht die Korvette. Denken Sie, das würde genügen?«

»Zweifellos, Sir. Mit der Korvette als Aufklärer, mit den Kanonen der *Protector* und den Indienfahrern selbst wären wir jedem Feindverband überlegen, dem wir zwischen Kalkutta und St. Helena begegnen könnten.«

»Gut. Das ist dann also geregelt.«

Fenton sah Kelso überrascht und mit einem halben Lächeln an. »Aber wie ist es mit Ihnen, Sir? Wollen Sie nicht auch mitkommen?«

»Diesmal noch nicht.«

»Wie schön, Sir.« Erschrocken schlug Fenton die Hand vor den Mund und stotterte: »Ich meine – glauben Sie bitte nicht . . . Wir wären natürlich erfreut, Sie an Bord zu haben.«

»Ich weiß, was Sie meinen, Fenton.«

»Wie schön, daß Sie sich noch ausruhen werden.«

Kelso lächelte. »Das hängt von den Piraten ab.«

Im Bungalow hörten sie Susan hin und her gehen. Eine Kiste wurde über den Fußboden geschleift.

»Wir müssen aufbrechen«, sagte Kelso. »Ich will nachsehen, ob meine Frau Hilfe braucht.«

»Sir, kann ich . . .«

»Nein, Padstow kommt mit. Sie bleiben hier sitzen und genießen die Aussicht.«

Kelso humpelte durch den Schatten unter den Bäumen und stieg die Stufen hinauf, eine Hand am Geländer, die andere auf Padstow gestützt. Susan war im Schlafzimmer.

»Ich weiß, Liebling, du bist ungeduldig und willst endlich weg.«

»Kann ich dir helfen?«

»Nein, danke, ich brauche niemanden. Setz dich dort hin wie ein braver Junge. Ich bin so gut wie fertig.«

Gehorsam setzte er sich und sah zu, wie sie die letzten Kleider zusammenlegte. Wie schön sie ist, dachte er, wie graziös ihre Bewegungen sind. Sie blickte auf und lächelte, als sie seinen Ausdruck bemerkte. »Wenn Padstow jetzt die Kiste zum Boot bringen könnte?«

Sie wartete mit Kelso zusammen, der sich auf sie stützte, und sah zu, wie Padstow sich mit seinem gesunden Arm die Kiste auf den Rücken schwang. Dann sah sie sich noch einmal im Zimmer um, betrachtete die Bambuswände, das Fenster mit seiner wunderschönen Aussicht auf den See, das niedrige Bett. »Ich werde all das niemals vergessen«, sagte sie mit einem Anflug von Wehmut in der Stimme.

Kelso umarmte und küßte sie zärtlich. »Es wird Zeit, Liebste.«

Sie legte ihm den Arm um die Taille, und gemeinsam schritten sie zur Tür.

»Einen Augenblick!« Sein wacher Blick hatte etwas entdeckt, das unter dem Bett hervorlugte.

»Was denn noch?« Sie sah ihn an, plötzlich beunruhigt, und versuchte, ihn zur Tür zu drängen.

»Eins von deinen Kleidern.«

»Nein. Das sind nur ein paar Lumpen.«

»Es ist eins von deinen Kleidern.« Er riß sich los und humpelte zum Bett. »Hier, siehst du?« Triumphierend hielt er es hoch. »Es ist dasselbe . . .« Er zögerte ein wenig. Blitzartig zogen ihm Bruchstücke seines Alptraums durch den Kopf: Susan, kühl und furchtlos; Mohammed Khan, der Anführer der Dacoits, der dem Mann mit dem Dolch ein Zeichen gab; ein stechender Schmerz quer über seiner Brust, dann noch einer; Susans plötzlicher Aufschrei: »Halt!«

Er hielt das Kleid mit ausgestreckten Armen vor sich hin und sah, daß es von oben bis unten zerrissen war.

8

Wie Fenton vorausgesagt hatte, glich ihre Rückkehr einem Triumphzug. Als sie in einer offenen Sänfte vom Kai zum Gouverneurspalast getragen wurden, starrten Männer und Frauen sie zuerst überrascht an und brachen dann, als sie feststellten, daß die Insassen wirklich Kelso und Lady Susan waren, in Jubelrufe aus. Sie schwenkten ihre Hüte und verursachten einen derartigen Auflauf, daß Kelso bald seine gute Laune verlor.

»Aber Liebling!« protestierte Susan. »Sie lieben und respektieren dich. Du kannst ihnen doch den gutgemeinten Applaus nicht verübeln!«

»Sie sollen sich ihren Jubel aufheben, bis ich mit den Flußpiraten fertig bin«, grollte Kelso. »Bis jetzt haben wir sie noch nicht vernichtet.«

Sie passierten Loll Diggy, das große Wasserreservoir, dem der Ortsteil seinen Namen verdankte. Selbst jetzt, im Frühsommer, war es halb mit Brackwasser gefüllt. Dienstboten und Wasserträger standen knietief darin, während sie ihre Gefäße füllten. Straßenkinder und räudige Hunde spielten dort und wühlten dabei den Schlamm auf.

»Denkst du, es ist zu schaffen?«

»Was?«

»Die Dacoits zu vernichten.«

»Ich habe die Absicht.«

Sie ergriff seinen Arm und schmiegte sich in einer Art und Weise an ihn, die nur sie beherrschte. »Liebling, ist das denn wirklich notwendig?«

»Notwendig?«

»Du hast sie doch schon vernichtet – oder wenigstens beinahe. Ohne ihre Schiffe und mit nur der Hälfte ihrer Leute stellen sie doch kaum noch eine Gefahr dar.«

»Nun erst recht: Sie sind verzweifelt.«

»Aber nicht hier in Kalkutta. Nach ihrer fürchterlichen Niederlage werden sie nicht mehr wagen, auch nur ein einziges Kompanieschiff anzugreifen.«

»Ich würde deinen Optimismus gern teilen.«

Sie seufzte. »Und ich hätte mehr Vernunft besitzen sollen, als ausgerechnet einen Helden zu heiraten!«

»Was heißt das?«

»Ich brauche dich, Roger, kannst du das denn nicht verstehen?« Sie wandte sich ihm so zu, daß er gezwungen war, sie in die Arme zu nehmen. »Ich möchte nicht, daß du einer imaginären Gefahr wegen dein Leben riskierst. Die Dacoits sind erledigt. Wenn sie je noch jemanden angreifen, dann höchstens die Pilgerzüge auf dem Weg nach Kalighat. Laß ihnen die doch! Was kümmert uns eine Horde von Heiden?«

»Diese Heiden, wie du sie nennst, sind menschliche Wesen. Da wir ihr Land erobert haben, sind wir zumindest verpflichtet, sie zu beschützen.«

Eine Woche lang bildete ihre Rückkehr den Hauptgesprächsstoff in Kalkutta. Wenn sie wirklich alle Einladungen zu Teepartys, Abendessen oder Bällen angenommen hätten, die ihnen zu Ehren veranstaltet wurden, dann hätten sie keinen Augenblick Ruhe gehabt. Kelso schützte Arbeit vor – was Susan als Müdigkeit nach seiner Krankheit weitergab –, deshalb besuchten sie lediglich einen Empfang in der Residenz des Gouverneurs und einen anderen kleineren bei Holwell. Im übrigen ließ man sie in Ruhe.

Es war bei Holwell, als die erste Trübung ihrer Beziehung sichtbar wurde.

Holwell war einer ihrer ältesten Freunde. Außer Robert Clive – der inzwischen nach England zurückgekehrt war – war er wohl der einzige, der sie seit neun oder zehn Jahren kannte, seit ihrer Ankunft in Bombay mit der vom Unglück verfolgten *Shropshire*. Es waren die Holwells, die – unwissentlich – die Liaison zwischen ihnen zustandegebracht und unterstützt hatten, als Susans zweiter Ehemann, Lashley, noch lebte.

Es war ein kleines Abendessen, zu dem nur die Kelsos und Gouverneur Vansittart geladen waren.

»Sie haben die Neuigkeit gehört, Kelso?« fragte der Gouverneur, nachdem er eine Flasche Madeira bereits halb geleert hatte.

»Welche Neuigkeit?«

»Holwells Ernennung zum Zemindar. Wollen Sie etwa sagen, er hat Ihnen noch nicht davon erzählt?«

Ein Blick in Holwells Gesicht verriet Kelso die Wahrheit, aber da er ihren Gastgeber respektierte und er ihm auch irgendwie leid tat, ging er nicht auf Vansittarts Frage ein.

»Zemindar von Kalkutta«, sagte er. »Nun, wenigstens haben wir dann einen ehrlichen und rechtschaffenen Mann in dieser Position.«

Vansittart machte ein enttäuschtes Gesicht. »Natürlich wird ihm Gobindram Mitra zur Seite stehen.«

»Selbst Mitra wird seine Gier zügeln müssen.«

»Ich mußte das Angebot annehmen, Kelso«, sagte Holwell entschuldigend. »Es war eine zu günstige Gelegenheit, um sie auszuschlagen.«

»Natürlich.« Kelso nickte. »Sie haben Ihr ganzes Leben Indien gewidmet. Warum sollten Sie dafür nicht eine Belohnung bekommen?«

»Roger hat recht«, sagte Susan, die sich unerwartet in die Unterhaltung einschaltete. »Nach all den Diensten, die Sie dem Land erwiesen haben, verdienen Sie wirklich einen Lohn.«

»Zehn, zwanzig Lakhs* Rupien«, sagte der Gouverneur und verschüttete Wein aus seinem unsicher schwankenden Glas. »Sie

---

* Lakh of Rupees = hunderttausend Rupien

werden ein reicher Mann sein.«

»Zwanzig Lakhs!« rief Susan aus. »Er verdient ein Crore*!«

Holwell ergriff ein paar Weintrauben und zerdrückte sie in seiner Verwirrung. »Nein, nein! Ich bin nicht ehrgeizig. Ich möchte lediglich mit Mary in angemessenem Komfort leben können.«

»Dann sind Sie ein Narr!« schrie Vansittart. »Nehmen Sie das Geld, solange Sie dazu Gelegenheit haben. Wenn Sie nicht zugreifen, geht alles an diesen Schurken Mitra.«

»Dem stimme ich zu«, sagte Susan, und Kelso beunruhigten sowohl ihr Benehmen als auch ihre Worte. Reichtum schien denselben stimulierenden Effekt auf sie auszuüben wie Liebe. Ihre Augen glänzten, ihr Ton wurde beinahe zärtlich, als empfände sie bereits das lustvolle Gefühl, all das Gold in Händen zu halten. »Verdienen Sie Geld, solange Sie es können. Die Engländer kamen als Bittsteller nach Indien, inzwischen sind sie Eroberer geworden. Kalkutta, ja ganz Bengalen ist unser, steht uns zur Verfügung. Seien Sie kein Narr, John: Nehmen Sie, solange es noch etwas herauszuholen gibt. Wer weiß, ob sich Ihnen jemals wieder eine solche Chance bietet?«

Holwell antwortete nicht; seine Frau, die am anderen Ende der Tafel saß, blickte besorgt den Gouverneur an, der rasch sein Glas leerte. Die Bosheit blitzte ihm aus den Augen, als er sich an Kelso wandte und fragte: »Nun, Kelso? Sie haben gehört, was Ihre wackere Frau sagt. Was halten Sie selbst davon?«

»Ich halte es für abscheulich«, erwiderte Kelso ruhig, aber mit solchem Nachdruck, daß Susan, die ihm gegenübersaß, auffuhr, als sei sie geschlagen worden.

»Aber nicht doch, Kelso!« protestierte Vansittart.

»Ich halte es für abscheulich«, wiederholte Kelso, »daß wir, denen Indien durch eine Kette günstiger Umstände zugefallen ist, jetzt so eifrig darauf bedacht sind, es bis aufs Blut zu schröpfen.«

»Ehrlicher Handel, mein lieber Kelso! Seit wann ist denn dabei etwas Unrechtes?«

»Ehrlicher Handel, ja. Aber was meinen Sie wohl, wieweit Freund Mitra an ehrlichem Handel interessiert ist?«

»John ist nicht Gobindram Mitra«, bemerkte Susan.

»Gobindram Mitra ist ein Schurke«, sagte Kelso, die Bemerkung seiner Frau ignorierend. »Darüber sind wir uns alle einig. Sie, John, sind ein ehrlicher Mann. Passen Sie nur auf, daß Go-

---

* Crore of Rupees = zehn Millionen Rupien

bindram Mitras Habgier nicht auf Sie abfärbt.«

»Jetzt wirst du beleidigend!« brauste Susan auf. »Wie der Gouverneur bereits sagte: Was ist Unrechtes an ehrlichem Handel? Wenn John für seinen Ruhestand und sein Alter vorsorgen will, warum nicht? Wie kannst du dir anmaßen, so etwas zu kritisieren!«

Kelso antwortete nicht, sondern starrte seine Frau mit unbewegtem Gesicht an, während ihres vor Ärger gerötet war. Ihre schmalen Lippen waren zusammengepreßt, die Linie ihres Kinns war noch nie so kantig gewesen.

Schließlich wurde das drückende Schweigen durch Mrs. Holwell gebrochen, die in die Hände klatschte und den herbeieilenden Dienstboten auftrug, Kaffee und mehr Obst anzubieten. Vansittart saß weit zurückgelehnt und mit übereinandergeschlagenen Beinen, ein frischgefülltes Glas Madeira in der Hand und einen befriedigten, schadenfrohen Ausdruck im Gesicht.

Den Rest des Abends machte Susan keinen Versuch, ihren Ärger zu verbergen. Den Holwells und dem Gouverneur gegenüber verhielt sie sich distanziert, aber korrekt. Ihren Mann übersah sie.

Später, als sie wieder zu Hause waren und Susan sich fertig machte, um zu Bett zu gehen, stand Kelso noch auf dem Balkon und blickte hinaus auf Loll Diggy. Zwar schien der Mond nicht, aber die Sterne gaben genügend Licht, daß er das quadratische Staubecken und dahinter die unregelmäßigen Dächer Kalkuttas erkennen konnte. Noch weiter entfernt sah er den Mastenwald der Schiffe auf dem Fluß. Es wehte eine leichte Brise, und er konnte sich die sanfte Bewegung der Decks vorstellen; er spürte den erfrischenden Luftzug im Gesicht und hörte im Innern den Klang der Schiffsglocke und den Harfenton des Windes in der Takelage.

Was tat er eigentlich noch hier? fragte er sich. Voller Neid dachte er an Fenton, der jetzt bereits aus dem Mündungsdelta heraus sein mußte und mit dem günstigen Wind hinunter zur Coromandelküste* segelte. Niemals hatten ihn Hitze und Gestank Kalkuttas stärker irritiert. Es würde Wochen, ja Monate dauern, bis er endlich wieder auf sein eigenes Achterdeck zurückkehren konnte. Bis dahin war er dazu verdammt, die Stadt mit ihrer erbarmungslosen Hitze, ihren Fliegen, ihren lästigen Ratssitzungen unter der Leitung des unsympathischen Vansittart, den Gesellschaften mit

* Südostküste Indiens

all ihrem Gezänk und den zur Schau gestellten Eitelkeiten zu ertragen.

Noch einmal fragte er: Warum eigentlich?

Unten auf den Stufen, die zum Wasserbecken führten, liebten sich ein Seemann und ein indisches Mädchen. Sie lagen reglos wie Gestalten eines lebenden Bildes, völlig bewegungslos bis auf das gelegentliche Heben seiner Hand, die ihre Brüste streichelte. Sie war sehr jung, fast noch ein Kind, und wirkte ruhig und entspannt. Auch später, als sie zusammenkamen, schien sie diese Ruhe beizubehalten. Um so überraschter war Kelso, als sie im Augenblick des Höhepunktes einen lauten, leidenschaftlichen Schrei ausstieß.

Kelso wandte sich ab und trat ins Schlafgemach. Susan hatte ihre Lampe bereits gelöscht. Er sah die Umrisse ihres Kopfes auf dem Kissen und hörte ihr gleichmäßiges Atmen, bezweifelte aber, daß sie schon schlief.

»Susan?«

Sie antwortete nicht, und er ging ins Badezimmer, wo er sich auszog und duschte.

Als er zurückkam, lag ihr Kopf noch genauso auf dem Kissen. Jetzt war ihm vollends klar, daß sie nicht schlief. Oft genug hatte er nachts ihre ständigen Bewegungen bemerkt, ihre Ruhelosigkeit während des Schlafes, die er auf ihre grenzenlose Energie zurückführte. Jetzt dagegen lag sie vollkommen still.

»Susan!«

Er schlug die Decke zurück und versuchte, sie in die Arme zu nehmen. Sie reagierte heftig, entzog sich ihm und wandte sich ab, wobei sie sogar nach ihm schlug.

»Susan . . .« Er streichelte ihre Schulter.

»Laß mich in Ruhe!«

»Wir sollten wenigstens miteinander reden.«

»Ich will nicht reden. Laß mich in Ruhe.«

Er kniete neben ihr nieder, überrascht, aber trotzdem noch guter Laune. In gewisser Weise fand er ihr Schmollen sogar ganz reizvoll.

»Susan . . .« Wieder streichelte er ihre Schulter. Da drehte sie sich um und schlug ihn mit aller Kraft ins Gesicht.

Er wurde völlig überrascht von ihrer Heftigkeit, setzte sich auf den Boden und bedeckte die schmerzenden Augen mit den Händen.

»Jetzt laß mich endlich in Ruhe!«

Es geschah selten, daß er wütend wurde, aber jetzt war er es. Er packte sie bei den Armen und drehte sie trotz ihres Sträubens zu sich herum. »Hör mir gefälligst zu!« Er schüttelte sie, bis sie protestierend den Mund öffnete und das lange Haar ihr ins Gesicht fiel.

»Hör mir zu!«

Sie wartete auf eine günstige Gelegenheit, dann biß sie ihn ins Handgelenk.

Er ließ sie aufs Bett zurückfallen und schlug ihr gleichzeitig mit dem Handrücken ins Gesicht.

Es war kein wuchtiger Schlag, aber sie war genauso überrascht wie er einen Augenblick vorher. Sie strich sich mit der Hand über die getroffene Wange und starrte ihn verwundert an.

»Du hast mich geschlagen!«

»Ich werde es noch einmal tun, wenn du dich nicht anständig benimmst.«

»Du . . .« Mit zusammengebissenen Zähnen richtete sie sich auf, zögerte aber, als sie seine zum Schlag erhobene Hand sah. Noch immer starrte sie ihn ungläubig an.

»Du hast mich geschlagen!«

Er wartete, die Hand weiterhin erhoben, während sie den Kopf ins Kissen bohrte und zu seiner Überraschung in Tränen ausbrach.

9

Eine Woche war vergangen, bevor sie wieder Gelegenheit hatten, die Holwells aufzusuchen. Nach ihrem Streit und der darauf folgenden leidenschaftlichen Versöhnung war Kelso mehr als je bereit, auf alle Wünsche Susans einzugehen; als sie vorschlug, den Freunden einen Besuch zu machen, willigte er sofort ein.

Am späten Abend bog ihr Wagen in die Auffahrt der Holwells. Trotz seines langen Aufenthaltes in Bengalen war Holwell kein reicher Mann, und sein Bungalow mit dem weit ausladenden Dach wirkte beim ersten Anblick ein wenig dürftig für einen Mann seiner Stellung. Erst später, wenn man die Eingangshalle betrat und von einem eingeborenen Diener empfangen wurde, stellte man fest, daß die äußere Erscheinung des Hauses täuschte. Mary Holwell, die Tochter eines Geistlichen – ihre Eltern waren nur wenige Wochen nach der Ankunft in Kalkutta am Fieber gestorben –, hatte in ihr Heim all den Komfort und die ruhige Schönheit der Einrichtung gebracht, die sie von England her kannte. Die Möbel waren einfach, aber solide und geschmackvoll, die Teppiche – ein Hochzeitsgeschenk – stellten das Schönste dar, was man in Kalkutta finden konnte, und in jedem Raum standen das ganze Jahr über, ob Monsun oder Trockenzeit, frische Blumen.

Während sie in der Halle warteten und der Diener ihre Ankunft meldete, blickte Kelso sich anerkennend um und ärgerte sich beim Vergleich der soliden Einrichtung mit der ziemlich grellen Ausstattung seines eigenen Hauses. Susan hatte, wie es ihrem Naturell entsprach, eine Vorliebe für lebhafte Farben. Kissen, Teppiche, Vorhänge, alle aus indischer Fertigung, prangten in leuchtendem Rot und Purpur. Groteske Gemälde hingen an den Wänden. Bei den Holwells waren die Wände leer.

»Susan und Roger! Welch nette Überraschung!«

»Überraschung?« Kelso warf seiner Frau einen scharfen Blick zu. »Wußten Sie denn nicht, daß wir kommen?« Er wartete, bemerkte Mary Holwells Verwirrung und das ausdruckslose Gesicht seiner Frau. »Ich hoffe . . .«

»Mein lieber Roger, wir sind entzückt, Sie beide zu sehen«, sagte Mrs. Holwell. »Es ist nur . . .« Sie zögerte.

»Die Wahrheit ist, wir erwarten jemanden«, erklärte ihr Mann. »Wir wollten Sie nicht in Verlegenheit bringen.«

»Keiner Ihrer Freunde würde uns je in Verlegenheit bringen.«

Die Holwells tauschten Blicke aus, und Mary stotterte: »Nicht gerade ein Freund . . .«

»Oh, ich weiß«, warf Susan ein. »Jetzt fällt es mir wieder ein. Sie erwarten den Besuch von Johns Assistent – wie war doch noch gleich sein Name?«

»Richtig«, sagte Mrs. Holwell. »Ich habe es Ihnen ja erzählt.«

»Natürlich. Wie dumm von mir!« Susan beugte sich vor und küßte sie auf die Wange. »Dann gehen wir wohl besser wieder und schauen ein anderes Mal herein. Es tut mir leid.«

»Das braucht es aber nicht, meine Liebe. Wir sind es, die sich entschuldigen müssen.«

»Nein, keineswegs. Komm, Roger.«

Kelso merkte, daß hier intrigiert wurde, aber ihm war nicht klar, worum es ging. Die Holwells wirkten ehrlich verwirrt. Susans Proteste dagegen waren zu glatt, um echt zu wirken. Er beschloß, abzuwarten.

»Es tut mir leid«, sagte Holwell. »Ich kann Ihnen gar nicht sagen, wie enttäuscht ich bin.«

»Das geht schon in Ordnung«, erwiderte Susan. »Wir kommen bald wieder.«

»Morgen?«

»Ich wüßte nicht, was dagegenspräche. Roger?«

»Ich habe eine Verabredung mit dem Gouverneur.«

»Nun, dann – ein anderes Mal.«

Warum war er nicht überzeugt von der Echtheit ihrer Versicherungen? Die Worte stimmten; sie klangen aufrichtig. Aber dahinter steckte etwas anderes. Vielleicht war es die Art und Weise, wie sie ihren Abschied hinauszögerte, oder es lag an den verstohlenen Blicken, die sie zur Auffahrt warf. Beides verriet ihm, daß seine Frau schauspielerte. Sie hatte sich nicht geirrt, sondern beabsichtigt, daß ihr Besuch so enden sollte.

Aber warum nur? Er wartete, sagte aber nichts. Endlich gestattete sie Holwell, die Tür zu öffnen.

»Oh!« rief sie dann. »Er ist schon da.«

Ein Wagen fuhr die Auffahrt herauf, ein prächtiges Fahrzeug mit goldverziertem Verdeck, gezogen von Vollblütern und gelenkt von einem livrierten Lakai. Das Ganze wirkte zugleich beeindruckend und vulgär, das Fuhrwerk eines sehr reichen, aber geschmacklosen Mannes.

»Ich muß ihn jetzt empfangen, fürchte ich«, sagte Holwell. »Hoffentlich macht es Ihnen nichts aus.«

»Natürlich nicht«, sagte Susan. »Schließlich war es mein Fehler. Außerdem – wenn wir jetzt gingen, müßte er annehmen, es sei seinetwegen.«

Kelso wartete noch immer schweigend.

»Kommen Sie in den Salon«, sagte Mary Holwell. »Wir wollen ihn schließlich nicht in der Eingangshalle empfangen.«

Sie traten in den Salon, und Susan setzte sich vorsichtig auf die Kante eines Sofas, wo sie seltsam gespannt wartete. Die Holwells waren offensichtlich in Verlegenheit. Ein Diener trat ein, und ohne dessen Meldung abzuwarten, gab Holwell ihm ein Zeichen, den Besucher eintreten zu lassen.

Kelso, der jetzt wirklich neugierig war, konnte kaum seine Bestürzung verbergen, als er die wohlbekannte Gestalt in der Türöffnung auftauchen sah: Gobindram Mitra!

»Mein lieber Mitra, kommen Sie herein!« rief Holwell.

Der Steuereintreiber schien nicht im geringsten überrascht über den herzlichen Willkomm oder die Anwesenheit von Kommodore Kelso und Lady Susan. Genau wie Kelso schien auch er es vorzuziehen, seine wahren Gefühle zu verbergen. Jedenfalls blieb sein Gesicht völlig ausdruckslos, während er den Anwesenden die Hand gab. Er war von riesiger Statur, ein wenig zur Fülle neigend, hielt sich aber kerzengerade. Sein Kinn war ausgeprägt und energisch, sein Blick beherrscht und vorsichtig. Lediglich seine Kleidung verriet den Parvenü. Die seidene Jacke war goldbestickt und mit Diamanten besetzt, im Turban trug er einen riesigen Opal. Selbst die indischen Fürsten pflegten sich weniger protzig zu kleiden.

»Meine Frau kennen Sie?«

»Mrs. Holwell!« Er bedachte sie mit einem königlichen Neigen des Hauptes.

»Und Lady Susan?«

Kelso beobachtete seine Frau aufmerksam, fragte sich, wie sie wohl auf die Begrüßung reagieren würde. Zu Untergeordneten konnte sie äußerst charmant sein, wenn sie wollte. Er hatte schon erlebt, wie sie die jüngsten Seekadetten auflockerte und bezauberte. Sie konnte aber auch von vernichtender Kälte sein.

Zu Gobindram Mitra war sie charmant. Sie hob ihm die Hand entgegen, die er galant ergriff und mit den Lippen berührte.

»Mr. Mitra, wir müssen um Entschuldigung bitten. Sie haben Geschäftliches zu besprechen, und wir sind dazwischengekommen.«

»Liebe gnädige Frau! Welches Geschäft könnte wohl wichtiger sein als das Vergnügen Ihrer Gesellschaft!«

Susan nahm das Kompliment höflich entgegen.

»Oder der Ihres tapferen Herrn Gemahls.« Als er sich Kelso zuwandte, spürte er die Veränderung der Atmosphäre. Seine halb erhobene Hand wurde von Kelso übersehen, aber dennoch behielt Mitra seine freundliche Haltung bei.

»Bitte«, sagte Mrs. Holwell, »darf ich Ihnen eine Tasse Tee und etwas Gebäck reichen lassen?«

»Nein, danke«, sagte Kelso mit fester Stimme, »wir müssen gehen.«

»Aber Roger!« schmollte Susan gurrend in einem Ton, der ihrem Naturell sonst so fremd war, daß selbst die Holwells merken mußten, wie sie schauspielerte. »Ich wollte Mr. Mitra schon lange kennenlernen.« Sie raffte ihre Röcke zusammen und klopfte leicht auf das Sofa. »Kommen Sie, setzen Sie sich neben mich.«

Der riesige Inder ließ sich, die Hände auf den Knien, neben ihr nieder. Er war der einzige im Raum, der sich wohl zu fühlen schien. Die Diener kamen mit Tee und Reiskuchen, den er ablehnte. Es dauerte eine ganze Weile, bis er endlich anfing zu sprechen.

»Warum wollten Sie mich denn kennenlernen, Lady Susan?«

»Wegen all der Dinge, die ich über Sie gehört habe.«

Gobindram Mitra kicherte in sich hinein. »Alles Gerüchte! Ein reicher Mann ist immer das Ziel neidischen Geredes.«

»Möglich. Aber da ich selbst nicht reich bin, hatte ich bisher keine Gelegenheit, das festzustellen.«

»Sie besitzen mehr als Reichtümer, Lady Susan: Schönheit, Charme, einen aristokratischen Namen.« Dann warf er einen Blick auf Kelso, der noch immer mit den Händen auf dem Rücken breitbeinig am Fenster stand, und fuhr fort: »Und einen berühmten Gatten.«

»Einen armen Gatten«, sagte Kelso, »das trifft eher den Kern der Sache. Ich bekomme meinen Sold und weiter nichts. Ich habe Indien niemals auch nur einen Penny weggenommen und beabsichtige, das auch künftig nicht zu tun. Was halten Sie davon, Mitra?«

»Kommodore, ich halte Sie für einen Ehrenmann. Seit Jahren habe ich Sie – wenn auch nur aus der Ferne – beobachtet und bewundert.«

»Ihre Bewunderung interessiert mich nicht.«

»Als General Clive diesen Schurken Surajah Dowlah verjagte, dachte ich, alles würde noch schlimmer werden. Bengalen war ihm auf Gnade und Ungnade ausgeliefert. Was konnte ein ehrlicher Kaufmann wie ich schließlich von der Hand des Eroberers erwarten?«

»Ehrlicher Kaufmann! Sie standen ja selbst im Sold von Surajah Dowlah. Als er besiegt wurde, wechselten Sie schnell die Seite.«

Gobindram Mitra hob die Schultern. »Nun gut, Kommodore. Ich will nichts vorspiegeln, was nicht zutrifft. Ich bin eben ein praktischer Mann.«

»Ein Opportunist! Ein Schuft ohne Prinzipien!«

»Vielleicht. Aber Sie müssen zugeben, daß ich wenigstens konsequent bin. Niemand muß sich fragen, ob er Gobindram Mitra trauen kann. Ob er seinen Worten Glauben schenken kann. Und warum nicht? Weil jeder weiß, was von mir zu halten hat. Wie

Sie es soeben richtig ausdrückten: Ich bin ein Opportunist ohne Prinzipien.«

»Aber Roger!« rief Susan aus. »Du gehst wirklich zu weit.«

»Keineswegs, Gnädigste«, sagte Mitra. »Wie ich vorhin schon bemerkte: Ihr Gatte ist ein Ehrenmann. Ich wäre zutiefst enttäuscht, wenn er nicht offen seine Meinung gesagt hätte.«

Die Holwells saßen nebeneinander wie Kinder bei einem Familienkrach, die Augen weit aufgerissen, den Mund halb offen. Kein Wort entging ihnen.

»Als General Clive seine Jaghirs* entgegennahm«, fuhr Gobindram Mitra fort, »erwartete ich, daß all seine Freunde dasselbe tun würden. Admiral Watson zum Beispiel war gnädig genug, ein Lakh Rupien zu akzeptieren. Mr. Watts und andere Ratsmitglieder erhielten ebenfalls ansehnliche Geschenke. Nur Sie, Kommodore, nahmen nichts.«

Kelso fühlte sich ein wenig verwirrt und unbehaglich. Dann jedoch wurde er wütend, als er Gobindram Mitras bewundernden Gesichtsausdruck sah. War es wirklich so weit gekommen, daß er sich die Bewunderung des Black Zemindar gefallenlassen mußte?

»Ich bin Seemann«, sagte er. »Ich verstehe nichts von Geschäften und interessiere mich auch nicht dafür.«

»Und Sie, Lady Susan?«

»Ich interessiere mich sehr dafür«, erwiderte Susan und warf ihrem Gatten einen trotzigen Blick zu. »Ich sehe es nicht als Verdienst an, arm zu sein! Bei all den guten Gelegenheiten ringsum hätte ich nicht übel Lust, selbst einige Geschäfte abzuschließen.«

»Susan!« rief Mary Holwell entsetzt. »Das würden Sie nicht wagen!«

»Und ob ich das würde!«

»Ich meine, das ist doch . . .«

»Höchst unschicklich, wollen Sie sagen?« Susan schlug mit der Faust auf die Lehne des Sofas. »Ich pfeife auf die Schicklichkeit! Da Roger so beschäftigt ist mit seinen dienstlichen Aufgaben, warum sollte ich nicht hingehen und ein Vermögen für uns beide verdienen?«

»Weil ich es nicht erlauben würde«, sagte Kelso.

»Warum nicht?« Wütend starrte sie ihn an, und nur ihr Anstandsgefühl hielt sie von einer heftigeren Antwort ab.

---

* Die Übertragung von öffentlichen Einkünften an eine Person oder Körperschaft mit der Verpflichtung, diese einzutreiben (d. Ü.).

»Es wäre unpassend, meine Liebe«, sagte Mrs. Holwell. »Geschäfte sind Männersache. Sie können doch unmöglich mit Männern Handel treiben.«

»Und warum nicht?«

»Nun, ich meine . . . Auf keinen Fall könnten Sie beispielsweise ohne Begleiter zu den Märkten oder Handelskontoren gehen.«

»Dann werde ich mir eben einen Begleiter wählen.« Sie sah ihren Mann an. »Roger?«

Kelso starrte sie an, ohne zu antworten.

»John?«

Der arme Holwell wußte nicht, was er sagen sollte. Unsicher wandte er sich von einem zum anderen, und schließlich war es Mary, die das unbehagliche Schweigen brach. »Ich bin sicher, John wäre erfreut, Sie begleiten zu können, wenn Sie wirklich gehen wollen. Ich selbst bin natürlich noch nie bei so etwas dabeigewesen, aber ich glaube, ein einziger Besuch würde Ihnen zeigen, daß . . .«

»Wann gehen wir, John? Morgen?«

»Nun, ich weiß nicht . . .«

»Mr. Mitra! Wann ist die nächste Auktion?«

Gobindram Mitra sah Kelso an, und als von dessen Seite keine Ermunterung kam, wandte er sich direkt an Susan. Er kicherte so stark in sich hinein, daß sein ganzer Körper bebte und die Augen in den Fettwülsten verschwanden. »Was für eine Entschlossenheit! Lady Susan, ich bewundere Sie beinahe ebenso wie Ihren Gatten. Natürlich weiß ich, wann die nächste Auktion ist. Übermorgen, am Mittwoch, im Auktionssaal am Kai.«

»Um wieviel Uhr?«

»Neun Uhr dreißig.«

»Werden Sie dort sein?«

»Selbstverständlich. Die Ladung der *Pride of Kent* wird versteigert. Sie besteht aus erstklassigen Weinen, ebensolchem Tabak und natürlich den letzten Modellkleidern aus London. Jeder Kaufmann Kalkuttas wird anwesend sein.«

Susan erhob sich. »Also bis Mittwoch. Mr. Holwell und ich werden pünktlich da sein.«

Kelso sah gleichmütig und wortlos zu, als Susan sich verabschiedete und sich dann, ohne ihn eines Blickes zu würdigen, hinaus zu ihrem Wagen begab.

10

Nach Mohammed Khans Niederlage gab es in Bengalen eine unsichere Friedensperiode. Niemand glaubte zwar ernstlich daran, daß die Tage der Piraten vorüber seien, aber dennoch dehnten die Kaufleute ihre Unternehmungen, die sich seit Jahren auf die Ufer des Hugli beschränkt hatten, weiter ins Hinterland aus, bis Basirhat, Satkhira und den Städten jenseits des großen Salzsees. Die Geschäfte der *Ehrenwerten Ostindischen Kompanie* blühten wie nie zuvor, und die Läden im Lall-Basar und in der Chitpur Road waren voller Silberwaren, Seidenstoffe und indischer Töpfereierzeugnisse. Die *Banians** wurden reich, und Männer wie Gobindram Mitra, die ermächtigt waren, den gesamten Eingeborenenhandel der Provinz zu kontrollieren, wurden noch reicher.

Auch die Angestellten der Kompanie verdienten nicht schlecht. Die Blütezeit brachte neue Steuern und Restriktionen mit sich, bei denen genug für sie abfiel. Lediglich die weniger Glücklichen oder weniger Geschickten blieben, was sie immer gewesen waren: arme Schlucker.

Kelso erstickte fast an seinem Widerwillen. Trotz heftiger Kräche, gefolgt von ebenso heftigen Versöhnungen und Liebesnächten, ging Susan unbeirrbar ihrem Ziel entgegen: die reichste Frau Kalkuttas zu werden. Mit nichts Geringerem wollte sie sich zufriedengeben. So eröffnete sie in der Hauptgeschäftsstraße ein elegantes Modehaus. Als Verkäuferinnen stellte sie ehemalige Gouvernanten und Gesellschafterinnen ein, die sie durch bessere Bezahlung von ihren Herrinnen weggelockt hatte. Desgleichen machte sie unweit von Loll Diggy einen Laden auf, in dem sie Damenhüte feilbot, die sie durch einheimische Näherinnen von europäischen Modellen kopieren ließ. Sie schockierte die Männerwelt Kalkuttas, indem sie eine gesamte Schiffsladung Portwein und Madeira aufkaufte, bevor diese überhaupt zur Auktion kam. All diejenigen, deren Weinkeller dringend der Auffüllung bedurften, waren nun darauf angewiesen, zu Susan zu gehen oder vielmehr zu ihrem Vertreter, einem armenischen Weinhändler namens Kershanian, bei dem sie mindestens das Doppelte des Preises bezahlen mußten, den der Wein auf der Auktion gekostet hätte. Sie nahm Kredite zu acht Prozent auf und sah es als schlechtes Geschäft an, wenn sie weniger als zwanzig Prozent da-

* reisende Kaufleute

mit verdiente. Mit der Hilfe Gobindram Mitras, der ihr getreuer und bewundernder Bundesgenosse geworden war, schickte sie ihre Vertreter ins Landesinnere, um ganze Ernten aufzukaufen, ja selbst Bauernhöfe von Familien, die ihre Abgaben nicht zahlen konnten. Wenn ein Bauer infolge einer Krankheit starb oder von Banditen umgebracht wurde, war bestimmt nach wenigen Tagen ein Abgesandter der Memsahib* Kelso an der Tür und bot – nach einem Schwall salbungsvoller Beileidsworte – eine Kaufsumme an, die kaum ein Zehntel des wirklichen Wertes betrug. Diese Vertreter, die von Gobindram Mitra ausgewählt und dann mit Susans Zustimmung eingestellt wurden, kamen allesamt aus dem berüchtigten Gebiet von Black Town; ihre Verschlagenheit, Brutalität und Zähigkeit kannte keine Grenzen.

Seltsamerweise war Kalkuttas Gesellschaft nach dem ersten Schock eher geneigt, Susan zu bewundern als zu verdammen. Aus »diese Mrs. Kelso« oder »diese unerhörte Susan« wurde bald, dem Beispiel der Eingeborenen folgend, »die Memsahib«. Türen, die ihr ein paar frostige Monate lang verschlossen geblieben waren, wurden ihr wieder geöffnet, und bald wetteiferten die Damen Kalkuttas, Susan einzuladen.

Für Kelso war diese neue Popularität unerträglich. Er schämte sich Susans »Heldentaten«, und jeder neue Erfolg verdroß und bestürzte ihn. Er sehnte sich danach, endlich das Land mit seiner Geldgier und Korruption hinter sich lassen zu können, sehnte sich nach der See, dem weiten Himmel und nach dem Gesang des Windes in der Takelage.

Ein paar Monate später, gegen Ende der heißen Jahreszeit, kam ihm der Zufall zu Hilfe. Ein Pilgerzug wurde auf dem Weg nach Kalighat überfallen und ausgeraubt, siebenunddreißig Pilger wurden umgebracht. Ein alter Mann, der sich gleich zu Beginn des Angriffs in ein Reisfeld geworfen hatte und dadurch dem Gemetzel entgangen war, schwor, daß es sich bei den Tätern um Dacoits gehandelt hatte und daß Mohammed Khan ihr Anführer war. Auf Druck Holwells und einiger anderer Ratsmitglieder entsandte Gouverneur Vansittart eine Patrouille unter der Führung von Major Caillaud in das Gebiet. Sie fand nichts Verdächtiges.

Eine Woche später wurden drei indische Handelsschiffe, die den Salzsee überquerten, von Gallivaten überfallen, und wieder entkam nur ein einziger Mann. Seine Schauergeschichte genügte,

* verheiratete Europäerin, Frau eines Sahib

um Vansittart von der Notwendigkeit des Eingreifens zu überzeugen.

Er ließ Kelso rufen.

»Es scheint, Ihr tapferer Sieg über die Dacoits ist doch nicht endgültig gewesen.«

»Ich habe ihn auch nie als endgültig bezeichnet.«

»Mohammed Khan ist noch am Leben.«

»Offensichtlich.«

Der Gouverneur musterte ihn verärgert. Gern hätte er einen Streit mit Kelso angefangen, war sich aber darüber klar, daß auf diesem Mann, der ihn stets mit kühler Arroganz behandelte und aus seiner Abneigung kein Hehl machte, seine einzige Hoffnung beruhte. Er mußte versuchen, Kelso auf seine Seite zu ziehen.

»Was sollen wir tun? Caillaud hat nichts gefunden. Und Sie, ohne Ihre Schiffe . . .«

»Ich habe genug Schiffe, um Mohammed Khan aufzustöbern.«

»Ohne die *Protector*? Ich weiß ohnehin nicht, was in Sie gefahren war, sie wegzuschicken!«

»Sie geleitet einen wichtigen Konvoi.«

»Was eine Ihrer Fregatten genausogut gekonnt hätte.«

»Da bin ich anderer Ansicht. Es wäre töricht anzunehmen, daß die Franzosen und Holländer ihre Ansprüche auf Indien endgültig aufgegeben hätten. Die Anwesenheit des Flaggschiffs der Bombay-Marine wird weder an der Coromandel- noch an der Malabarküste* unbemerkt bleiben.«

»Was Sie nicht sagen! Aber ich bin immer noch der Ansicht, sie wäre hier bei der Jagd auf die Piraten nützlicher.«

»Sie könnte dabei nicht das geringste nützen.«

»Wie können Sie so etwas behaupten? Das stärkste Schiff in diesen Gewässern!«

»Und das schwerfälligste. Ich würde mit ihr niemals durch den sumpfigen Schilfgürtel kommen.«

Verzweifelt hob der Gouverneur die Arme. »Was sollen wir denn tun? Wir sind vollkommen hilflos.«

»Nicht ganz. Wir haben noch die *Calcutta* und die Mörserboote.«

»Mein lieber Kelso! Wollen Sie mir allen Ernstes einreden, Sie würden sich mit einer kleinen Fregatte und zwei Mörserbooten aufmachen, um Mohammed Khan aufzustöbern?«

* Westküste Indiens

75

»Nein.«

»Freut mich zu hören.«

»Ich werde die Mörserboote hierlassen.«

Kelso gab Lebrun, dem Kommandanten der *Calcutta*, die entsprechenden Anweisungen und begab sich dann in sein Haus in Loll Diggy. Padstow erwartete ihn am Fuß der Treppe.

»Pack meine Seekiste und laß sie an Bord der *Calcutta* bringen.«

»Aye, aye, Sir!« Die Wirkung dieser Worte auf Padstow war erstaunlich. Aus dem mürrischen, übellaunigen Dienstboten der vergangenen Monate wurde plötzlich ein fröhlich lachender Steward. Vergessen war sein verwundeter Arm, den er stets als Ausrede benutzte, um die unangenehmeren Hausarbeiten zu meiden, die Lady Susan für ihn bereithielt. Zwei Stufen auf einmal nehmend, eilte er hinter seinem Kommodore her und überholte ihn am oberen Treppenabsatz. »Die Pistolen sind sauber und so gut wie neu, Sir, und Ihr Säbel auch. Hab' sie alle gerade gereinigt.«

»Freut mich zu hören.«

»Soll ich Ihre beste Uniform herauslegen, Sir?«

»Wozu? Wir werden kämpfen, nicht offizielle Besuche machen.«

»Oh, das freut mich zu hören, Sir!«

Kelso folgte ihm ins Schlafzimmer, das kühl und seltsam still war ohne Susan.

»Hast du die Herrin gesehen?«

»Nein, seit heute morgen nicht mehr, Sir. Sie ging schon sehr früh aus.«

»Und ist noch nicht zurückgekehrt?«

»Nein, Sir.« Padstow, der gerade die schwere Seekiste von einem Schrank herunterzog, zögerte. »Wenn Sie sie sprechen möchten, Sir, ich weiß wahrscheinlich, wo sie ist.«

»Und wo?«

»Auf dem anderen Flußufer, Sir, in Howrah. Ein Küchenboy sah sie auf der Fähre.«

»Allein?«

»Nein, nicht allein, Sir.« Padstow beschäftigte sich eifrig mit Hemden, Strümpfen und Unterwäsche.

»Sondern?«

»Sir?«

»Lady Susan war nicht allein?«

»Nein, Sir, sie war in Begleitung eines Gentleman, wenigstens ...«

Padstow blickte verstohlen auf, aber als er den entschlossenen Ausdruck seines Kommodore sah, fügte er rasch hinzu: »Der indische Gentleman, Sir, den man den Black Zemindar nennt, war bei ihr.«

»Gobindram Mitra!«

Kelso trat hinaus auf den Balkon und blickte über die Dächer der Stadt zu den Masten und Oberrahen der Ostindienfahrer hinüber. Sie hoben sich deutlich vom hellen Himmel ab und schienen ihm mit ihren sanften ruhigen Bewegungen auffordernd zuzuwinken. Sein Herzschlag beschleunigte sich, als er daran dachte, daß er noch vor Einbruch der Nacht auf einem Achterdeck stehen würde, fern vom Lärm und Schmutz Kalkuttas. Wieder beneidete er Fenton und überlegte, wie lange es noch dauern würde, bis er endlich wieder die *Protector* segeln konnte.

Susan ... Sein Verlangen nach ihr hatte ihn in diese mißliche Lage gebracht. Hätte er die Entschlußkraft besessen, sie gleich nach der Hochzeit zu verlassen, dann wäre er jetzt auf See, irgendwo im Indischen Ozean, und es gäbe keine anderen Probleme für ihn als Windrichtung, Seegang und Kurs.

War eine Frau das wert? Obgleich sich bei Susans Anblick stets sein Pulsschlag beschleunigte, glaubte er, daß er nach ein paar Tagen auf See nicht gerade kuriert, aber doch genügend distanziert sein würde, um die Trennung mit Gleichmut zu ertragen.

Ob sie wohl anders empfand? Er bezweifelte es. Obwohl sie noch immer die leidenschaftliche Liebhaberin war, nahmen doch ihre geschäftlichen Interessen zu viel Zeit in Anspruch, als daß sie sich um ihren abgereisten Mann lange grämen würde. Sie war niemals so angeregt wie nach dem Abschluß eines günstigen Geschäftes. Ihr wachsender Reichtum war zur Zeit beinahe ihr einziges Unterhaltungsthema. Ihr wirkliches Leben, so schien ihm, spielte sich in der Auktionshalle, in dem Büro im Lall-Basar, das sie mit Holwell teilte, und in ihren Läden ab, deren sie jetzt nicht weniger als zwölf besaß und die sie jeden Tag aufsuchte. Ihr Heim, ihr Mann, ja sogar ihr Liebesleben schienen für sie zweitrangig geworden zu sein.

»Fertig, Sir – wenn es sonst nichts mehr gibt?«

»Nein. Schaff die Seekiste an Bord und sag Kapitän Lebrun, ich käme in einer halben Stunde.«

»Aye, aye, Sir.« Padstow schwang sich die schwere Seekiste auf die Schulter und ging zur Tür. »Sir?«

»Ja?«

»Werden Sie auf Lady Susan warten?«

»Tu, was ich sage!«

Kelso legte die Kleider ab und ging unter die Dusche. Das Wasser war lauwarm, aber trotzdem erfrischend nach der Hitze des Tages. Morgen würde er dem Luxus einer Süßwasserdusche nachtrauern. Morgen würde er eine Fregatte durch die gewundenen Kanäle navigieren, die Sonne würde ihm dabei auf den Rücken scheinen. Morgen würde er . . .

»Liebling! Du bist hier?«

»Ja, ich dusche gerade.«

»Du bist aber früh zu Hause. Ich habe nicht erwartet . . .«

»Daß ich zu Hause wäre, bevor du von deinem Ausflug zum anderen Flußufer zurückkämst?«

»Das weißt du also?« Neckend fügte sie hinzu: »Hast du mir nachspioniert?«

»Nein, ein Boy hat dich auf der Fähre gesehen.«

»Nun, es war kein Ausflug, sondern eine Geschäftsfahrt. Ich möchte dort drüben ein Stück Land kaufen.«

»Wozu? Dort wächst doch nichts.«

»Ich weiß. Deswegen habe ich es ja günstig bekommen.«

»Du hast es tatsächlich gekauft?«

»Ja.« Undeutlich sah er sie durch das Wasser der Dusche hindurch, sie zog gerade ihr Kleid aus. »Wenn mich mein Urteil nicht trügt, sollte sich dieser Kauf als gute Investition erweisen.« Er hörte sofort die plötzliche Wärme in ihrer Stimme. Geld! Schneller Gewinn!

»Es interessiert mich nicht.«

»Das sollte es aber. Bisher habe ich nicht schlecht abgeschnitten, aber dies hier ist der Höhepunkt. Er könnte uns wirklich reich machen.«

Er drehte den Wasserhahn ab und langte nach dem Handtuch. »Ich steige auf der *Calcutta* ein.«

»Wann?« Sie hatte nur noch das Hemd an und näherte sich der Tür des Duschraums.

»Jetzt, sofort. Padstow hat schon meine Seekiste hinuntergeschafft.«

»Und wann kommst du zurück?«

»Das weiß ich nicht.«

»Aber Liebling!« sagte sie. »Ich möchte nicht, daß du weggehst. Wir sind seit unserer Hochzeit noch nicht getrennt gewesen, wenigstens nicht länger als ein paar Tage.«

»Wir hatten Glück – oder Pech. Ich bin nicht ganz sicher, wie ich es nennen soll.«

»Was soll das heißen?«

»Es heißt, daß du so beschäftigt bist mit deinen Geschäften mit Holwell und diesem Schurken Mitra, daß du kaum merkst, ob ich hier bin oder nicht.«

»Liebling, das ist nicht wahr!« Sie streifte ihr Hemd ab und stieg zu ihm unter die Dusche.

»Was tust du?«

»Ich will mit dir duschen.«

»Aber ich habe gerade geduscht. Mir bleibt keine Zeit mehr. Ich habe Lebrun versprochen . . .«

»Liebling!« Mit dem einen Arm stellte sie die Dusche an, den anderen schlang sie ihm um die Schultern und preßte sich eng an ihn.

11

Die *Calcutta* war eine der neuen, auf der Werft in Bombay gebauten Fregatten. Mit neunhundert Tonnen war sie größer als seine geliebte und unvergeßliche *Paragon*, und als sie vor raumer Brise vom Fluß in die Bucht segelte, merkte Kelso sofort, daß sie nicht so leicht zu handhaben war. Die Achtundzwanzigpfünder auf ihrem Hauptdeck und die leichteren Kanonen auf der Back und dem Achterdeck waren zwar eine ansehnliche Bewaffnung und gegen eine kleinere Flotte von Gallivaten ausreichend, aber unendlich viel würde vom Ausbildungsstand der Geschützbedienungen abhängen. Warner, der Artillerieoffizier, kam aus Yorkshire. Er war unfreundlich und schweigsam bis zur Unhöflichkeit, aber schließlich konnte er trotzdem ein tüchtiger Offizier sein. Kelso hatte ihn nur kurz kennengelernt; Lebrun jedenfalls sprach sich sehr lobend über ihn aus.

»Mr. Elliott!« rief Lebrun gerade.

»Sir?«

»Nehmen Sie bitte die Bramsegel weg.«

Kelso war beeindruckt von der Art und Weise, wie Lebrun sein Schiff handhabe. An Selbstvertrauen fehlte es ihm jedenfalls nicht. Viele Kommandanten hätten vor diesem engen Fahrwasser

Barkassen ausgesetzt und das Schiff schleppen lassen, denn die Durchfahrt zwischen den Ostindienfahrern am Kai und dem Gewimmel der am anderen Ufer vertäuten Boote war recht schmal. Der Befehl zum Segelwegnehmen war zu diesem Zeitpunkt eine vernünftige Vorsichtsmaßnahme.

Die *Calcutta* segelte an Black Town vorbei und dann durch Reisfelder, auf denen trotz der vorgerückten Stunde noch immer gearbeitet wurde. Ein Tiefwasserkanal von einer Meile oder mehr führte durch diese Felder, danach kam der sumpfige Schilf- und Binsengürtel.

Breitbeinig, die Hände hinter dem Rücken verschränkt, stand Kelso auf dem Achterdeck in der Nähe der Heckreling, beobachtete alles und sagte nichts. Er wußte, daß jedes Eingreifen dem Ansehen des Kommandanten schaden mußte.

»Mr. Elliott! Schicken Sie bitte Lotgasten in die Ketten*.«

»Aye, aye, Sir.«

Kelsos Ausdruck veränderte sich nicht, obwohl er diesen Befehl mit Erleichterung hörte.

Es dämmerte bereits, als sie in den Schilfgürtel einfuhren, und wieder freute sich Kelso über Lebrun. Ein ängstlicher Kommandant wäre bestimmt nicht so ruhig wie er auf dem Achterdeck stehengeblieben, wie Lebrun es tat, und hätte von dort aus mit einem Minimum an Ruderkommandos sein Schiff durch diese engen und flachen Gewässer dirigiert.

»Was loten Sie an Steuerbord?« rief Elliott.

»Knapp neun Faden**, Sir.«

»Backbord?«

»Auch neun, Sir.«

»Lassen Sie die Untersegel bergen, Mr. Elliott«, befahl Lebrun.

»Aye, aye, Sir. An Geitaue und Gordings der Untersegel!«

Nur unter Marssegeln glitt die *Calcutta* durch die stillen Schilfsümpfe. Es war ein unheimliches Gefühl, und ein weniger tüchtiger Kommandant hätte wohl nervös werden können. In dem schwächer werdenden Licht wirkten alle Gegenstände verzerrt und die Entfernungen verkürzt: Störche wurden zu Gespenstern, Weidenbüsche zu Ungeheuern. Kein Geräusch war zu hören außer dem Quaken der Ochsenfrösche, dem leisen Zischen der Bugwelle und dem gelegentlichen Rufen der Lotgasten.

---

* Stampfstockketten oder Wasserstagen unter Bugspriet bzw. Klüverbaum
** 1 Faden = 1,83 m

»Ein halb über acht an Steuerbord!«

»Knapp neun an Backbord!«

Kein Grund zur Aufregung.

»Recht so steuern!«

Jetzt war es bereits zu dunkel, um bis zum See zu sehen. Kelso fragte sich, ob sein Entschluß, den Sumpfgürtel unbedingt vor Einbruch der Nacht zu durchqueren, nicht ein wenig übereifrig gewesen war. Wenn sie jetzt auf Grund liefen, konnten sie nichts anderes tun, als bis zum Morgen zu warten.

»Genau sieben an Steuerbord!«

»Ein halb über acht an Backbord!«

»Einen Strich nach Backbord! Komm auf! Recht so steuern!«

An Deck herrschte danach vollkommenes Schweigen, als hielte jeder, vom Kommodore bis zum jüngsten Kadetten, den Atem an.

»Kanal frei an Steuerbord!« rief der Ausguck im Bug.

»Langsam nach Steuerbord drehen! Komm auf!«

»Gerade sieben!« rief der Lotgast an Backbord.

»Noch einen Strich, Mr. Abel! Komm auf! Recht so!«

Die *Calcutta* erbebte, als sie eine Schlammbank berührte. Sie verlor Fahrt und lief aus dem Ruder; der Quartermeister steuerte kräftig gegen, und im nächsten Augenblick kam sie wieder frei. Kelso nickte anerkennend. Das war gute Seemannschaft. Die Grundberührung war zu weich und zu kurz gewesen, um Schaden verursacht zu haben. Außerdem war die *Calcutta* aus Teakholz gebaut, das seiner Meinung nach zäher und elastischer war als Eiche.

»Freies Wasser voraus, Sir! Ich bin mir nicht ganz sicher, aber ich glaube, es ist der See.«

Er war es in der Tat. Sie fuhren hinein und blieben dann bis zum Tagesanbruch beigedreht liegen. Noch bevor die Morgennebel sich verflüchtigt hatten, waren sie bereits wieder unter Segel. Die Backstagsbrise* hatte im Lauf der Nacht etwas aufgefrischt, und die *Calcutta* machte im ruhigen Wasser des Sees zügige Fahrt. »Alle Mann an die Brassen!« Dieses Kommando erscholl jetzt häufig, denn der Abstand zwischen den kleinen Inseln war äußerst gering und das Fahrwasser entsprechend gewunden. Die Lotgasten in den Ketten fuhren mit ihrem monotonen Singsang fort: »Gut neun! Ein halb über acht!« Obwohl die Durchfahrt schwierig war und ständige Aufmerksamkeit erforderte, ereigne-

---

* Windrichtung ca. 45 Grad (zur Mittschiffsrichtung) von achtern

ten sich keine weiteren Zwischenfälle.

Als sie tieferes Wasser erreichten, hatte sich allmählich auch der Morgennebel verflüchtigt, und die Lotgasten wurden abberufen. Die Fregatte segelte im hellen Sonnenschein mit einer gleichmäßigen Fahrt von fünf Knoten*.

Kelso entspannte sich. Es war so ruhig und friedlich auf dem See, daß er beinahe das Ziel ihrer Suche vergaß. Mohammed Khan und seine Rebellen schienen ein fernliegendes Problem, Susan und Gobindram Mitra gehörten längst der Vergangenheit an. Er lauschte den vertrauten Geräuschen, wie sie auf jedem Schiff zu hören sind: Wasser, das mit Schläuchen an Deck gepumpt wird, das Schaben der Scheuersteine, das Klatschen des vom Bootsmann geschwungenen Rohrstocks und das angenehmste von allen: das Ächzen des Holzes und der Gesang des Windes im Rigg.

»Segel Backbord voraus!«

Jegliche Arbeit an Deck hörte auf, und hundert Gesichter blickten hinauf zum Vortopp.

»Was ist zu sehen?«

»Etwas Kleines, Sir, vielleicht ein indisches Handelsschiff. Es segelt über Backbordbug**.«

»Behalten Sie's im Auge, und melden Sie, wenn es Kurs ändert!«

Möglicherweise handelte es sich um ein einheimisches Handelsfahrzeug, obwohl diese normalerweise nicht allein fuhren. Im allgemeinen genügte die Angst vor Mohammed Khan, daß sie sich zusammendrängten wie Schafe, die den Wolf wittern. Auch wunderte sich Kelso über die Richtung des Seglers. Über Backbordbug bedeutete, daß er von Norden kam, aber wenn das zutraf, dann war es seltsam, daß er quer über den See segelte, statt die kürzeste Route nach Kalkutta einzuschlagen.

»Er scheint auf uns zuzuhalten, Sir«, bemerkte Elliott, der Erste Offizier.

»Der Gedanke ist mir auch schon gekommen«, erwiderte Kelso.

Die Distanz zwischen den beiden Schiffen verringerte sich zwar, aber es dauerte doch eine Viertelstunde, bis der fremde Segler vom Deck aus klar ausgemacht werden konnte, und eine wei-

---

* 1 Knoten = 1 Seemeile (1852 m) pro Stunde
** mit dem Wind von Steuerbord, also von rechts

tere, bis er in Rufentfernung kam.

»*Evening Star* aus Ballapore!« rief der fremde Schiffsführer.

»Wohin wollen Sie?«

»Nach Kalkutta.«

»Sie sind vom Kurs abgekommen.«

»Ich wollte mit Ihnen sprechen, Sir. Darf ich an Bord kommen?«

»Kommen Sie!«

Es war offensichtlich der Kapitän selbst, ein nicht sehr großer, aber korpulenter Goanese*, der im Dingi übersetzte.

»Kapitän Lebrun«, empfing ihn der Kommandant. »Freut mich, Sie kennenzulernen, Kapitän. Darf ich Sie Kommodore Kelso vorstellen?«

Der Goanese war verblüfft, als Kelso ihm die Hand entgegenstreckte. »Freut mich, Sie kennenzulernen, Kapitän. Was wollen Sie mir sagen?«

»Schreckliche Nachrichten, Kommodore. Mohammed Khan ist wieder unterwegs. Wir stießen gestern abend auf seine Flotte.«

»Wie viele Schiffe?«

»Sehr viele, Kommodore. Sie kamen von allen Seiten, einige von querab, andere von achteraus.«

»Wie viele?«

»Alle zusammen?«

»Ja. Wieviele haben Sie also gesehen?«

»Es war kaum noch hell, Kommodore, beinahe schon Dämmerung . . .«

»Wie viele, Mann!«

»Sechs Gallivaten und ein Dutzend Grabs.«

»Und wie viele Schiffe hatten Sie?«

»Fünf, Kommodore, alle vollbeladen mit Waren für Kalkutta. Wir waren wehrlos.«

»Nicht ganz. Wie ich sehe, haben Sie ein paar Neunpfünder an Deck.«

»Zehn kleine Kanonen, Kommodore. Was sollten wir damit gegen Mohammed Khans Flotte ausrichten?«

»Sie hätten kämpfen, ihm immerhin einigen Schaden zufügen können. Bei einbrechender Dunkelheit wäre bestimmt Gelegenheit gewesen, ihn noch ein wenig hinzuhalten, um dann im Schutz der Nacht zu entkommen.«

* Einwohner der kleinen, ehemals portugiesischen Kolonie Goa in SW-Indien

»Aber wir sind ja entkommen, Kommodore! Sehen Sie selbst: Mein Schiff ist unbeschädigt.«

»Und was ist mit Ihren Kameraden?«

Der Goanese blinzelte nervös und wischte sich den Schweiß von der Stirn. »Sie hatten nicht solches Glück. Ihre Schiffe waren größer als meine *Evening Star* und auch schwerer beladen.«

»Und die Piraten haben zuerst die anderen angegriffen?«

»Ja. Alle wurden gekapert außer mir, Kommodore. Wenn Sie sie gesehen hätten, umzingelt von Piratenschiffen! Wenn Sie gesehen hätten, wie diese Wilden über die Reling schwärmten, dann wäre Ihnen klar gewesen, daß nichts mehr zu machen war.«

»Außer zu flüchten.«

»Und Sie zu warnen.« Der Goanese ergriff Kelsos Hand. »Kommodore, der See wird für den Schiffsverkehr geschlossen bleiben, solange Mohammed Khan am Leben ist. All diese Männer, die gefangengenommen wurden, ihre Offiziere . . .«

Kelso nickte. Er wußte nur zu gut, was mit Offizieren und Besatzungen geschah, die in Mohammed Khans Hände fielen. Die meisten wurden gleich umgebracht, andere vorher gefoltert – zur Abschreckung. Grausamkeit war die Hauptwaffe der Dacoits. Unter diesen Umständen konnte auch der wagemutigste Schiffsführer keine Besatzung zusammenbekommen.

In ein paar Wochen würden die gekaperten Schiffe wieder flott sein, nun aber unter der Piratenflagge segeln.

»Wo fand der Zusammenstoß statt?«

»Genau östlich von hier, Kommodore.«

»Aber Sie kamen eben von Norden?«

»Ein Ablenkungsmanöver. Mein Schiff war schneller als die anderen, selbst die Gallivaten konnten kaum folgen.«

»Also segelten Sie vor dem Wind davon?«

»Ja. Und als es dunkel wurde, änderte ich Kurs und kreuzte nach Norden auf, bis ich sicher war, daß sie meine Fährte verloren hatten.«

Kelso nickte. »Sie handelten besonnen, Kapitän, und mit Klugheit. Das ist immerhin ein schwacher Ersatz für Tapferkeit.«

Der Goanese wußte nicht, ob er sich geschmeichelt oder beleidigt fühlen sollte. »Aber ich bin in Sicherheit! Die *Evening Star* ist gerettet.«

»Genau.«

Den ganzen Tag über segelte die *Calcutta* mit raumem Wind nach Osten, während die Sonne vom wolkenlosen Himmel brannte. Das Deck schwitzte Pech aus und war gegen Mittag so heiß, daß die Wache von Luke zu Luke und von Mast zu Mast flüchtete, um ein bißchen Schatten zu finden. Der Zimmermann fluchte, als er den Metallbeschlag seines Vorschlaghammers berührte, und selbst die Seevögel auf der spiegelglatten Wasserfläche wirkten lethargisch.

Gegen Abend sank die Temperatur ein wenig, und die Besatzung schien zu neuem Leben zu erwachen. Man hörte Gesang und Gelächter auf der Back*.

»Wie schätzen Sie unsere Chancen ein, die Piraten zu finden, Sir?« fragte Lebrun.

»Schlecht. Aber das bedeutet nicht, daß wir keinen Kontakt mit ihnen bekommen.«

»Sir?« Lebrun sah ihn fragend an.

»Die Piratenflotte liegt jetzt in ihrem Versteck, wo das auch sein mag.«

»Aber Sie nehmen an, irgendwo hier auf dem See?«

»Ja, alles deutet darauf hin. Als ich sie vor ein paar Monaten zum erstenmal sah, kamen sie aus dem Osten. Hier oder wenigstens hier in der Nähe fand der gestrige Überfall statt. Ich vermute, daß sie ihr Versteck zwischen diesen Inseln oder wahrscheinlich in den Sumpfgebieten und dem Schilfgürtel am anderen Ende des Sees haben.«

»Wir müssen es finden, wenn wir sie vernichten wollen.«

Kelso nickte. »Das mag schwierig sein, aber andererseits . . .«

»Sir?«

»Ich weiß nicht. Mir fiel nur eben ein: Wenn wir sie aus ihrem Versteck herauslocken könnten . . .«

»Das wird uns nicht gelingen, Sir. Wie sehr sie uns auch zahlenmäßig überlegen sein mögen, sie würden doch nicht wagen, uns anzugreifen. Jedenfalls nicht, wenn wir vorbereitet und unsere Kanonen ausgefahren sind.«

»Vielleicht stimmt das. Aber nehmen Sie einmal an, wir wären in Seenot?«

»Ich verstehe nicht . . .«

»Stellen Sie sich vor, wir wären entmastet oder hätten erhebliche Lecks unter der Wasserlinie.«

»Das wird hoffentlich niemals eintreten, Sir!«

»Nein. Ich dachte nur darüber nach.« Dann wandte er sich um

---

* der vordere Teil des Decks, Aufenthaltsort der Mannschaft

und begann, auf dem Achterdeck auf und ab zu gehen. »Angenommen, unsere Ruderanlage wäre ausgefallen? Das wirkt echter. Wenn wir steuerlos hin und her rollen?«

»Sir, ich sehe trotzdem keine . . .«

»Ich auch nicht, Mr. Lebrun, wenigstens im Augenblick noch nicht. Aber es ist ein Gedanke.«

Er blickte zum verschwimmenden Horizont hinüber. Allmählich sank die Dunkelheit herab. Eine Kabellänge an Steuerbord lag eine Insel, deren heller Strand mit den rosa Flamingos ihn schmerzlich an Susan und ihre gemeinsamen Flitterwochen erinnerte. Was tat sie wohl gerade? Konnte die leidenschaftliche Versöhnung beim Abschied wohl auf Dauer Bestand haben? Er seufzte und wandte sich an Lebrun.

»Lassen Sie bitte beidrehen.«

12

Es war noch stockdunkel, als Kelso geweckt wurde.

»Sir, der Kommandant läßt Sie bitten, an Deck zu kommen.«

Er öffnete die Augen und setzte sich langsam und vorsichtig auf. Nach so vielen Jahren schmerzhafter Erfahrungen riskierte er es nicht mehr, mit dem Kopf gegen die Decksbalken zu stoßen.

»Wie spät ist es?«

»Sechs Glasen*, Sir. Der Kommandant . . .«

»Sagen Sie ihm, ich bin gleich oben.«

Als er sich aus seiner Koje schwang, stand bereits Padstow mit Hemd, Breeches und heißem Kaffee bereit. Er hatte sich oft darüber gewundert, wie sein Steward das schaffte, hatte ihn aber noch nie danach gefragt.

»Wind aus Westnordwest, Sir, ruhige See. Weniger als eine Stunde bis zum Hellwerden.«

Er zog sich rasch an und ging hinauf aufs Achterdeck. Lebrun stand an der Luvreling.

»Guten Morgen, Kapitän.«

»Guten Morgen, Sir.«

»Was gibt es?«

»Drüben an Steuerbord waren Geräusche zu hören. Es schien mir, als hätte dort ein Boot geankert.«

* in diesem Fall drei Uhr morgens

»Welcher Art waren die Geräusche?«

»Lachen, Rufen. McGregor hier hat sie ebenfalls gehört. Die Unterhaltung wurde in irgendeinem Eingeborenendialekt geführt.«

»Fischer?«

»Möglich, Sir, aber so klang es nicht. Auf alle Fälle sind sie noch nicht weitergefahren.«

Der Mond war schon untergegangen, und die Sichtweite betrug höchstens ein paar Meter. Kelso starrte gespannt in die angegebene Richtung. Es schien ihm, als sei die Dunkelheit dort noch dichter, woraus man auf die Anwesenheit eines Fahrzeugs schließen konnte. Er war sich aber nicht sicher.

»Wie lange liegen sie schon dort?«

»Noch nicht lange, Sir. Wir hörten so etwas wie eine Ankerkette vor etwa zwanzig Minuten.«

»Dann haben Sie sechs Glasen schlagen lassen?«

»Nein, Sir, das hielt ich unter diesen Umständen nicht für richtig.«

»Sehr gut, Kapitän. Jetzt bitte ich Sie, ein paar zuverlässige Leute nach unten zu schicken und die Freiwache zu wecken. Sie sollen den Leuten einschärfen, sich völlig leise zu verhalten und keinerlei Geräusche zu verursachen.«

»Aye, aye, Sir.«

»Dann sollen die Männer lautlos auf Gefechtsstationen gehen.«

Er konnte nicht sagen, wie lange er auf dem leicht schwankenden Deck gestanden und in die Dunkelheit gestarrt hatte. Mitunter hätte er schwören können, daß er den niedrigen Rumpf einer Gallivate sah, dann wieder war er überzeugt, daß es nur Einbildung sei.

Die Freiwache kam leise an Deck. Er hörte kaum etwas, sah lediglich schattenhafte Gestalten aus dem Niedergang quellen und sich im Dunkeln lautlos in alle Richtungen verteilen. Ein schlecht geölter Pivotzapfen quietschte, als die Kanonen ausgefahren und gerichtet wurden. Man hörte einen unterdrückten Fluch, dann wurde es wieder still. Er fragte sich, ob die Wache auf dem verborgenen Schiff wohl ebenfalls gewarnt und abwehrbereit war.

Noch immer zweifelte er. Sie wären blamiert, wenn sich bei Anbruch der Morgendämmerung herausstellen sollte, daß der See weit und breit leer war. Aber da drüben lag etwas. Er meinte es beinahe zu fühlen.

Dann, all seine Bedenken zerstreuend, hörten sie lautes Gelächter. Es war die Art von Lachen, mit dem Seeleute jemanden verspotten. Prompt kam ein Protestschrei als Antwort, dann lautes Klatschen wie von Schlägen.

»Gefechtsstationen besetzt, Sir!«

»Gut. Ist Mr. Warner da?«

»Hier, Sir.« Mürrisch kam der Artillerieoffizier zu ihm und deutete einen Gruß an.

»Ihre Kanonen sind ausgefahren?«

»Der Befehl lautete Klarschiff zum Gefecht, Sir.«

»Stimmt. Wenn nachher das Kommando zum Feuereinstellen kommt, stellen Sie bitte fest, welche Kanone quietscht, Mr. Warner.«

»Ist bereits geschehen, Sir. Kommt nicht wieder vor.«

»Gut. Wenn ich mich nicht täusche, liegt dort drüben ein anderes Schiff, keine Kabellänge entfernt. Ich weiß nicht, was es ist, vielleicht nur ein Fischerboot. Auf alle Fälle halten Sie Ihre Kanonen schußbereit.«

»Sie sind schußbereit, Sir.«

»Und die Lunten angezündet.«

»Aye, aye, Sir.«

»Und, Mr. Warner!«

»Sir?«

»Sie feuern nur auf meinen Befehl.«

Als Kelso einen Blick nach vorn warf, stellte er fest, daß der Himmel schon heller wurde. Deutlich war ein Goldstreifen über dem Vortopp zu sehen. Bald konnte er die Takelage erkennen und die Gesichter der Geschützbedienungen auf dem Oberdeck.

»Kapitän Lebrun!«

»Sir?«

»In ein paar Minuten ist es soweit. Schicken Sie bitte die Wache nach oben und lassen Sie Segel setzen.«

Es war bereits so hell, daß Kelso die Männer aufentern und auf den Rahen auslegen sah. Viele von ihnen verschmähten dabei die Fußpferde* und hangelten sich rasch mit Händen und Ellbogen auf den Rahen nach außen. Auf ein Signal hin würden sie die losgemachten Segel fallen lassen, und nach dem Durchholen der Schoten und Halsen war die *Calcutta* dann wieder steuerfähig.

---

* Taue unter den Rahen, die den Füßen der dort oben arbeitenden Seeleute Halt geben (d. Ü.)

Jetzt konnte er nur noch warten.

Er warf einen Blick auf Lebrun, Elliott und den Fähnrich der Wache. Interessant festzustellen, daß der Erste Offizier vor Aufregung förmlich bebte, während der Kommandant gelassen und gleichmütig wirkte. Das bedeutete jedoch keineswegs, daß etwa auf Elliott weniger Verlaß gewesen wäre. Von vielen tapferen Leuten wußte Kelso, daß sie vor jeder Kampfhandlung äußerst nervös waren. Ihm selbst, der hundert und mehr Gefechte erlebt hatte, verursachte ein unmittelbar bevorstehender Kampf lediglich ein leichtes, erwartungsvolles Prickeln.

»Sir! Dort drüben!«

Es hätte Elliotts aufgeregten Flüsterns nicht bedurft, denn Kelso hatte das Licht über dem Wasser ebenfalls gesehen. Ein kurzes Aufflammen war es nur, das sofort wieder verlöschte. Aber es zeigte ihnen die Position des anderen Schiffes. War es das Anschlagen eines Feuersteins gewesen, um das Stundenglas zu erkennen? Hatte jemand eine Lampe angezündet?

Oder ob es eine glimmende Lunte gewesen war? Diese Möglichkeit schärfte Kelsos Sinne, er witterte geradezu die Gefahr. Angenommen, der Kapitän des anderen Schiffes hatte ihre Anwesenheit gemerkt und wartete nun ebenfalls auf das Hellwerden?

Er überlegte gerade, ob er einen Schwimmer hinüberschicken sollte, um Näheres festzustellen, als die Hölle über sie hereinbrach.

Blendendes Mündungsfeuer und der Einschlag der aus kürzester Entfernung abgefeuerten Kugeln fielen fast zusammen. Es dauerte ein paar Augenblicke, bis Kelso überhaupt die Bedeutung des Geschehens begriff.

Dann allerdings rannte er nach vorn zur Schanztreppe und brüllte: »Feuer!«

Trotz der Überraschung und Verwirrung donnerten die Kanonen der *Calcutta* so gleichzeitig, daß die Breitseite wie ein einziger Abschuß wirkte. Schreie und Rufe drangen über das Wasser, bevor die gegnerischen Kanonen erneut feuerten.

Kelso war nicht klar, wie Warner seine Geschütze gerichtet hatte – sicherlich nicht erst nach dem Aufblitzen des Mündungsfeuers auf dem Piratenschiff, denn sein Vergeltungsschlag erfolgte zu schnell danach –, aber offensichtlich war seine Breitseite äußerst wirkungsvoll gewesen. In der nun zögernd einsetzenden Morgendämmerung sah Kelso, daß es sich bei dem anderen Schiff um eine Gallivate handelte, deren Großmast in groteskem

Winkel über Bord hing.

»Auswischen! Nachladen!«

Bevor der Gegner es nicht schaffte, die Trümmer zu beseitigen, war sein Schiff eine festliegende Zielscheibe.

»Verschlüsse dicht! Ziel auffassen! Feuer!«

Wieder brüllten die Kanonen der *Calcutta*, und so diszipliniert waren die Geschützbedienungen, daß man wieder nur einen einzigen Schuß zu hören glaubte. Die Gallivate legte sich unter den Treffern stark über.

»Viel kann sie nicht mehr vertragen, Sir.«

Kelso antwortete nicht. Im wachsenden Licht sah er, daß die Piraten an dem gebrochenen Mast und seiner Takelage herumhackten. Ein mit Säbel bewaffneter Mann, wahrscheinlich ein Offizier, trieb seine Männer zurück an die Kanonen. Übereilt luden und feuerten sie, ohne lange zu zielen. Die meisten Geschosse flogen über die *Calcutta* hinweg, eins jedoch traf wohl durch Zufall genau über der Wasserlinie. Kelso beugte sich über die Reling und sah das Loch. Auf See hätten sie es sofort abdichten müssen, aber hier in dem ruhigen Binnengewässer hatte das Zeit bis später.

»Ziel auffassen! Feuer!«

Wie bei einer Schießübung setzten die Kanoniere ihren Angriff fort. Eine Breitseite gabelte die Gallivate ein und stiftete weiteres Unheil. Ein paar Männer hackten drüben auf die Trümmer des Mastes los, andere ignorierten die Befehle und sprangen über Bord. Ein Toter hing von der Verschanzung herab.

»Sie sinkt, Sir!« rief Elliott. »Sie sinkt übers Heck!«

Es stimmte. Der Bug der Gallivate hob sich und ragte bald hoch in die Luft, während das Heck allmählich tiefer sackte.

»Sie verlassen das Schiff, Sir!«

Das Wasser war bereits übersät mit den Köpfen von Schiffbrüchigen. Jetzt sprangen auch die Offiziere, die bis zum Schluß ausgehalten hatten, über Bord. Ein Dingi war ausgesetzt worden, bevor das Schiff sank, aber es erwies sich als viel zu klein für all die Männer, die verzweifelt versuchten, sich am Dollbord hochzuziehen. Sie stießen Schreie und Verwünschungen aus, und diejenigen, die bereits im Boot waren, schlugen mit Fäusten auf die Schwimmer ein oder traten ihnen auf die Hände, wenn sie sich festklammern wollten.

»Soll ich ein Boot aussetzen, Sir?«

»In ein paar Minuten. Wenn wir es jetzt schon hinüberschicken, kriegen unsere Leute dieselben Schwierigkeiten wie die Dacoits in ihrem Dingi.«

»Aber sie ertrinken, Sir!«

»Gewiß.« Das gefiel Kelso genausowenig wie Elliott, aber er hatte nicht die Absicht, wegen einer Handvoll Dacoits das Leben britischer Seeleute aufs Spiel zu setzen.

»Sollen wir die Untersegel vorschoten, Sir?« fragte Lebrun.

»Noch nicht, Kapitän. Ich möchte . . .« Er zögerte. »Lassen Sie die Barkasse zu Wasser, schicken Sie Ihren besten Fähnrich und eine bewaffnete Wache mit.«

»Aye, aye, Sir«, sagte der Kommandant. Dann fragte er: »Ist darin denn Platz genug für alle? Es sind so entsetzlich viele. Unser Boot könnte kentern.«

»Ich möchte zwei Gefangene, nicht mehr.«

»Und die übrigen?«

»Es sind Dacoits – Mörder.«

Einige würden es zweifellos schaffen bis zum Ufer, würden am Leben bleiben und ihr Räuberhandwerk fortführen. Die anderen würden ertrinken.

»Fier die Barkasse! Mr. Francis, Sie übernehmen das Kommando. Der Bootsmann und sechs Bewaffnete sollen mitgehen!«

Sie beobachteten, wie die Matrosen das große Boot über den Streifen freien Wassers ruderten. Die Gallivate lag offenbar mit dem Heck bereits auf Grund, während der Bug noch aus dem flachen Wasser ragte. Die Oberfläche des Sees war übersät mit menschlichen Körpern, teils schwimmend, teils schon tot. Das Dingi war so überfüllt, daß es kaum noch Freibord hatte.

Die Besatzung der Barkasse fischte zwei Leute auf, die sich an einen Balken klammerten, dann kehrte sie zur *Calcutta* zurück. Die anderen Piraten überließen sie ihrem Schicksal.

13

Die beiden Piraten, die sie an Bord schleppten, wirkten mehr tot als lebendig. Der eine hatte eine klaffende Brustwunde, der andere war zwar äußerlich unverletzt, lag aber steif und reglos mit ausgebreiteten Armen und offenem Mund an Deck.

»Ein trauriges Pärchen, das Sie mir da gebracht haben, Mr. Francis«, sagte Kelso.

»Tut mir leid, Sir. Im Wasser herrschte derartiges Durcheinander – von allen Seiten kamen sie auf uns zu –, daß ich die ersten beiden schnappte, die in Reichweite waren.«

»Nun, vielleicht taten Sie recht daran.« Kelso wandte sich an den Arzt. »Mr. Richardson!«

Dieser beugte sich gerade über den Mann mit der Brustwunde. Seine Untersuchung war nur kurz. Dann erhob er sich und schüttelte den Kopf.

»Und was ist mit dem anderen?«

Der Arzt kniete neben dem Bewußtlosen und legte ihm das Ohr auf die Brust. Eine Bewegung des Brustkorbes war nicht zu bemerken, aber Richardson schien noch zu zögern.

»Lebt er?«

»Weiß ich nicht, Sir. Bin mir nicht ganz sicher.«

Plötzlich kam Leben in den Dacoit. Mit einer blitzschnellen Bewegung zog er die Knie an, hob mit den Füßen den Arzt in die Luft und schleuderte ihn so beiseite, daß er mit seinem vollen Gewicht gegen Kelso prallte.

»Haltet ihn!« konnte der Kommodore noch ausrufen, bevor er ebenfalls zu Boden ging.

Sich windend und Haken schlagend wie ein Hase, schlüpfte der Inder an einem Seemann nach dem anderen vorbei. Ein Bootsmannsmaat griff im Hechtsprung nach seinen Beinen, landete aber mit leeren Händen auf Deck. Der Koch, der gerade aus der Kombüse kam, fiel hintenüber und warf dabei einen Eimer mit Abfällen in die Luft.

»Fangt ihn!«

Ohne einen Blick auf seine Verfolger zu werfen, sprang der Dacoit über Bord.

Alle rannten zur Reling und kamen gerade noch rechtzeitig, um zu sehen, wie er in die unten liegende Barkasse krachte.

»Hinter ihm her!« rief Kelso, obwohl er nicht glaubte, daß der Pirat noch in der Verfassung war, weiterzuflüchten.

Offenbar war er schwer angeschlagen, denn er lag bewegungslos im Boot, als die ersten Besatzungsmitglieder ihn erreichten.

»Lebt er?«

»Ich glaube schon. Aber er ist bös zugerichtet.«

»Gehen Sie hinunter, Mr. Richardson, und sehen Sie zu, was Sie machen können. Und vergessen Sie nicht: Ich möchte ihn lebend.«

Während der Arzt rückwärts durch die Relingspforte trat und den für ihn ungewohnten Abstieg über die schwankende Jakobsleiter begann, wandte sich Kelso an Lebrun. »Sie lassen wohl besser ein Jolltau über die Großrah scheren, denn anders kann er in diesem Zustand nicht heraufgeholt werden.«

Vom Achterdeck aus sah Kelso, wie der Arzt den verwundeten Inder untersuchte. Er bemerkte dessen Rückkehr ins Bewußtsein und den plötzlichen Fluchtreflex, der aber durch einen Schmerzensschrei beendet wurde. Außerdem hielten ihn zwei Seeleute an den Schultern fest.

»Er lebt, Sir, hat ein paar Rippen und ein Bein gebrochen. Anscheinend keine inneren Verletzungen.«

»Gut. Wir hieven ihn mit der Jolle hoch.«

Während der Verwundete auf die Behelfsbahre gehoben wurde, versuchte Kelso, sich über ihre Lage klarzuwerden. Mit dem Sonnenaufgang erweiterte sich der Horizont, bis er über die nächstgelegenen kleinen Inseln hinweg die größeren am Ende des Sees und die dann folgenden Schilf- und Binsensümpfe ausmachen konnte. Auf der Wasseroberfläche lag noch leichter Frühdunst, die fernen Hügel schwebten darüber wie Schiffe, die über den Himmel segelten. Irgendwo in diesem Dunst und zwischen den geisterhaften Bäumen mußte der verborgene Ankerplatz liegen, wo sich Mohammed Khans Schiffe versteckten. Ohne die Fahrrinne dorthin zu kennen, war es unmöglich, ihn zu finden. Kein Kommandant der Welt hätte es riskiert, mit einer Fregatte von neunhundert Tonnen durch diese flachen Gewässer zu segeln.

Die Jolle schwankte und schlug gegen die Bordwand.

»Vorsicht! Ich will ihn lebend!«

Zwei Wege gab es, entschied Kelso, um Mohammed Khan zu besiegen. Mit Hilfe eines Führers – des verwundeten Piraten zum Beispiel – konnte die *Calcutta* ihn in seinem Schlupfwinkel aufstöbern. Die Risiken hierbei waren natürlich groß. Selbst wenn der Gefangene willens war, ihnen zu helfen, und vorausgesetzt, er kannte die Fahrrinne, so war noch keineswegs sicher, daß eine Durchfahrt, die tief genug war für eine Gallivate, auch von einer Fregatte passiert werden konnte. Zwischen den Sümpfen in Sichtweite des Piratenverstecks aufzulaufen, hätte das sichere Ende bedeutet. Ein paar Grabs oder Gallivaten voll Piraten konnten kurzen Prozeß mit der Besatzung einer bewegungsunfähigen Fregatte machen.

Der zweite Weg war, die Schiffe der Piraten ins freie Waser zu locken.

»Er ist an Bord, Sir. Wollen Sie mit ihm sprechen?«

Der Dacoit, der noch auf der Bahre festgebunden war, blickte ihm finster entgegen. Kelso beugte sich über ihn.

»Wie heißt du?« fragte er auf Hindi.

Der Mann schwieg und behielt seinen finsteren Gesichtsausdruck bei.

»Dein Name?« brüllte der Bootsmann und hob drohend den Rohrstock.

»Schon gut, Mr. Lovegrove«, sagte Kelso. »Ich will erst versuchen, ihn friedlich zu überreden.« Er kniete neben dem Gefangenen nieder und fragte: »Du bist einer von Mohammed Khans Leuten?«

Keine Antwort.

»Mohammed Khan?«

»Ein paar Schläge mit dem Stock werden ihn zum Reden bringen, Sir.«

»Nein.« Kelso stand auf, und sein Blick begegnete dem des Piraten. Konnte der Gefangene seine Gefühle lesen? Respekt vor der Tapferkeit? Sogar eine widerstrebende Bewunderung? Hatte er wirklich einen Funken Verständnis in des anderen Blick gesehen?

»Lassen Sie ihn hinunterbringen, Mr. Richardson. Behandeln Sie ihn gut. Ich rede später mit ihm.«

»Aye, aye, Sir.«

»Sie glauben, er wird reden, Sir?«

Gereizt wandte Kelso sich um und sah den Ersten Offizier neben sich stehen. »Wir werden es zumindest versuchen, Mr. Elliott.«

Dann kehrte er zum Achterdeck zurück und war erfreut, daß Lebrun, der dort gleichmütig auf ihn wartete, keine einzige Frage stellte, obwohl er bestimmt genauso neugierig war wie alle anderen. »Kapitän Lebrun . . .«

»Sir?«

Kelso senkte die Stimme. »Ich habe mich entschlossen, die Dacoits herauszulocken. Mein Plan ist folgender . . .«

Es dauerte nur Minuten, dann hatte Lebrun alles begriffen. Erheblich länger dauerte es beim Quartermeister, der am Ruder stand.

»Aber, Sir, wir werden querschlagen!«

»Bei diesem Wind? Keine Sorge, Mr. Prendergast. Der Kapitän läßt es schon nicht dazu kommen.«

»Aber, Sir . . .«

»Sie führen die Ruderkommandos aus, mehr nicht.«

Kelso sah hinauf zu den in der Sonne leuchtenden Segeln. Mit backgebraßtem Kreuzmast ritt die *Calcutta* leicht stampfend in dem fast glatten Wasser des Sees. Bald würde es nicht mehr so angenehm sein, wenn sein Plan ausgeführt wurde.

»Lassen Sie die Marssegel wegnehmen, Kapitän Lebrun.«

»Klar bei Marsfallen!«

Als die Wache aufenterte, um die Segel festzumachen, blickte Kelso angestrengt hinüber zum Ende des Sees. Der Nebel verzog sich allmählich. Bäume, Inseln, blumenbedeckte Sümpfe tauchten jetzt auf und waren gut auszumachen. Er hoffte nur, daß die *Calcutta* vom Versteck der Piraten aus genausogut zu erkennen war.

»Marssegel sind fest, Sir.«

»Gut. Wir versuchen es nur mit den Untersegeln, Kapitän Lebrun. Sind Sie bereit, Mr. Prendergast?«

»Bereit, Sir.« Aus der Stimme des Quartermeisters hörte man den Zweifel heraus.

Allein vor Untersegeln fuhr die *Calcutta* dem Ende des Sees entgegen. Inseln und ein weites Sumpfgebiet lagen vor ihnen, aber noch immer erstreckte sich eine Meile offenen Wassers bis zur nächsten Kursänderung.

»Vier Strich nach Steuerbord!« befahl Lebrun.

Der Quartermeister sah ihn bestürzt an. Dann wiederholte er zögernd: »Vier Strich nach Steuerbord, Sir.«

Die Drehung ohne Veränderung der Segelstellung ließ das Schiff stark überholen, offenbar heftiger, als Lebrun angenommen hatte, denn er mußte sich nach ein paar raschen Schritten an einer Nagelbank festhalten, um nicht das Gleichgewicht zu verlieren.

»Recht so steuern!«

»Aye, aye, Sir.« Der Quartermeister wie auch der größte Teil der Besatzung hatte das Gefühl, daß der Kapitän nicht recht bei Sinnen sei. Sie rechneten mit einer Kenterung.

Diese Gefahr schien auch ernsthaft zu bestehen, bis Lebrun auf ein Zeichen Kelsos den Befehl gab: »An die Brassen!«

Wohl noch nie zuvor waren die Rahen so rasch und mit solcher Erleichterung rundgebraßt worden. Die *Calcutta* kurvte durch das ruhige Wasser und richtete sich langsam wieder auf.

»Gott sei Dank!« ließ sich ein Fähnrich vernehmen, und vom Batteriedeck war zu hören: »Dachte schon, wir sollten die Fische füttern.«

»Vier Strich nach Backbord!«

Bestürzung war auf allen Gesichtern zu erkennen, als das Schiff jetzt mit angebraßten Rahen das gleiche Manöver nach der anderen Seite ausführte. Wieder war die Schlagseite furchterregend, und die Nichteingeweihten glaubten erneut an eine Kentergefahr.

»An die Brassen!«

Die Rahen flogen herum, und das Schiff richtete sich zögernd auf.

Noch dreimal wurde dieses Manöver wiederholt, und erst als die nächstgelegene der größeren Inseln nur noch knapp eine Kabellänge entfernt war, fand Kelso, daß es genügte.

»Lassen Sie die Fock backbrassen, Kapitän.«

Etwa einen Steinwurf vor der Insel kam die *Calcutta* zum Stehen. Kelso sah das Dunkelrot der Oleanderbüsche und das Gelb der Akazien, als das Schiff leicht in seinem eigenen Swell dümpelte. Im flachen Wasser vor dem Strand wateten Flamingos, und bunte Wellensittiche turnten in den Zweigen herum.

»Glauben Sie, daß Mohammed Khans Leute uns sehen, Sir?« fragte Lebrun.

»Hoffentlich, sonst hätten wir das Schiff vergebens aufs Spiel gesetzt.«

»Immerhin war es eine gute Übung in Disziplin«, war Lebruns philosophischer Kommentar.

Auf dem Seegrund sahen sie durch das klare Wasser den dichten Bewuchs, hauptsächlich grüne und rote Algen. Schwärme leuchtend gefärbter Fische glitten hindurch.

»Ist Wasser eingedrungen?«

»Ein wenig, Sir, als wir nach Backbord drehten. Ich lasse gleich pumpen.«

»Tun Sie das und sagen Sie den Leuten, sie sollen möglichst viel Lärm dabei machen. Schicken Sie auch ein paar Schwimmer außenbords, die das Ruder untersuchen sollen, und zwar recht auffällig.«

Dieser Teil des Plans mußte überzeugend ausgeführt und – noch wichtiger – von Land aus gesehen werden. Kelso konnte nur vermuten, wo sich Mohammed Khans Stützpunkt befand, vor allem aufgrund der Richtung, die das Dingi eingeschlagen hatte, bevor es im Nebel verschwand. Kelso war überzeugt, daß sie nicht mehr weit entfernt waren. Auf der Insel standen hohe Bäume, auf denen vermutlich gut getarnte Ausguckposten saßen. Er hoffte sehr, daß sie ihn genau beobachteten.

Es dauerte nicht lange, bis sich ein halbes Dutzend Schwimmer im Wasser tummelte und dort die gewünschte Pantomime aufführte. Auch Padstow war darunter, der mit seiner Pfiffigkeit bestimmt längst begriffen hatte, worauf es ankam. Mit lautem Rufen und viel Geplätscher leitete er das Scheinmanöver.

»Ein bißchen mehr nach Steuerbord, Sir. Recht so! Jetzt etwas nach Backbord!«

Der Quartermeister am Ruder befolgte diese Anweisungen nur widerwillig.

Kelso stand über die Heckreling gebeugt und schien gespannt die Vorgänge im Wasser zu verfolgen. Tatsächlich jedoch beobachtete er die Inseln und das Sumpfgelände dahinter und suchte nach irgendwelchen Anzeichen, daß die Dacoits auf die List hereingefallen waren und den Köder geschluckt hatten. Bisher war aber noch nichts dergleichen festzustellen. Schilf und Binsen sowie die blumenbedeckten höhergelegenen Wiesen schienen ungestört, und im flachen Wasser wateten seelenruhig die Flamingos.

»Keine Spur von ihnen, Sir?«

»Noch nicht. Vielleicht sollten wir es noch dramatischer machen.«

»Sir?«

»Fieren Sie Werkzeug hinunter, Belegnägel oder Hämmer, vielleicht auch eine Spiere, so daß es nach größeren Reparaturen aussieht.«

Und in der Tat, als die Spiere hinabgefiert wurde, war der erste Schachzug der Piraten zu erkennen.

»Sir!«

»Ja, ich habe sie gesehen.«

Zwei Grabs und eine Gallivate segelten vorsichtig von irgendwoher aus den Sümpfen heran. Nach ein paar Minuten gesellten sich weitere dazu, die mit konvergierenden Kursen aus einer anderen Richtung kamen.

»Sie wollen ihren Schlupfwinkel nicht verraten«, bemerkte Kelso, »aber wenigstens wissen wir jetzt, daß er hier in der Gegend liegt.«

»Soll ich die Schwimmer an Bord rufen?«

»Nein, im Gegenteil! Schicken Sie noch mehr hinunter, dazu eine weitere Spiere. Wir müssen völlig verzweifelt wirken.« Er lehnte sich weit über die Reling und rief: »Wie ist es dort unten, Padstow?«

»Sehr erfrischend, Sir, obgleich einige von uns, die nicht so gut schwimmen, ganz schön Wasser schlucken.«

»Es dauert nicht mehr lange. Wenn Sie noch mehr rufen und plätschern könnten ... Tun Sie so, als ob Sie mit äußerster Anstrengung arbeiteten.«

»Aye, aye, Sir.« Im Mannschaftsquartier war Padstow als Spaßvogel bekannt, und das hier war genau nach seinem Geschmack. »Spritzt, ihr Halunken!« schrie er. »Tut so, als müßtet ihr das verdammte Ruder aus seinem Lager heben.«

Die Piratenschiffe kamen so vorsichtig näher wie Hyänen, die einen verwundeten Löwen umschleichen. Sie hofften auf eine leichte Beute, aber es fehlte ihnen noch der Mut zum Angriff. Wenn die *Calcutta* mit defektem Ruder auch ziemlich hilflos schien, so sahen sie doch die geöffneten Stückpforten, und einige Piraten hatten sicherlich schon die Erfahrung gemacht, daß die Geschützführer der Kompanie recht genau schossen.

Die vorderste Gallivate feuerte, als sie noch eine Viertelmeile entfernt war. Der Schuß lag kurz, aber dicht genug, um einen Gischtschauer über Padstow und seine Kameraden zu schütten.

»Diese Schurken!«

»Schon gut, Padstow. Kommt allesamt an Bord!«

Noch während sie die Jakobsleiter heraufkletterten, schlug eine weitere Kugel ins Wasser und deckte sie mit Spritzwasser ein.

»Beeilt euch, zum Teufel!«

»Soll ich Segel setzen, Sir?«

»Noch nicht, Kapitän Lebrun. Noch könnten sie kehrtmachen. Wir müssen es etwas länger ertragen.« Damit trat Kelso zur Querreling und rief zum Deck hinunter: »Sind Ihre Geschütze klar zum Feuern, Mr. Warner?«

»Klar, Sir.«

»Nur schießen auf meinen Befehl.«

»Aye, aye, Sir.«

»Kommt näher, ihr Feiglinge!« Er beobachtete, wie sich die Piratenschiffe zögernd ins offene Wasser vorschoben. Drei Grabs und zwei Gallivaten waren es jetzt. Kelso fand es enttäuschend, daß der Fang nicht größer zu werden versprach. Zweifellos war Mohammed Khan der Ansicht, daß fünf seiner Schiffe, vollgepackt mit Bewaffneten, für eine manövrierunfähige Fregatte genügten.

Auch die zweite Gallivate eröffnete jetzt das Feuer. Ihre Breitseite gabelte die *Calcutta* ein, beschädigte die vordere Luke und verwundete einen Mann der Geschützbedienung.

»Feuern, wenn Ziel aufgefaßt, Mr. Warner!«

Es dauerte noch eine volle Minute, bis die Backbordgeschütze losdonnerten. Der Grund der Verzögerung wurde klar, als eine der Grabs, die gerade erst in Reichweite gekommen war, von der vollen Wucht der Breitseite halb aus dem Wasser gehoben wurde und zu sinken begann.

Inzwischen feuerten die vorn liegenden Gallivaten weiter. Ein Geschoß landete in der Nähe der Back und grub eine tiefe Furche ins Deck, die sofort mit Wasser besprengt wurde, damit die ausgetrocknete Beplankung nicht Feuer fing. Ein Mann wurde verwundet, und das Bagiensegel* war durchsiebt von Löchern.

Wie lange noch? Kelso spürte das ungeduldige Warten Lebruns und seiner Offiziere. Bevor er nicht den Befehl zum Segelsetzen gab, waren sie eine bequeme Zielscheibe. Die Piratenschiffe waren jetzt alle aus dem Schilfgürtel heraus und im offenen See. Aus der günstigeren Luvposition und mit ihrer hervorragend ausgebildeten Mannschaft konnte die *Calcutta* ihnen möglicherweise den Rückweg abschneiden.

Wieder traf eine feindliche Kugel, durchschlug das Schanzkleid und tötete einen Seesoldaten.

»Gut, Kapitän, lassen Sie alle Segel setzen.«

»Klar zum Segelsetzen! Toppsgasten, enter auf!«

Wie die Äffchen sprangen die Seeleute die Wanten hinauf, stiegen nicht etwa durch das Mannloch, das sogenannte Soldatengatt, zum Mars, sondern kletterten außen herum über die gefährlicheren Püttings**. Nach wenigen Minuten waren Mars- und Bramsegel gesetzt, die *Calcutta* war wieder beweglich.

»Feuer frei, Mr. Warner!«

Mit Backstagsbrise jagte die *Calcutta* unter Vollzeug dem Ende des Sees entgegen. Zwei Grabs lagen dort – eine nahm gerade die Überlebenden ihres gesunkenen Schwesterschiffs auf –, und die Bestürzung ihrer Kommandanten konnte man sich leicht ausmalen. Sie waren in der Erwartung leichter Beute gekommen. Vermutlich wollten sie erst eingreifen, wenn die stärkeren Gallivaten das bewegungsunfähige Schiff genügend beschädigt hatten. Dann wären sie mit Enterhaken längsseits gegangen, und im nächsten Augenblick hätten sich Hunderte schreiender Piraten wie eine tödliche Flut über die unglückselige Fregatte ergossen. Jetzt aber

---

* das Untersegel am Kreuzmast, dem achtersten der drei Masten (d. Ü.)
** Verbindungsleitern, die vom oberen Ende des Wants zum Mars führen. Sie werden mit dem Rücken nach unten durchklettert (d. Ü.).

erwies sich diese nicht nur als seetüchtig, sondern griff mit ihren vierzehn Achtzehnpfündern und zehn leichteren Kanonen auf Back und Achterdeck sehr wirkungsvoll an.

Die Kommandanten hielten offensichtlich Klugheit für den besseren Teil der Tapferkeit: Sie machten kehrt und ergriffen die Flucht.

»Sie hauen ab!« schrie Elliott.

»Einen Strich nach Steuerbord!« befahl Lebrun.

»Einen Strich nach Steuerbord, Sir«, wiederholte der Quartermeister unglücklich. »Verzeihung, Sir, aber wir nähern uns den Untiefen.«

»Das weiß ich.«

»Wenn wir mit dieser hohen Fahrt auflaufen, Sir ...«

»Achten Sie auf Ihr Ruder, Mr. Prendergast. Ich sage Ihnen schon, wann Zeit zum Kursändern ist.«

»Aye, aye, Sir.«

Kelso, der an der Luvreling stand, konnte sich ein anerkennendes Nicken nicht versagen. Lebrun war ein Mann nach seinem Herzen. Offensichtlich scheute er kein Risiko. Wenn die *Calcutta* jetzt unter Vollzeug auflief, konnte sie sich den Rumpf beschädigen, ja sogar kentern. Andererseits war dies die einzige Möglichkeit, der Piraten habhaft zu werden.

»Feuer!«

Kelso achtete so konzentriert auf den Kurs, daß ihn das Donnern der Kanonen völlig überraschte. Das Deck holte beim Abschuß der Breitseite so stark über, daß er fast das Gleichgewicht verloren hätte.

»Auswischen! Nachladen!«

Warners Kanoniere waren wirklich hervorragend ausgebildet und diszipliniert. Stets feuerten sie ihre Breitseite fast gleichzeitig, so daß die größte Wirkung erzielt wurde. Die Verzögerung von einer einzigen Sekunde hätte ein Überschießen des Ziels um Hunderte von Metern zur Folge gehabt, umgekehrt wäre der Aufschlag zu kurz gewesen.

Die erste Breitseite lag bereits deckend. Einschußlöcher erschienen am Rumpf der einen Grab, und Kelso malte sich die Wirkung der Treffer im Inneren des überfüllten Schiffes aus. Schreie erklangen. Nach der zweiten, ebenso wirkungsvollen Breitseite sah man dunkle Gestalten massenhaft über Bord springen.

Die zweite Grab hatte inzwischen gewendet, da dem Kommandanten wohl klar war, daß die Fregatte ihren Kurs nicht ändern würde. Innerhalb weniger Minuten wäre eine Kollision sonst unvermeidlich gewesen.

»Jetzt haben wir sie!« schrie Elliott triumphierend, aber im nächsten Augenblick bereute er seinen Jubelruf, da die *Calcutta* eine Schlammbank streifte. Der leichte Anstoß genügte, um sie aus dem Kurs zu werfen, und vom Artillerieoffizier, dessen Geschützführer gerade angestrengt zielten, hörte man eine Serie saftiger Flüche.

»Nach Steuerbord drehen!«

»Nach Steuerbord drehen«, wiederholte der Quartermeister erleichtert.

Als die *Calcutta* in tieferes Wasser zurückkehrte, hatten die Kanonen des Batteriedecks kein freies Schußfeld mehr; aber nun beharkten die Bugkanonen die andere Grab, die nur noch knapp eine Kabellänge entfernt war.

»Gehen Sie so dicht heran wie möglich, Mr. Prendergast«, befahl Lebrun dem Rudergänger.

Mit ihrer ungeheuren Segelfläche war es für die schnittige Fregatte ein leichtes, die Grab einzuholen. Deren Kommandant, der seine Sache verloren gab – seine Kanonen waren Knallbüchsen im Vergleich zu den Achtzehnpfündern des Gegners –, drehte im verzweifelten Bemühen, zu entkommen, vor den Wind. »Steuerbord zehn! Recht so!« befahl Lebrun, und die *Calcutta* brauste mit voller Geschwindigkeit auf die jetzt quer zu ihrem Kurs liegende Grab los. Ihr scharfer Bug traf sie mittschiffs und zerschnitt sie in zwei Teile.

Einen Augenblick nur verzögerte dies ihre Fahrt, dann nahm sie ihre alte Geschwindigkeit wieder auf. Hinter sich ließ sie einen Zipfel des Sees zurück, der übersät war mit Wrackstücken und Ertrinkenden.

Kelso nickte, aber weniger aus Genugtuung als vielmehr in Anerkennung der hervorragend gelösten Aufgabe. Während des kurzen Gefechtes verlor er jedoch keinen Augenblick die beiden Gallivaten aus dem Auge, die nicht in den Kampf eingegriffen hatten.

Offensichtlich war das auch jetzt nicht ihre Absicht, denn der Abstand zwischen ihnen und der verfolgenden Fregatte betrug bereits gut eine halbe Meile. Da sie auf divergierenden Kursen flüchteten, war ziemlich sicher, daß zumindest eine entkommen würde.

14

»Drei Grabs und eine Gallivate«, sagte der Gouverneur verächtlich. »Immerhin besser als gar nichts.«

»Es ist nicht genug.«

Der Gouverneur hob die Schultern. »Sie waren Ihrer Sache so verdammt sicher. Wenn Sie meinen Rat befolgt und die Mörserboote mitgenommen hätten . . .«

»Wäre es auch nicht anders ausgegangen. Das nächstemal jedoch . . .« Kelso legte die Hand über die Augen, da ihn das durch die Schlitze der Bambusjalousien fallende Sonnenlicht blendete, »könnte es anders aussehen.«

»Wieso?«

»Diese Unternehmung diente mehr oder weniger der Rekognoszierung. Ich konnte nur vermuten, wo Mohammed Khan seine Schiffe verborgen hält.«

»Und jetzt wissen Sie es?«

»Nicht ganz, aber zumindest haben wir das Suchgebiet eingeengt. Mohammed Khans Versteck liegt irgendwo im Sumpfgebiet hinter den Inseln am nördlichen Ende des Sees. Dort wimmelt es natürlich von Schlammbänken, alles ist flach und schilfbewachsen und praktisch unpassierbar für eine Fregatte – außer wenn man die Fahrrinne kennt.«

»Aber nicht für Mörserboote!«

»Nein. Die haben einen noch geringeren Tiefgang als die Gallivaten, aber niemand würde es wagen, sie allein hineinzuschikken.«

»Abgesehen von den kümmerlichen Versenkungen hat Ihre Expedition also nichts erbracht.«

»Oh, das würde ich nicht sagen.« Kelso lehnte sich bequem und scheinbar entspannt in seinem Sessel zurück, weil er wußte, daß dies den Gouverneur wütend machen würde. In Wirklichkeit war er alles andere als entspannt. Seine Heimkehr hatte er sich ganz anders vorgestellt. Das Haus in Loll Diggy war leer gewesen bis auf die Dienstboten, die ihm sagten, die Memsahib sei auf eine Geschäftsreise ins Landesinnere gegangen; ihr Begleiter war wie üblich der Black Zemindar. Obgleich Kelso jetzt lässig mit übergeschlagenen Beinen auf Vansittarts Veranda saß, mit einem Gesichtsausdruck, der an Arroganz nichts zu wünschen übrigließ, grollte er Susan im Grunde seines Herzens. Diesmal war sie entschieden zu weit gegangen. Er fand es schon schlimm, wenn Susans Agenten ihre schmutzigen Geschäfte mit den Bauern machten, aber sehr viel schlimmer war, daß sie diese Geschäfte nun selbst betrieb.

Was wohl Kalkutta zu solchen Eskapaden sagte? Bestimmt konnte man das nicht mehr als aristokratische Überspanntheit abtun.

Aber weit mehr als um Susans Ruf sorgte er sich um ihre Sicherheit. Mohammed Khans Piraten befanden sich nicht alle in ihrem Schlupfwinkel am Rand des Sees, sondern überall im Lande verstreut. Welchen erpresserischen Druck konnte ihr Anführer ausüben, wenn es ihm gelang, die Frau des Kommodore zu kidnappen! Bestimmt war sich Susan – und noch mehr Gobindram Mitra – über diese Gefahr im klaren.

»Es fällt schwer, von Ihnen Näheres zu erfahren«, knurrte Vansittart.

»Was?« Kelso konnte seine Gedanken kaum von Susan losreißen.

»Sie hatten bis jetzt zwei Scharmützel mit Mohammed Khan, Kelso. Das erste war einigermaßen erfolgreich.«

»Danke.«

»Obgleich Sie zugeben müssen, daß Sie dabei enormes Glück hatten.«

»Ich wäre der letzte, das zu bestreiten.«

Der Gouverneur musterte ihn voll Abneigung. »Aber die letzte Episode . . . Nun, ich nehme an, daß diese armen Narren – Schreiber, junge Burschen und Mädchen –, die der Meinung sind, der tapfere Kelso könne nichts verkehrt machen, auch sie für einen Sieg halten.«

»Wohl kaum.« Kelso konnte ein Lächeln nicht unterdrücken. »Es war ein völlig unbedeutendes Unternehmen.«

»Und Mohammed Khan ist so stark wie eh und je!«

»Fast so stark.« Kelso stand auf und ging zum Ende der Veranda. Ein indischer Gärtner kniete dort und zupfte Unkraut aus dem steinharten Boden.

»He, du!« Kelso bedeutete ihm durch eine Geste zu verschwinden, und der Mann schlurfte von dannen.

Vansittart sah Kelso ärgerlich an, als er zu seinem Sessel zurückkehrte, machte aber keine Bemerkung. Es war ihm bekannt, wie wenig man den Eingeborenen trauen konnte, nicht einmal den eigenen Dienstboten.

»Wir haben einen Gefangenen mitgebracht«, sagte Kelso. »Ich

hoffe, er wird uns die nötigen Hinweise geben.«

»Einen Dacoit?«

»Einen intelligenten, aber besonders widerspenstigen Dacoit.«

Vansittarts engstehende Augen begannen, bösartig zu glitzern.
»Ein paar Stunden mit Ramdullah werden seine Einstellung ändern.« Ramdullah war der oberste Aufseher im Chowringhee-Gefängnis, ein kleiner, pockennarbiger Hindu von mildem Äußeren,
der aber mehr von den Raffinessen der Folter verstand als irgendein Gefangenenaufseher seit dem berüchtigten Cossinaut zur Re-
gierungszeit Surajah Dowlahs.

»Zweifellos. Aber ich hoffe, das wird nicht nötig sein.«

»Warum nicht? Ein Pirat, ein Mann, der wahrscheinlich mehr
als hundert Unglückliche gefoltert und ermordet hat . . .«

»Natürlich haben Sie recht. Aber ich würde trotzdem subtilere
Methoden vorziehen.«

Eine Fliege setzte sich auf Vansittarts Nase, und als er sie weg-
wischte, fegte er sein Weinglas vom Tisch.

»Khansama!« Wütend trat er nach dem zerbrochenen Glas, als
ein Diener herbeieilte, um die Scherben aufzusammeln.

»Kelso, Sie sind ein Radikaler! Sie stehen immer auf seiten der
Eingeborenen. Das hatte ich schon gehört, bevor ich den Fuß auf
indischen Boden setzte. Jetzt weiß ich aus eigener Erfahrung, daß
es stimmt. Umsonst habe ich gehofft, die Ehe würde Sie verän-
dern.«

»Was hat denn die Ehe damit zu tun?«

»Ihre charmante Frau weiß besser, wieviel das Leben eines
Schwarzen wert ist.«

Kelso zwang sich, ruhig zu bleiben, sagte aber drohend: »Sehen
Sie sich vor, Vansittart! Ich dulde nicht, daß Sie den Namen meiner Frau in den Schmutz ziehen!«

»Mein lieber Kelso!« Der Gouverneur breitete die Arme aus.
»Ich verehre Ihre Frau. Ich bewundere sie mehr, als ich sagen
kann.«

»Freut mich, das zu hören.«

»Nein, Sie sind es, Sie mit Ihrem zimperlichen und duckmäuse-
rischen Gerede über die Rechte des schwarzen Mannes, der mir
immer wieder die Galle in Wallung bringt. Sie sind ein Radikaler,
Kelso. Das habe ich schon immer gesagt und kann es nur wieder-
holen: Sie sind ein verdammter Radikaler!«

Kelsos Ärger schwand so rasch, wie er gekommen war. Er
wußte, daß er dem Gouverneur in jedem Wortstreit überlegen

war, sofern er ruhig blieb. »Die Tatsache, daß ich den Gefangenen nicht foltern lassen will, hat nichts mit Gefühlsduselei zu tun. Ich habe nur den Eindruck, daß ich mit anderen Methoden besser zum Ziel komme.«

»Welche Methode könnte wohl wirksamer sein als Eisen und glühende Kneifzangen?«

Verzweifelt blickte Kelso ihn an. Wie konnte dieser launische und nicht sehr intelligente Engländer jemals der Gouverneur werden, den Fort William* brauchte? Was hatte sich das Direktorium in London bloß dabei gedacht, diesen ausschweifenden jungen Mann – ein ehemaliges Mitglied des berüchtigten *Hell Fire Club* – in eine Position zu befördern, die später einmal über die Zukunft Indiens entscheiden konnte?

Äußerlich ruhig, erwiderte er: »Sie haben diesen Gefangenen nicht so gesehen wie ich. Sie kennen seinen Mut nicht.«

»Es gehört mehr als Mut dazu, Ramdullahs Methoden zu widerstehen.«

Zornig schlug Kelso mit der Faust auf den Tisch. »Und ich sage, es muß nicht soweit kommen!«

Nun war er also doch wütend geworden. Sofort bereute er es. Jetzt lag der Vorteil wieder beim Gouverneur.

»Aber, aber, Kelso«, erwiderte Vansittart lächelnd, während er sich genüßlich ein neues Glas Wein einschenkte. »Ich glaube, Sie haben eine Schwäche für diesen Menschen.«

»Mir geht es nur um die Informationen, die ich haben will. Folter macht ihn bloß widerspenstiger.«

»Das glauben *Sie*!«

»Er war halb ertrunken, als wir ihn an Deck schafften, aber er erholte sich rasch und flüchtete sofort. Dann war er verletzt, sehr schwer verletzt sogar, aber er hörte nicht einen Augenblick auf, sich zu wehren.«

Der Gouverneur leerte sein Glas und stand auf. »Ihre Geschichte macht mich so neugierig, Kelso, daß ich den Kerl sehen möchte.«

»Was, jetzt?«

»Warum nicht? Da ich nicht daran glaube, daß irgend etwas anderes als die Folterzange ein Wort aus ihm herausquetschen wird, möchte ich gern mitkommen, um zu sehen, was Sie erreichen.«

* Kalkuttas Festung

105

Die Kutsche des Gouverneurs stand vor der Tür, aber sie zogen es vor, sich in der Sänfte tragen zu lassen, weil es unter dem offenen Baldachin nicht so heiß war wie in der geschlossenen Kutsche. Die Sonne brannte unbarmherzig, als sie den Maidan überquerten, und ihre Strahlen wurden vom harten Boden und von jeder Pfütze reflektiert. Es war noch heißer, als sie in den Bereich der Läden, Speiselokale und Kneipen kamen, die die Chowringhee Road säumten. Vereinzelte Gestalten lagen ausgestreckt in Torwegen, einige schlafend, andere betrunken, vielleicht sogar tot. Hunde und Kinder mit aufgeblähten Bäuchen wühlten suchend in der Gosse. Unter einer Matte aus Rohrgeflecht hockte ein Straßenhändler neben einer Pyramide fliegenübersäter Datteln.

Das Gefängnis lag in den Außenbezirken der Stadt. Es war ein niedriges, baufälliges Gebäude, das eher wie das verwahrloste Haus eines unfähigen Farmers aussah als ein Ort der Grausamkeiten.

Der Posten vorm Eingangstor wollte präsentieren, ließ aber vor Schreck sein Gewehr fallen, als er den Gouverneur erkannte. Jetzt wußte er nicht, ob er sich bücken und die Muskete aufheben oder seine stramme Haltung beibehalten sollte.

Der Gouverneur enthob ihn dieser Entscheidung: Eine heftige Ohrfeige warf ihn hintenüber in sein Schilderhaus.

»Nennst du das wachsam sein?« schrie Vansittart.

Die Hitze und der Weg in der Sänfte hatten seine Laune nicht gerade gebessert. Kelso, der ihm ins Gebäude folgte, sah den Schweiß unter Vansittarts Perücke hervorrinnen; das seidene Halstuch war völlig verschwitzt.

»Sahib?« Ein Gehilfe kam herbeigeeilt.

»Wo ist der Oberaufseher?«

»Sahib bleiben hier sitzen. Ich ihn suchen gehen.«

»Keine Zeit dafür, du Dummkopf. Sag mir, wo er ist.«

»Ich ihn holen.« Der unglückliche Hindu hatte offenbar die prompte Strafe gesehen, die dem Wachposten zuteil geworden war, denn er wich ängstlich zurück, als Vansittart die Hand hob.

»Pfeif auf den Aufseher. Bring uns zu den Zellen.«

»Sahib!« Das Gesicht des Mannes war bemitleidenswert. »Keine Schlüssel. Chef hat Schlüssel.«

»O Gott! Dann bring uns zu den Zellen und ruf den Aufseher hinterher.«

»Sofort.« Offensichtlich erleichtert, trabte er vor ihnen her durch dunkle Gänge und dann ein paar Stufen hinunter.

»Welchen Gefangenen, Sahib?«

»Den Dacoit, den die Marine mitgebracht hat. Wo ist er?«

Einer Antwort wurde der Mann enthoben, denn vom Ende des Korridors ertönte plötzlich ein markerschütternder Schrei, gefolgt von entsetzlichem Stöhnen.

»Wenn das mein Gefangener ist . . .« Kelso schob den Gouverneur beiseite und rannte an dem Gehilfen vorbei zum Ende des Korridors. Die Zellentür stand offen, einen Augenblick verharrte er in ihrem Rahmen und nahm die schaurige Szene in sich auf, die sich seinen Blicken bot.

Ramdullah, der Oberaufseher, stand vor dem Piraten, der an den Handgelenken aufgehängt war, und schien so vertieft in seine Tätigkeit, daß er Kelso und den Gouverneur nicht bemerkte. In der einen Hand hielt er eine langstielige Zange, in der anderen ein Messer. Etwa sechs Zoll unter den Füßen des Gefangenen loderte ein Feuer. Kelso konnte später nicht mehr sagen, wie lange er in der offenen Tür gestanden hatte – wahrscheinlich nicht mehr als ein paar Sekunden –, aber es genügte, um alles in sich aufzunehmen: das schmerzverzerrte Gesicht, die frischen Brandwunden auf Brust und Armen, das Blut auf seinen Oberschenkeln. Und den flehenden Blick in den Augen des Gefangenen.

»Schluß damit! Aufhören!«

Als sich Ramdullah mit der glühenden Zange trotzdem dem Unglücklichen näherte, sprang Kelso hinzu und schlug den Wärter ins Gesicht.

Die Wucht des Schlages warf Ramdullah gegen die Zellenwand, die Zange fiel klappernd zu Boden. Aber noch hatte er das Messer in der Hand, als er blitzschnell aufsprang und die beiden Engländer wütend anstarrte.

Kelso war kreidebleich vor Wut und schrie den Gouverneur an: »Sie haben mir zugesagt, daß der Mann nicht gefoltert wird!«

»Ein Versehen, Kelso, das versichere ich Ihnen. Ich habe keinen Befehl zum Foltern gegeben.«

»Nein, Sie haben keine Befehle gegeben! Also war dieser Wilde der Ansicht, er könne tun, was ihm beliebt.« Mit zwei Schritten war Kelso bei dem Wärter und zerrte ihn, ohne von dem Messer Notiz zu nehmen, in die Mitte der Zelle.

»Schneide ihn ab!« befahl er. »Sofort!«

Der Aufseher warf ihm einen giftigen Blick zu und schien eine Gegenwehr zu erwägen. Es mußte schon viele Jahre her sein, daß jemand ohne Angst und Schrecken zu ihm gesprochen hatte.

»Sofort!« wiederholte Kelso und gab ihm noch eine schallende Ohrfeige.

»Genug, Kelso«, befahl der Gouverneur. »Überlassen Sie das mir.«

Der Wärter hob das Messer auf, das ihm entfallen war, als Vansittart auf ihn zutrat.

»Ramdullah! Du weißt, wer ich bin?«

Der Gefangenenwärter, noch immer auf den Knien, blickte ihn finster an, ohne zu antworten.

»Ich bin der Gouverneur, hörst du? Auf wessen Befehl folterst du diesen Gefangenen?«

Lediglich ein Grunzen war zu vernehmen, weshalb Vansittart die Frage wiederholte: »Auf wessen Befehl? Antworte!«

Kelso ließ die beiden allein und trat zu dem Gefangenen, der anscheinend die Besinnung verloren hatte; aber er öffnete die Augen, als Kelso mit seinem Säbel die Stricke durchschnitt. Er mußte ihn auffangen, sonst wäre der Dacoit ins Feuer gestürzt. Dann trug er ihn durch die Zelle und bettete ihn auf einen Strohhaufen.

Nun erst warf er einen Blick auf das aschfahle Gesicht und war sich nicht ganz klar darüber, ob der Mann noch lebte. Vansittart und der Aufseher, die ihren Disput beendet hatten, beobachteten ihn schweigend.

»Wasser!« befahl Kelso dem Wärter. »Hol sofort Wasser!«

Der Aufseher zögerte und machte Miene, einen seiner Gehilfen zu rufen, aber Kelso wiederholte nochmals in scharfem Ton: »Wasser!«

Nun lief Ramdullah hinaus auf den Korridor.

Vansittart schien sich unbehaglich zu fühlen und trat zu Kelso. »Wird er am Leben bleiben?«

Als der Aufseher mit einem Wasserkrug zurückkam, setzte Kelso ihn dem Gefangenen an die Lippen. Der Dacoit spuckte und sträubte sich, aber noch während ihm das kühle Wasser über Gesicht und Brust lief, öffnete er den Mund und schluckte. Als er endlich die Augen aufschlug und Kelso vor sich sah, ließ sein Widerstand nach, und er entspannte sich.

15

Kelso nahm seine einsame Abendmahlzeit im Eßzimmer ein, das
auf der Ostseite des Hauses lag und daher kühl war, oder wenigstens so kühl, wie es in Kalkutta während der heißen Jahreszeit
möglich war. Durch die Schlitze im Bambusvorhang sah er das
große Wasserreservoir, zu dieser Tageszeit umlagert von Indern
aller Kasten, die auf den Treppen saßen oder lagen, da das Wasser ihnen wenigstens die Illusion von Abkühlung vermittelte. Kinder und junge Leute spielten und planschten bis zur Taille darin
herum, obwohl das verboten war. Wohl zum hundertstenmal
überlegte Kelso, was Susan wohl gerade tat.

»Noch Wein, Sir?«

»Nein.« Er schob die Karaffe beiseite.

Das Mahl war von Padstow gekocht und serviert worden – zu
ihrer beider Zufriedenheit. Wenn Susan zu Hause war, bestand
sie darauf, daß sie von dem indischen Personal bedient wurden,
während Padstow die Position des Kammerdieners zugewiesen
bekam, was er mit stoischem Gleichmut ertrug. Sobald die Herrin
jedoch abwesend war, jagte er die indischen Diener von dannen –
zumeist begleitet von ein paar saftigen Flüchen – und versorgte
den Kommodore selbst, wie er es von Bord gewohnt war.

»Noch keine Nachricht von Mrs. Kelso, Sir?«

Kelso antwortete nicht, es schien sogar zweifelhaft, ob er die
Frage überhaupt gehört hattte.

»Der schwarze Bursche, der Zemindar, kommt morgen zurück,
Sir.«

»Wo hast du das her?«

»Ist allgemein bekannt, Sir.«

Kelso wußte, daß es besser war, nicht zu genau nach Einzelheiten zu fragen, denn Padstow hatte mitunter seltsame und unortho-
doxe Quellen, aus denen er seine Informationen bezog. Wenn er
vermutete, daß der Kommodore sich Sorgen machte, dann
scheute er keinen Weg, um sich Klarheit zu verschaffen.

»Ist auch alles über meine Frau ›allgemein bekannt‹?«

»Sir?«

»Weiß alle Welt, daß Lady Susan mit diesem Mitra auf Geschäftsreise gegangen ist?«

»Anders wäre sie kaum weit gekommen«, bemerkte Padstow.

»Was heißt das?«

»Nun, Sir, ich brauche Ihnen nicht zu erklären, daß kein Tag vergeht, ohne daß irgendein armer Kerl in einer Gasse erdolcht oder erwürgt und dann in den Fluß geworfen wird. Was die Frauen betrifft, Sir, nun – wenn sie jung genug sind, finden sie sich in der Gullakutta Street wieder, in den ›Freudenhäusern‹.«

»Das sind doch alles Eingeborene«, sagte Kelso, dem es immer unbehaglicher wurde.

»Aye, Sir, aber auch Ihre Ladyschaft wäre nicht sicher, wenn sie weit außerhalb des Garden Reach spazieren ginge. Und Sie denken doch nicht, daß sie vier Tage unterwegs ist, nur um dem Maidan einen Besuch abzustatten?«

Padstow nahm die Karaffe und das leere Glas und stellte sie auf ein Tablett. Dann hielt er die hohle Hand unter die Tischkante und fegte mit der anderen die Krümel hinein. Wenn man ihn so sah, dachte Kelso, in frischgebügeltem Hemd, sauberen Breeches und blankgeputzten Schuhen, konnte man sich kaum vorstellen, wie er mit lautem Kampfgeschrei sein blutiges Entermesser schwang. Padstows Blick war beinahe mütterlich, als er jetzt sagte: »Natürlich ist sie weiter landeinwärts gefahren, Sir, beinahe bis Serampore. Dort will sie Land kaufen, Sir.«

»Dann ist sie in Gefahr! Warum hast du mir das nicht gleich gesagt?«

»Nicht nötig, Sir. Sie ist in Sicherheit.«

»Wie willst du das denn wissen? Einen Augenblick vorher hast du noch gesagt...«

»Aber sie ist doch mit dem Black Zemindar unterwegs. Deshalb ist sie in Sicherheit.«

Unten am Wasserreservoir ging etwas vor. Zwei Inder stritten sich um eine Frau. Schrille, keifende Stimmen wurden laut, Drohungen ausgestoßen, während sich eine Menschenmenge um die beiden Streithähne versammelte. Die Frau stand indessen auf der obersten Treppenstufe und schien lächelnd die Situation zu genießen.

»Glaubst du, Gobindram Mitra ist so mächtig?«

»Aber natürlich, Sir, daran besteht kein Zweifel. Was meinen Sie denn, warum Ihre Ladyschaft ihn immer mitnimmt? Schließlich ist er – Verzeihung, Sir – nicht gerade ein Gentleman.«

Kelso nickte, als sei ihm dies alles längst klargewesen, obwohl er es eigentlich erst jetzt, nach Padstows Worten, begriff. Er wunderte sich, daß ihm diese einfache Wahrheit nicht schon viel früher aufgegangen war.

»Gobindram Mitra ist mächtig und in seiner Position zweifellos eine große Hilfe für Lady Susan. Aber reicht seine Macht auch über Kalkutta hinaus?«

»Der Herr segne Sie, Sir! Er ist nicht nur der reichste und mächtigste Mann der ganzen Provinz – mit Ausnahme der Fürsten, Sir, und nicht einmal da bin ich ganz sicher –, sondern er hat seine Finger auch in der Politik. Offiziell mag er vielleicht nur der Black Zemindar sein, aber er genießt die Unterstützung der Weißen. Das erhöht sein Prestige. Mit seinem vielen Geld unterhält er eine Truppe von Halsabschneidern, die jeden in Angst und Schrecken versetzen – ob arm oder reich –, der es wagen sollte, ihm in den Weg zu treten.«

»Und wie ist es mit den Piraten?«

»Aye, Sir, wie ist es mit denen?« Padstow ergriff das Tablett, auf dem er säuberlich Teller, Tassen, Gläser und Bestecke angeordnet hatte. Sein mahagonifarbenes Gesicht war voller Falten, als er fragte: »Was meinen Sie wohl, wie es kommt, daß sich der Black Zemindar so frei und unbehelligt bewegen kann? Daß er trotz seines Reichtums niemals überfallen und ausgeraubt wird? Was meinen Sie, wo er sein Vermögen her hat? Bestimmt nicht vom Kassieren der Steuern und Bestechungsgelder, wenn ich auch zugebe, daß mir diese Beträge schon reichen würden.«

»Du glaubst, er ist mit den Piraten im Bunde?«

Padstow hob die Schultern. »Sieht ganz so aus, Sir.«

»Aber . . .« Kelso musterte seinen Steward, als überlege er, wieviel von dem Gesagten Wahrheit und wieviel nur Vermutung sei. »Hast du irgendwelche Beweise?«

»Nein, Sir.«

»Kannst du welche beschaffen?«

Padstow hob wieder die Schultern. »Kommt darauf an, was Sie möchten, Sir – einen lebenden Steward oder einen toten Informanten. Ich würde niemandem Überlebenschancen einräumen, der der Wahrheit über Gobindram Mitra zu nahe kommt.«

Kelso stand vom Eßtisch auf, ging zu den Fenstern und zog die Jalousien hoch. Draußen war alles friedlich. Es fiel schwer zu glauben, daß unter den herumliegenden, schlafenden oder träge plaudernden Indern Agenten Mohammed Khans waren, aber allein schon die Tatsache, daß sich der Anführer der Dacoits noch immer auf freiem Fuß befand, sprach durchaus dafür. Vielleicht beobachtete ihn gerade in diesem Augenblick einer mit halbgeschlossenen Augen.

Wenn Padstows Geschichten stimmten, dann arbeitete Gobindram Mitra mit den Dacoits zusammen, und ein Teil seines Reichtums stammte aus deren Raubzügen.

»Soll ich es versuchen, Sir?«

»Was?« Er wandte sich um; es war schwierig, sich nach der Helligkeit draußen in dem dunkleren Raum zurechtzufinden.

»Möchten Sie, daß ich soviel wie möglich über den Black Zemindar herausfinde?«

»Nein. Tu nichts Törichtes, aber halte Augen und Ohren offen. Laß es mich wissen, wenn du etwas in Erfahrung bringst.«

Padstow grinste, als er mit seinem Tablett zur Tür ging. »Sie können sich auf mich verlassen, Sir.«

Kelso ging nach oben ins Schlafzimmer, schlug auch dort die Sonnenblenden zurück und setzte sich ans offene Fenster. Es war noch früh am Abend, aber trotz seiner Ruhelosigkeit konnte er sich nicht dazu aufraffen, Freunde zu besuchen. Die Holwells hätten sich bestimmt gefreut, besonders da sie ein gewisses Schuldgefühl empfanden, seit Susan durch ihre Vermittlung Gobindram Mitra kennengelernt hatte. Gerade die Holwells waren jedoch über Susans Benehmen mehr schockiert als die meisten anderen.

Ein neuer Gedanke kam ihm plötzlich. Wenn Gobindram Mitra wirklich mit den Dacoits zusammenarbeitete, mußte dann nicht Holwell als sein Vorgesetzter davon gewußt haben? Er beschloß, ihn morgen danach zu fragen. Doch je länger er es sich überlegte, desto überzeugter war er, daß der brave John Holwell einem Gauner wie Mitra in keiner Weise gewachsen war. Holwell war ein ehrlicher Mann, der kaum jemandem Schlechtes zutraute. Ein ungleicheres Paar als diese beiden konnte man sich kaum vorstellen.

Gobindram Mitra und Mohammed Khan: War es möglich, daß Padstow mit seiner Vermutung ins Schwarze getroffen hatte? Gerüchte – ein wesentlicher Bestandteil des Eingeborenenlebens – hätten diese beiden Namen bestimmt schon längst miteinander in Verbindung gebracht, wenn zwischen ihnen ein Bündnis bestanden hätte. Andererseits konnte aber gerade die Tatsache, daß keine Gerüchte kursierten – wenigstens hatte Kelso bisher noch keine gehört –, das Gegenteil beweisen, nämlich daß ein Bündnis oder zumindest eine Zusammenarbeit bestand, von der jedermann wußte, von der aber niemand sprach, weil das zu gefährlich war. Der Gedanke schien ihm zutreffend, und je mehr er darüber nachdachte, desto mehr gefiel er ihm. Der Black Zemindar kannte genau die Ladungen der Ostindienfahrer, Ankunft und Abfahrt der Schiffe, ja selbst die Bewegungen der Marine; und der Anführer der Piraten war tapfer, intelligent und völlig skrupellos. Eine Verbindung konnte den beiden nur Vorteile bringen.

Dieser Gedanke fesselte Kelso derart, daß er am liebsten gleich zum Gouverneur gegangen wäre, obwohl er wußte, daß Vansittart zu dieser Tageszeit wahrscheinlich schon betrunken war. Auf jeden Fall war der Gouverneur – nüchtern oder betrunken – kaum der Mann, mit dem man solch eine Theorie besprechen konnte. Hohn oder eine sofortige heftige Explosion waren seine wahrscheinlichsten Reaktionen, aus Kelsos Sicht beide nicht erstrebenswert. Hohn und Spott brachten Kelsos Theorie an die Öffentlichkeit, dann waren die beiden gewarnt. Die heftige Reaktion konnte er sich ebenfalls vorstellen: Gobindram Mitra wurde bei seiner Rückkehr nach Kalkutta verhaftet, in den Kerker geworfen und der Folter Ramdullahs überlassen, bis er aussagte.

Kelso glaubte aber nicht, daß Mitra aussagen würde.

Er hatte sich gerade zum geduldigen Abwarten entschlossen, als zu seiner freudigen Überraschung auf der anderen Seite des Platzes Pferd und Wagen vorfuhren. Es waren sogar zwei Pferde, äußerst gepflegt und reichlich aufgeputzt, von einem livrierten Kutscher gelenkt. Im Wagen saßen Susan und Gobindram Mitra.

Das Gefährt überquerte den Platz und hielt fast unter Kelsos Fenster. Er erkannte Mitras mächtige Schultern unter dem weißen Turban. Dann sah er Susans ernstes, unglaublich schönes Gesicht, als es von Padstows Laterne beleuchtet wurde. Gobindram Mitra stieg zuerst aus, wandte sich dann Susan zu und reichte ihr die Hand, um ihr beim Aussteigen behilflich zu sein; dabei führte er sie kurz an seine Lippen. Als er die beiläufige Reaktion seiner Frau bemerkte – lediglich ein leichtes Neigen des Kopfes –, fragte er sich, ob er sie wohl jemals ganz verstehen werde. Daß sie den mächtigen Zemindar dazu gebracht hatte, auf ihren geringsten Wink zu reagieren, war offensichtlich; er schien von ihrer Schönheit und Intelligenz so bezaubert, daß er ihr jeden Wunsch erfüllte.

Geht es mir denn anders? fragte er sich düster, während er darauf wartete, daß Susan die Treppe heraufkam.

»Roger!« Die Tür flog auf, und Susan kam herein. Er sah einen Augenblick Padstow im Hintergrund, dann wurde sie wieder geschlossen. »Seit wann bist du schon zurück? Was hat sich auf deiner Fahrt ereignet? Und warum stehst du hier im Dunkeln?«

Er merkte an ihrer Art und an den vielen Fragen sofort, daß sie unsicher war. Im Halbdunkel konnte er nur ihre Silhouette sehen, aber er vermutete, daß ihr Gesicht entschlossen war und ihre Augen ihn wachsam musterten.

»Wir sind heute morgen eingelaufen. Es gab einen kleineren Zusammenstoß mit den Dacoits.«

»Und sonst? Habt ihr das Versteck gefunden?«

»Vielleicht. Nächstesmal wissen wir es genau.«

»Wie wollt ihr das feststellen?«

»Wir haben einen Gefangenen mitgebracht. Wir hoffen, daß er uns hinführt.«

»Hat er eingewilligt?«

»Nein, noch nicht.«

Er wartete darauf, daß sie zu ihm kam, aber sie blieb an der Tür stehen. »Wo ist er jetzt?«

»Wer?«

»Der Gefangene.«

»Im Chowringhee-Gefängnis.«

»Oh, dort! Du glaubst also, daß Ramdullah ihn überredet?«

Er erwiderte nichts. Er fand ihre Art so seltsam, daß er es für klüger hielt, zu schweigen.

Vielleicht erriet sie seine Gedanken, denn jetzt kam sie durch den Raum auf ihn zu und ließ sich von ihm in die Arme nehmen. »Roger!« Auf ihren Lippen und in ihrem Haar war Staub, aber er spürte die Wärme ihres Körpers. »Hast du mich vermißt?«

»Du warst in Serampore?«

»Fast bis in Serampore.« Sie fuhr mit den Lippen über sein Kinn. »Du bist nicht böse?«

»Um dort Land zu kaufen?«

»Deine Spitzel sind gut informiert.«

»Spitzel?« Er stieß sie von sich. »Es ist allgemein bekannt. Anscheinend weiß alle Welt, daß die Frau des Kommodore auf einer Geschäftsreise im Landesinneren war – begleitet von diesem Schurken Mitra.«

»Sei nicht böse, Roger. Meine Agenten teilten mir mit, daß dieses Land zum Kauf angeboten würde. Es schien mir eine wundervolle Gelegenheit, aber bevor ich es kaufte, wollte ich es mir ansehen.«

»Weshalb? Bisher hast du dir noch nie diese Mühe gemacht.«

»Diesmal ist es etwas – Besonderes.« Sie senkte den Blick, um

114

ihr zufriedenes Lächeln zu verbergen, aber er hatte es schon bemerkt.

»Ich bin nicht interessiert an deinen Geschäften, außer wenn sie dich zum Gegenstand eines Skandals machen. Kannst du dir vorstellen, wie diese Geschichte bei den Teegesellschaften die Runde macht?«

Sie blickte ihm voll ins Gesicht. »Natürlich kann ich das – aber es kümmert mich nicht. Dich etwa?«

Er erwiderte ihren festen Blick, und wieder verhexte ihn ihre Schönheit; er schüttelte den Kopf. »Zum Teufel mit dem Klatsch!«

»Roger!« Sie kam wieder zu ihm, und diesmal hielt sie ihn so fest, daß er sie nicht wieder von sich stoßen konnte. »Die ganze Zeit habe ich an dich gedacht. Auf dem Boot, wenn die Hitze durch das Sonnensegel drang, wenn die Moskitos stachen und der riesige Fluß wie Gold glänzte, dachte ich: Solche Unbequemlichkeit, so viele Tage von meinem Mann getrennt . . . Aber dann hielt ich mir immer wieder vor Augen, daß ich es für dich tue – für uns beide. Wenn diese Investition sich als so vorteilhaft erweist, wie ich erwarte, dann sind wir reich, Liebling! Reich!«

Es mußte ihr klarsein, daß sie ihm mit diesen Worten keine Freude machte, aber sie hielt ihn so fest umschlungen, daß er nicht protestieren konnte.

»Ich habe mich so nach dir gesehnt, Liebster«, sagte sie. »Während des ganzen Heimwegs dachte ich an diesen Augenblick. Ich weiß, mit meiner Liebe kann ich dir beweisen, daß ich all diese Dinge – auch wenn du sie jetzt mißbilligst und böse bist – in Wahrheit nur für dich tue.«

Gerührt von ihren Worten, küßte er sie auf die Lippen. »Ich bin froh, daß du heil zurück bist.«

Mit einem leichten Lächeln gab sie ihn frei. »Was für eine feurige Rede! Aber besser als gar nichts.« Sie tippte ihm auf den Arm. »Nach der langen Reise sehne ich mich nach einem Bad.«

Er nickte. »Willst du, daß ich etwas zu essen bringen lasse?«

»Nein.« Sie steckte Kopf und Schultern durch den Perlenvorhang, das Kleid hatte sie schon abgestreift. »Dich will ich!«

16

Sie liebten sich hungrig und ausgiebig. Nachher lagen sie nebeneinander und beobachteten die über dem Fluß aufgehende Mond-
sichel. Kalkutta war niemals ruhig, auch nicht während der
Nacht. Sie hörten das Geschnatter der Stimmen am Wasserreservoir, die Rufe der Straßenhändler, die neben ihrer Matte saßen,
bis der letzte mögliche Kunde zu Bett gegangen war; und sie hörten die Schiffsglocken, die ihren Halbstundenrhythmus durch die
Nacht sangen. Die Hitze war langsam abgezogen, aber die Temperatur im Zimmer war noch immer sehr hoch. Hand in Hand
blickten sie hinauf zum sternenübersäten Himmel.

»Was wohl Fenton jetzt macht?«

»Fenton!« Überrascht wandte sie sich ihm zu. »Wahrscheinlich amüsiert er sich gerade mit einem leichten Frauenzimmer in
Jamestown.«

»Bestimmt nicht. Fenton hat ebensowenig übrig für das Nacht-
leben wie . . .« Er zögerte.

»Wie du?« Sie wandte sich ihm zu und drückte sich eng an ihn,
während ihre Hand seine Brust streichelte. »Fehlt dir die *Protector* sehr?«

»Sie ist schließlich mein Schiff. Ich freue mich darauf, sie wiederzusehen.«

»Wenn ich eine eifersüchtige Frau wäre, müßte ich eigentlich
auf dein Schiff böse sein. Sag mir ehrlich: Bereust du es manchmal, daß du die *Protector* aufgegeben – wenn auch nur vorüberge-
hend – und mich geheiratet hast?«

»Niemals werde ich bereuen, daß ich dich geheiratet habe.«

Aber stimmte das wirklich? War es die volle Wahrheit? Natürlich, solange er wie jetzt ihren warmen Körper dicht neben dem
seinen spürte, gab es daran keinen Zweifel. Er liebte sie von gan-
zem Herzen. Aber ständig war da sein Gewissen, der Gedanke an
ihre Geldgier, an ihre Geschäfte und die zum Teil schon gewagten
Spekulationen, oft zu Lasten unglücklicher Eingeborener. Niemals würde er verstehen, daß die Frau, die so leidenschaftlich lieben konnte, genauso leidenschaftlich den Reichtum anstrebte.
Und da er keine Antwort, noch viel weniger eine Entschuldigung
finden konnte, erfand er eine: Gobindram Mitra.

»Diese Reise, die du gerade hinter dir hast: War es wirklich nötig, diesen Mitra dabei mitzunehmen?«

»Aber natürlich war das nötig, Liebling.« Ihre Stimme klang

bereits schläfrig. »Ich konnte doch schließlich nicht allein reisen.«

»Du hättest überhaupt nicht reisen sollen. Aber wenn du schon dazu entschlossen warst, warum dann unbedingt mit diesem Mitra? Warum konntest du nicht einfach einen Diener mitnehmen?«

Seine Besorgnis rührte sie so, daß sie sich aufsetzte und ihm in die Augen blickte. »Mach dir keine Sorgen, Liebling. Mit Gobindram Mitra kann ich überall hingehen und bin dabei in Sicherheit.«

»Wieso? Das verstehe ich nicht.«

»Weil er der mächtigste Eingeborene in ganz Bengalen ist. Du kennst ihn nur als den Black Zemindar, als Holwells Assistenten, aber in Wirklichkeit ist er mächtiger als jeder Fürst.«

»Das hat auch Padstow gesagt.«

»Oh?« Sie blickte ihn forschend an. »Du besprichst also meine Angelegenheiten mit den Dienstboten?«

»Padstow ist kein Dienstbote. Er ist mein Steward – mein Freund, wenn du so willst. Wir sind schon zehn Jahre zusammen.«

»Ich weiß. Ist er auch dein Spitzel?«

Wie sie so dasaß in der Dunkelheit, ohne einen Faden am Leibe, aber noch immer auf ihre Würde bedacht, sah sie so entzückend aus, daß er lachen mußte. »Warum sollte ich einen Spitzel benötigen, um dir zu folgen? Und wenn ich einen brauche, werde ich bestimmt nicht Padstow wählen. Er hat mir gesagt, du kämst erst morgen zurück – und er hatte unrecht.«

»Nein, das hatte er nicht. Wir wollten tatsächlich morgen zurückkehren, mußten unsere Pläne aber ändern, weil sich etwas ereignete, das eine frühere Rückkehr notwendig machte.«

»*Unsere Pläne?*« Jetzt war es an ihm, ärgerlich zu sein. »Seit wann hast du denn gemeinsame Pläne mit Mitra?«

»Na schön.« Müde winkte sie ab. »Also *meine* Pläne. Es tut mir leid, Liebling, aber können wir das nicht morgen besprechen? Ich möchte schlafen.«

»Was hat sich ereignet, das eine frühere Rückkehr notwendig machte?«

Ihr Blick wurde hart, da sie sich auf eine ernste Auseinandersetzung einstellte, aber irgend etwas – vielleicht die deutliche Sorge in seinem sonst so ausdruckslosen Gesicht – bewog sie, nachzugeben. »Wenn du es unbedingt wissen willst: Ich habe gehört, daß

Alec Stuart nach Kalkutta kommt.«

»Stuart? Was hat der damit zu tun?«

»Das kann ich dir jetzt nicht erklären, Liebling; aber zweifellos wirst du es morgen hören.«

»Wieso? Was hast du vor?«

»Nichts. Ich habe nur ein Stück Land gekauft – zu einem günstigen Preis. Selbst du kannst daran nichts auszusetzen haben.«

»Und deswegen kommt Stuart nach Kalkutta?«

»Ich glaube, ja.«

Er schüttelte den Kopf und wandte sich von ihr ab, nicht weil er zornig war, sondern um in Ruhe nachdenken zu können. Im nächsten Augenblick spürte er jedoch ihre Hand auf seiner Schulter und dann ihre Lippen. Stuart, der größte Geschäftsmann in Serampore, Inhaber des Salzmonopols! Was konnte es für gemeinsame Geschäfte zwischen ihm und Susan geben? Und welche Rolle spielte Gobindram Mitra dabei?

»Liebling!« Sie wollte sich nicht abweisen lassen, und im nächsten Augenblick wandte er sich um und nahm sie in die Arme.

Es war schon nach Mitternacht, als er aus dem Bett stieg und an das offene Fenster trat. Susan schlief. Nach ihrem Beisammensein schlief sie meist sofort ein und lag wie jetzt lächelnd da, das Haar im Gesicht, und ihre Brüste hoben und senkten sich im Rhythmus ihrer ruhigen Atemzüge. Sie sah dann so entspannt aus, als hätte sie nie im Leben irgendwelche Sorgen gehabt.

Gobindram Mitra! Kelso konnte seine Gedanken nicht von Holwells Assistenten losreißen. Was hatte Susan vorhin gesagt? Er sei der mächtigste Eingeborene in ganz Bengalen?

Die Inder unten am Wasserbecken waren längst eingeschlafen, ihre dunklen Formen lagen auf und neben den Stufen. Der Mond stand inzwischen hoch am Himmel, sein Licht wurde von dem ruhigen Wasserspiegel reflektiert. Ein Eingeborener kam vorbei, im dicken Staub waren seine Schritte nicht zu hören. Im Straßengraben suchte eine Hyäne geduckt nach Abfällen.

Mit Gobindram Mitra konnte Susan überall hingehen und war immer in Sicherheit. Hatte sie nicht genau das gesagt?

Er trat zurück ans Bett und schüttelte sie an der Schulter.

»Susan!«

Sie bewegte sich, öffnete die Augen ein wenig und war sofort wieder eingeschlafen.

»Susan!«

Zögernd erwachte sie, setzte sich auf und wischte sich das Haar aus dem Gesicht. »Was ist?«

»Du hast vorhin gesagt, mit Gobindram Mitra könntest du überall hingehen.«

»Was?« Sie war zu schlaftrunken, um ihn zu verstehen.

»Mit Gobindram Mitra zusammen wärst du sicher.«

»Du hast mich doch nicht geweckt, um mir das zu erzählen?«

»In gewisser Weise doch.« Er war zu vertieft in seine Gedanken, um ihren ärgerlichen Gesichtsausdruck zu bemerken.

»Wenn du dir einbildest, ich hätte mitten in der Nacht und nach einer anstrengenden Reise nichts Besseres zu tun . . .«

»Bitte sei nicht böse, sondern hör mir einen Augenblick zu, es ist wichtig.« Er setzte sich neben sie und fragte weiter: »Warum ist Mitra so mächtig? Wie kommt es, daß er niemals überfallen und ausgeraubt wird?«

»Das kann ich dir genau sagen: Weil es keinen einzigen Inder in ganz Bengalen gibt, der es wagen würde, Hand an ihn zu legen.«

»Wird er so gut beschützt?«

»Er braucht keinen Schutz. Er ist der Black Zemindar. Er ist ein Riese unter Zwergen, ein Mann aus Eisen unter den rückgratlosen Kreaturen Bengalens. Er ist auch grausam und skrupellos, wirst du vermutlich sagen, und dem würde ich beipflichten. Außerdem ist er unglaublich vulgär.«

»Aber dennoch betrachtest du ihn als deinen Freund?«

»Als meinen Partner oder Teilhaber, als meinen Beschützer, wenn du so willst. Du mußt doch einsehen, daß ich ohne ihn nichts machen könnte. Eine Weiße, die Handel mit den Eingeborenen treibt, ist etwas Unerhörtes, wie du mir oft genug gesagt hast.«

Er hatte das Gefühl, daß sie ihm auswich, aber er ließ sich nicht ablenken. »Mitra ist also zu mächtig, um überfallen zu werden?«

»Natürlich.«

»Nicht einmal von den Dacoits?«

Sie zögerte, und er hatte den Eindruck, daß sie sich diese Frage auch schon gestellt hatte.

»Hör zu«, sagte er eindringlich, »kommt es dir denn nicht seltsam vor, daß Gobindram Mitra frei herumreisen kann in Gebieten, die Kaufleute, Pilger, ja ganze Kompanien von Sepoys* nicht zu betreten wagen? Erscheint es dir nicht auch sonderbar, daß die

---

* indische Soldaten unter britischem Kommando

Dacoits ihn noch nie überfallen haben?«

»Darüber habe ich noch nicht nachgedacht.«

»Dann tu es jetzt. Ich bitte dich darum.«

Sie schien sich zu konzentrieren, wenn es ihr auch sichtlich schwerfiel, denn sie glitt immer wieder in den Schlaf zurück.

»Susan, bitte bleib wach!«

Sie schüttelte den Kopf und blickte ihn verwirrt an. »Ich weiß nicht. Vielleicht hat er eben Glück gehabt.«

»Unsinn! Selbst wenn er bereit gewesen wäre, dein Leben aufs Spiel zu setzen, so bezweifle ich doch, daß er sein eigenes riskiert hätte. Diese Reise nach Serampore war voller Gefahren, besonders, was die Dacoits betraf.«

»Ich wüßte nicht, wieso. Hast du nicht eben erst gesagt, ihr Versteck wäre im Salzsee?«

»Dort ist Mohammed Khans Operationsbasis, aber die Dacoits sind überall. Wasser ist allerdings ihr bevorzugtes Jagdgebiet – der See, der Fluß, die Kanäle. Weißt du, wie viele Menschen allein im Hugligebiet ausgeraubt und ermordet worden sind?«

»Nein, und ich will es auch nicht wissen.«

»Hunderte. Ehe wir ihren Angriff in der Bucht abgeschlagen und die Hälfte ihrer Schiffe vernichtet hatten, fanden ihre Überfälle beinahe täglich statt. Es war durchaus nichts Ungewöhnliches, daß man die Opfer mit durchschnittener Kehle, entkleidet und verstümmelt den Fluß hinuntertreiben sah.«

Er stand auf und trat wieder ans offene Fenster. Eine Sepoypatrouille zog gerade vorbei, vier müde, furchtsame Männer, die durch den Staub stapften. Auf den Stufen des Wasserbeckens war zumindest ein Inder wach, seine dunkle Gestalt ließ sich deutlich erkennen. Er hockte auf den Fersen und schien das Haus zu beobachten. Ein Spion der Piraten? Wohl möglich, aber Kelso wußte genau: Wenn es ihm gelungen wäre, den Kerl zu fangen, bevor er wegliefe, hätte er mit der unschuldigsten Miene von der Welt beteuert, daß er ein harmloser armer Mann und sonst nichts sei.

»Ich sage dir, Susan, zwischen deinem Freund Mitra und Mohammed Khan besteht eine Verbindung. Frag mich nicht nach Einzelheiten, die kenne ich nicht, werde sie aber herausfinden. Zumindest bin ich dazu entschlossen. Es wäre ja wirklich ein sonderbarer Zufall, daß er mit dir am Fluß entlang bis ins Landesinnere fährt, ohne das geringste von den Dacoits zu sehen. Ich habe mir deinetwegen Sorgen gemacht und mir auch überlegt, wieviel du den Piraten als Gefangene wert wärest. Mit der Frau des Kommodore als Geisel könnte Mohammed Khan seine Bedingungen stellen. Selbst Vansittart müßte sie dann akzeptieren.«

»Und du?«

Aus der Fassung gebracht, wandte er sich ihr zu. »Ich auch, natürlich. Du glaubst doch wohl nicht, daß ich dich Mohammed Khan überlassen würde?«

Sie antwortete nicht; ein wenig gereizt fuhr er fort: »Ich möchte, daß du Mitra beobachtest, Susan, so gut das geht, ohne seinen Verdacht zu erregen. Merke dir, mit wem er spricht – selbst unter seinen Bediensteten. Irgend jemand muß da als Vermittler, als Zwischenträger fungieren.«

»Bist du dir deiner Theorie denn so sicher?«

»Es ist mehr als eine Theorie. Gobindram Mitra ist einer der reichsten Männer in Bengalen. Ich vermute, daß sein Reichtum wenigstens zum Teil von Mohammed Khan stammt.«

»Wieso? Bloß weil er mich auf einer Reise begleitet hat und wir nicht belästigt wurden?«

»Wenn du so willst. Aber das ist sicherlich bezeichnend.«

»Nicht so sehr wie die Tatsache, daß *ich* nicht gefangengenommen wurde.«

»Was meinst du damit?«

»Wenn ich für Mohammed Khan eine so wertvolle Geisel wäre, wie du behauptest, warum hat er mich dann nicht gefangengenommen? Es wäre doch ein leichtes für ihn gewesen! Wir fuhren mit dem langsamen Boot, mein einziger Schutz war, abgesehen von Gobindram Mitra selbst, die Bootsbesatzung, und die wäre doch bestimmt beim ersten Anblick eines Piraten über Bord gesprungen.«

»Vielleicht genügte schon Mitras Anwesenheit.«

»Aber wenn er mit den Piraten unter einer Decke steckt, wie du behauptest, warum ließ er mich dann nicht von ihnen gefangennehmen?«

Kelso hob die Schultern. »Das weiß ich nicht.«

»Es ist doch wohl Mohammed Khan, hinter dem du her bist, und nicht Gobindram Mitra.«

Er antwortete nicht.

Sie wandte sich ab und schloß die Augen. »Wann willst du zum Salzsee zurückkehren?«

»Wenn ich die Information bekommen habe, die ich brauche.«

»Glaubst du, daß du sie bekommen wirst?« Ihre Stimme wurde undeutlich und schläfrig.

»Das weiß ich nicht.« Er legte sich wieder neben sie aufs Bett. »Was ich aber genau weiß, ist, daß ich dich nicht mehr dein Leben riskieren lasse – mit Mitra oder ohne – wegen eines elenden Stückes Land. Ich wollte dir das schon lange sagen, Susan: Künftig werde ich nicht mehr dulden, daß du Kalkutta verläßt. Es ist viel zu gefährlich. Wenn du unbedingt deine Geschäfte weiterhin betreiben willst – und Gott weiß, wie erleichtert ich wäre, wenn du sie aufgeben würdest –, dann mußt du das durch Agenten besorgen lassen wie früher. Ich kann mir zwar nicht vorstellen, wie jemand mit deiner Bildung und Erziehung überhaupt mit diesen Halsabschneidern verhandeln kann, aber es bedeutet wenigstens, daß du Kalkutta nicht mehr verlassen wirst.«

Er machte eine Pause und erwartete einen heftigen Ausbruch Susans, aber sie antwortete nicht.

Ein wenig befangen fuhr er fort: »Du mußt zugeben, daß ich wirklich tolerant gewesen bin. Ich kann mir nicht vorstellen, daß irgendein Mann in Kalkutta seiner Frau so viel Freizügigkeit gewährt. Und glaube ja nicht, daß mich das Geschwätz der Leute kümmert. Was mich bedrückt, ist lediglich die Sorge um deine Sicherheit, und aus diesem Grunde möchte ich dein Versprechen, daß du Kalkutta nicht mehr ohne mich verläßt.«

Er lag neben ihr im Dunkel, lauschte ihren gleichmäßigen Atemzügen und wartete auf ihre Antwort, vor der er sich fast ein wenig fürchtete. Ein Moskito summte neben seinem Ohr wie ein Warnsignal, und er mußte ihn wegscheuchen. Vom Fluß hörte er eine Schiffsglocke vier Glasen* schlagen.

»Susan, versprichst du mir das?«

Er richtete sich ein wenig auf und blickte auf sie hinunter. Völlig entspannt, mit einem glücklichen Lächeln im Gesicht, erschien sie ihm schöner denn je.

Sie schlief tief und fest.

17

Es war noch nicht hell, als er aufstand, duschte und sich anzog, ohne Susan zu wecken. Dann stieg er leise die Treppe hinunter, öffnete die Tür und blieb einen Augenblick auf den Stufen stehen. In vollen Zügen genoß er den Frieden und die kühle Morgenfri-

* in diesem Fall zwei Uhr morgens

sche in dem Bewußtsein, daß sich mit dem Aufgehen der Sonne beides bald verflüchtigen werde. Loll Diggy sah zu dieser frühen Stunde wunderschön aus, und selbst die zerlumpten Inder, die noch immer am Rand des Wasserbeckens schliefen, wirkten malerisch. Ein räudiger Hund oder eine struppige Hyäne – genau konnte er das nicht erkennen – schlich geduckt um den Platz. Über dem Fluß lag blasser, opalisierender Nebel.

Kelso schritt zügig aus, denn die Luft war wirklich recht frisch. Als er das alte Fort passiert hatte und zum Zall-Basar kam, wollte er sich zunächst links halten und den kürzeren Weg einschlagen; bei dem Gedanken an die engen Straßen, den Schmutz und vor allem den Gestank entschloß er sich jedoch, geradeaus zur Bucht weiterzugehen.

Als er sie erreichte, war er froh, daß er sich trotz der größeren Entfernung diese Mühe gemacht hatte. Zwischen Hütten und Wasser führte nur ein schmaler Pfad entlang, aber der war grasbewachsen und in unregelmäßigen Abständen mit Bäumen bepflanzt. Überwiegend waren es Weiden, die in dem blassen Licht besonders anmutig wirkten, vereinzelt auch Akazien und Oleander. In der windstillen Luft lag der Geruch von Holzfeuer, von Brackwasser und ein ganz zarter Duft von blühenden Mimosen.

»Sahib!«

Eine Frau mit einem Säugling an der Brust streckte ihm flehend die Hand entgegen. Sie schien alt und zerlumpt, viel zu alt, um ein so winziges Kind zu haben, aber ihm war bekannt, daß die indischen Mädchen, so entzückend sie mit zwölf oder dreizehn Jahren aussahen, mit zwanzig bereits reife Frauen und sehr früh schon verbraucht waren.

Er suchte in seinen Taschen, fand eine Münze und reichte sie ihr mit verlegenem Gesicht.

Die Türen des Chowringhee-Gefängnisses waren noch geschlossen, und Kelso mußte mehrmals mit der Faust dagegenschlagen, bevor sie von einem verschlafenen Wachposten geöffnet wurden.

»Sahib Kommodore!« Offensichtlich erinnerte sich der Mann an seinen vorigen Besuch.

»Hol den Oberaufseher!«

Aus der Eile, mit der er von dannen stürzte, schloß Kelso, daß der Posten mehr Angst vor ihm hatte als vor seinem Vorgesetzten. Nach ein paar Minuten kam er mit Ramdullah zurück.

»Wie geht es dem gefangenen Piraten?«

»Ziemlich gut, Sahib.«

»Dein Glück, sonst würde ich dir das Fell über die Ohren ziehen!«

Er folgte Ramdullah die Treppe hinunter, die zu den Zellen führte. Unten war es einigermaßen kühl, obwohl Kelso den Eindruck hatte, die Luft sei verpestet von Angst und Schmerzen. Ein leises, ununterbrochenes Stöhnen war zu hören, alle paar Sekunden von Schreien unterbrochen. Aus einer weiter entfernten Zelle drang anhaltendes Geschrei.

Angewidert folgte Kelso dem Oberaufseher. Am liebsten hätte er verlangt, alle Gefangenen zu sehen, aber irgend etwas – vielleicht das Eingeständnis seiner eigenen Ohnmacht – hielt ihn davon ab. Einmal graute ihm vor dem Anblick, zum anderen war ihm völlig klar, daß für jeden Gefangenen, den er befreite, spätestens nach der nächsten größeren Massenverurteilung deren zwei eingeliefert würden.

»Hier drin, Sahib.«

»Schließ auf.«

Unterwürfig verbeugte sich Ramdullah und hantierte am Schlüsselloch herum. Als die Tür aufsprang, trat Kelso ein.

»Vorsicht, Sahib!«

»Du kannst die Tür schließen.«

»Aber, Sahib . . .«

»Schließ die Tür!«

Er wartete, bis Ramdullahs Schritte sich entfernten, dann rief er leise: »Bist du hier?«

Es war so dunkel in der Zelle, daß es einen Augenblick dauerte, bis er die Gestalt auf dem Strohhaufen erkannte, eine kleine stille Gestalt, die mehr einem toten Knaben als einem lebenden Mann ähnelte.

Wenn er überhaupt noch lebte. Kelso eilte zu dem Gefangenen und kniete neben ihm nieder.

»Bist du in Ordnung?«

Der Pirat antwortete nicht, aber Kelso war erleichtert, als er bemerkte, daß der Mann die Augen geöffnet hatte. Seine zusammengekrümmte Haltung jedoch ähnelte der eines Tieres, das sich zum Sterben anschickt. Das gebrochene Bein war weder geschient noch verbunden, und das geronnene Blut der letzten Mißhandlungen klebte noch an seinem mageren Körper.

»Bist du hungrig? Möchtest du Wasser?«

Nur eine leichte Bewegung der Augenlider verriet, daß der Gefangene ihn gehört hatte.

Kelso stand auf und ging zur Tür.

»Ramdullah!«

Der Aufseher mußte im Korridor gewartet haben, denn er erschien sofort.

»Sahib?«

»Bring mir Wasser zum Waschen, Verbandszeug und ein paar Holzbretter zum Schienen. Außerdem Essen und Trinkwasser. Dieser arme Teufel hat seit gestern keinerlei Pflege gehabt.«

»Er ist ein Gefangener, Sahib!«

»Aber er ist auch ein Mensch. Jetzt beeil dich!«

Kelso trat zurück und betrachtete den Gefangenen. Die Augen des Piraten standen offen, aber sein Blick war starr geradeaus gerichtet und schien nichts zu registrieren. Er atmete mühsam, und von seinen Lippen tropfte Blut. Kelso dachte an den unvorsichtigen Sprung des Mannes über die Reling, an den schweren Aufschlag im Boot und fragte sich, ob er wohl am Leben bleiben werde. Richardson hatte zwar nichts weiter als ein gebrochenes Bein und mehrere gebrochene Rippen festgestellt, aber wie bei den meisten Schiffsärzten dieser Zeit waren auch seine medizinischen Kenntnisse beschränkt.

Gefolgt von zwei Wachen, die Wasser, Verbandszeug und eine Schale mit Reis trugen, trat Ramdullah wieder in die Zelle. »Hier ist alles, was Sie befohlen haben, Sahib. Möchten Sie, daß einer meiner Leute . . .«

»Nein. Ihr könnt gehen.«

Kelso kniete neben dem Gefangenen und schob ihm die Hand unter den Kopf.

»Trink!«

Einen Augenblick schien es, als wolle der Pirat sich weigern, aber dann war wohl der Durst stärker als seine Feindseligkeit. Gestützt von Kelsos Hand, trank er.

»Jetzt muß ich dich waschen und deine Wunden versorgen.« Kelso sprach Hindi, aber aus den Zügen des Piraten ging nicht hervor, ob er verstanden hatte.

Dann tauchte er einen Lappen in das Wasser, wischte Schweiß und Blut vom Gesicht des Mannes und, etwas vorsichtiger, von den verletzten Armen und Beinen. Abgesehen von einem gelegentlichen, krampfartigen Zucken und einem unterdrückten Schmerzensschrei verhielt sich der Dacoit ruhig.

»Jetzt wollen wir eine Schiene anlegen.« Kelso hielt die Holzstöcke und Bandagen in die Höhe, um dem Verletzten zu zeigen, was er vorhatte.

Als er die Stäbe am Bein festband, erinnerte er sich an die Zeit – wie viele Jahre war es wohl schon her? –, als er, damals noch Seekadett auf der alten *Shropshire*, von Kapitän Verity, Susans erstem Mann, dem Schiffsarzt als Gehilfe beigegeben worden war. Er glaubte, noch den Geruch im dunklen Orlopdeck* zu verspüren, noch immer das Schreien der Verwundeten zu hören, das mitunter vom Kanonendonner übertönt wurde.

»So, das sollte für eine Weile reichen.« Kelso setzte sich auf den Boden und wischte sich den Schweiß von der Stirn. Als er den Gefangenen ansah, fing er zu seiner Überraschung einen flüchtigen Dankesblick auf. Er wurde allerdings gleich wieder von dem üblichen Ausdruck der Feindseligkeit abgelöst.

»Und jetzt können wir essen.«

Wieder schob er den Arm unter die Schultern des Dacoit und richtete ihn in eine sitzende Position auf. Dann hielt er ihm die Schale mit Reis vor. Zuerst wandte der Gefangene den Kopf zur Seite, aber als Kelso zum Schein auf seine Weigerung einging und ihn auf das Stroh herunterließ, änderte er plötzlich seine Haltung, tauchte die Finger in die Schale und begann zu essen.

Als das letzte Reiskorn verschwunden war, ließ Kelso ihn wieder auf das Stroh zurückgleiten. Der Dacoit schloß vor Schmerz und Erschöpfung die Augen; aber dann wurde ihm klar, daß jemand ihn beobachtete, und er öffnete sie wieder.

»Wie heißt du?« fragte Kelso.

Der Verwundete sah ihn einen Augenblick an und flüsterte dann: »Ibrahim.« Es war das erste Wort, das er seit seiner Gefangennahme sprach.

»Wie lange bist du schon bei den Piraten?«

Wieder überlegte der Gefangene, als suche er nach einer Falle. Dann antwortete er: »Zwei Jahre, beinahe drei.«

»Freiwillig?« Als er merkte, daß der Gefangene nicht verstanden hatte, fragte Kelso nochmals: »Bist du freiwillig zu Mohammed Khan gestoßen – oder wurdest du gezwungen?«

Ibrahim wandte seinen Blick zur Decke, ein Ausdruck, der vielsagender war als das gleichzeitige Heben der Schultern. »Ich ging zu ihm, weil ich Hunger hatte.«

»Warst du vorher Bauer?«

---

* Das unterste Deck, unter der Wasserlinie. Dort befindet sich u. a. das Lazarett.

»Ich hatte ein Haus, zwei Felder und eine Kuh.«

»Da ging es dir ja ziemlich gut. Was ist mit deiner Familie?«

»Ich hatte Frau und Sohn, auch mein Vater lebte bei uns.«

»Wo sind sie jetzt?«

»Tot.«

Durch ein Fenster oder eine Luftklappe fiel ein wenig Licht herein, zum erstenmal sah Kelso das Gesicht des Gefangenen deutlich und war erschüttert über dessen Ausdruck tiefer Trauer.

»Woran sind sie gestorben? Herrschte bei euch Hungersnot?«

»Nein. Die Reisfelder waren grün, voll junger Schößlinge, und die Kuh gab genügend Milch.«

»Eine Seuche also?«

»Nein, keine Seuche.«

Kelso wartete geduldig. Eine Fliege setzte sich auf seine Stirn, aber er war zu angespannt, um sie zu verscheuchen. Aus einer anderen Zelle drang ein grauenhafter Schmerzensschrei herüber. Der Gefangene hörte ihn, denn sein Gesichtsausdruck verhärtete sich.

»Sie wollen, daß ich Ihnen helfe?« fragte er völlig unerwartet. »Haben Sie mir deshalb zu essen gegeben?«

»Ich möchte, daß du mir hilfst«, antwortete Kelso, »aber das ist nicht der Grund, weswegen ich dir Essen gebracht habe.«

»Warum sonst?«

Kelso hob die Schultern. Aus Gerechtigkeitsgefühl möglicherweise? Weil er Grausamkeit haßte? Oder war es ganz einfach Menschlichkeit? Seine Freunde und Kollegen – Vansittart zum Beispiel – hätten es Schwäche genannt.

»Wenn ich Ihnen helfe, werde ich dann freigelassen?«

»Ich werde es versuchen.«

»Und wenn ich mich weigere?«

Kelso hob die Schultern.

»Sie verlangen von mir, daß ich meine Freunde verrate.«

»Wenn die Dacoits deine Freunde sind – ja.«

Der Gefangene wurde wieder argwöhnisch. Ein Hustenanfall quälte ihn, und obgleich Blut auf seine Lippen trat, wischte er es nicht weg.

»Wenn ich Ihnen nicht helfe, überlassen Sie mich dann diesem Teufel?« Er zeigte auf seine gemarterten Oberschenkel und dann zur Tür.

»Er wird dich nicht mehr foltern. Nicht, wenn ich es verhindern kann.«

»Aber Sie können es nicht versprechen?«

»Keine Folter mehr.«

Der Inder drehte sich auf seinem Strohlager um, dabei wurde er von plötzlichen, krampfartigen Schmerzen geschüttelt. Als sie vorbei waren, zeigten sich Schweißperlen auf seinem Gesicht, und er sprach nur mit äußerster Anstrengung. »Sie sind ein reicher Mann, ein weißer Sahib, und ich bin nur ein armer Bauer.«

»Nicht mehr.«

Er nickte. »Nicht mehr. Nur darum, und nicht, weil ich einem Weißen helfen oder freikommen will, werde ich einwilligen.«

Kelso sagte: »Deine Frau, dein Sohn und dein Vater sind tot. Wurden sie von den Dacoits umgebracht?« Es war nichts weiter als eine Vermutung, aber offensichtlich eine zutreffende, denn die Augen des Gefangenen funkelten haßerfüllt.

»Es war ein Irrtum«, sagte er, »wenigstens haben sie mir das versichert. Als ich vom Feld zurückkam, waren sie tot. Mein Vater und mein Sohn. Meine Frau haben sie später umgebracht.«

»Ein Irrtum? Das hast du geglaubt?«

»Sie kamen am nächsten Tag wieder. Sie suchten einen anderen Bauern, der sie angeblich beleidigt hatte. Es täte ihnen leid, sagten sie.«

»Und damit hast du dich abgefunden?«

Der Gefangene sagte finster: »Ich tötete zwei von ihnen und hätte auch den dritten umgebracht, wenn er mich nicht von hinten mit einem Knüppel auf den Kopf geschlagen hätte. Als ich wieder zu mir kam, war ich zusammengeschnürt wie ein Huhn für den Markt. Zwei Tage lang wurde ich an einem Tauende hinterhergeschleift, dann kam ich mehr tot als lebendig in Mohammed Khans Lager an.«

»Warum haben sie dich nicht gleich getötet?«

»Sie töten niemals gleich. Nachdem sie ihr Vergnügen gehabt hatten, wurde ich zu Mohammed Khan gebracht. Er befahl einem seiner Männer, mir die Kehle durchzuschneiden; aber dann, als einen Gnadenakt – wenigstens sagte er das –, bot er mir eine Chance.«

»Ein toter Bauer oder ein lebendiger Dacoit?«

»Ich fürchtete den Tod nicht – nach dem, was sie mir angetan hatten, wäre er eine Erlösung gewesen –, aber ich wollte am Leben bleiben, aus einem einzigen Grund.«

»Rache?«

»Ich habe geschworen, ihn zu töten. Zwei hatte ich schon getötet, aber der dritte, der für meinen Sohn, sollte ein Wichtiger sein.«

»Der Anführer der Piraten selbst, Mohammed Khan?«

Der Haß hatte dem Gefangenen eine Lebhaftigkeit verliehen, die ihm sein mißhandelter Körper sonst versagt hätte. Er setzte sich auf, anscheinend ohne Schwierigkeit, und seine Wangen glühten, als er sagte: »Ich bin seit zwei Jahren Pirat, Sahib, seit mehr als zwei Jahren, aber ich warte noch immer auf eine Gelegenheit. Ihr Anführer ist niemals allein, selbst wenn seine Frauen bei ihm sind, stehen die Wächter vor der Tür. Sie wollen, daß ich Sie zu seinem Versteck führe?«

»Kennst du die Fahrrinnen?«

»Ich könnte Sie mit geschlossenen Augen hindurchführen. Obwohl ich bis vor zwei Jahren noch nie auf dem Wasser war, bin ich ein guter Seemann geworden – einer, der vielleicht ohne Schande in Eurer Marine dienen könnte.«

»Möchtest du das?«

Der Gefangene überlegte einen Augenblick, dann schüttelte er zögernd den Kopf. »Ich bin Bauer, Sahib. Wenn es mir durch Allahs Gnade gelingt, meinen Feind zu töten, dann will ich auf mein Land zurückkehren.«

»Und du wirst uns helfen?«

»Ja, aber unter einer Bedingung.«

»Und die ist?«

»Daß Sie, wenn das Versteck angegriffen wird, Mohammed Khan mir überlassen.«

18

Zwei Kutschen standen vor dem Haus, als Kelso zurückkehrte, und wäre er nicht so erpicht darauf gewesen, Susan seine guten Neuigkeiten zu erzählen, hätte er die reichen Verzierungen und die bestickten Bezüge des einen Wagens bemerken müssen. Dann wäre er gewarnt gewesen. So aber sprang er ungestüm die Stufen hinauf und traf Susan in der Halle. Impulsiv ergriff er ihre beiden Hände und stieß atemlos hervor: »Alles klar! Er hat eingewilligt.«

»Wer?«

»Der gefangene Dacoit.«

»Du warst heute morgen im Gefängnis und hast mit ihm gesprochen?«

»Ja, und er ist bereit, uns zu Mohammed Khan zu führen.«

Susan schüttelte bestürzt den Kopf. »Kannst du ihm denn trauen?«

»Ja, dessen bin ich sicher.«

»Aber warum sollte er einwilligen, seine Freunde zu verraten?«

»Aus Rache. Vor zwei Jahren hat Mohammed Khan seine Familie umbringen lassen.«

»Kennt er denn die Fahrrinnen?«

»Fahrrinnen?« Er musterte sie. »O ja. Er ist schon unzählige Male auf den Schiffen der Dacoits durch die Sümpfe gesegelt.«

»Nun, wenn du deiner Sache so sicher bist . . .«

»Ich sage dir, Susan, dies ist der Glückstreffer, auf den ich gewartet habe. Mit solch einem Führer können wir nicht fehlgehen. Sobald er sich erholt hat, starte ich die nächste Strafexpedition, und diesmal werden wir Mohammed Khan endgültig vernichten!«

Hinter sich hörte er eine Bewegung.

»Dann, Kommodore, halte ich die Zeit für gekommen, Ihnen herzlich zu gratulieren!«

Kelso wandte sich um, völlig aus der Fassung gebracht, als er die ungeheure Gestalt Gobindram Mitras erkannte. Der Black Zemindar war so prächtig wie immer gekleidet, Perlen und Goldbrokat glitzerten in einem durch die Ritzen der Jalousie fallenden Sonnenstrahl. Auf seinem Gesicht stand ein freundliches Lächeln.

»Wie lange sind Sie schon hier?«

»Aber, Roger!«

»Trat er mit dir zusammen in die Halle?«

»Roger! Er ist mein Gast!«

»Aber nicht meiner!« Kelso wandte sich erneut Gobindram Mitra zu und fragte barsch: »Wie lange stehen Sie schon hier? Wieviel haben Sie mitgehört?«

Gobindram Mitra hob beruhigend die Hand. »Befassen Sie sich nicht mit mir, Kommodore. Meinen Sie, es sei wichtig, was ich gehört habe und was nicht? Ich kenne so viele Geheimnisse, daß ich bestimmt schon vor Jahren meine Stellung bei der Kompanie verloren hätte, wenn auch nur der geringste Zweifel an meiner Verschwiegenheit bestünde. Tatsächlich habe ich nichts weiter gehört, als daß Sie Mohammed Khan vernichten werden, und als einer, der unter seinen Raubzügen gelitten hat, gratuliere ich Ihnen.«

»*Sie* haben gelitten?«

»O ja! Denken Sie nur nicht, daß Mohammed Khans Leute mich nicht belästigt hätten, weil ich oft außerhalb von Kalkutta reise und trotzdem noch am Leben bin.«

»Die Dacoits haben Sie angegriffen, und Sie konnten flüchten?«

»Nicht mich persönlich. Ich glaube, Sie sollten sich daran erinnern, daß ich in Bengalen eine gewisse Position habe. Selbst Mohammed Khan weiß, daß ich nicht ohne Macht bin.«

»Mohammed Khan würde sich einen Dreck darum scheren.«

»Meinen Sie?« Zum erstenmal erschien etwas wie Verdruß auf Mitras Gesicht und störte das milde Lächeln, das er bisher zur Schau getragen hatte. Im nächsten Augenblick war es jedoch wieder da. »Immerhin hat er mich bisher noch nicht angegriffen, obwohl er dazu Gelegenheit hatte. Vielleicht ist mein Ansehen bei der indischen Bevölkerung doch höher, als Sie annehmen.«

»Vielleicht.«

»Es waren meine Leute, die überfallen wurden, meine Steuereinnehmer, meine Agenten. Ich habe schon viel Geld durch die Dacoits verloren.«

»*Ihr* Geld?«

Gobindram Mitra nickte. »Einiges davon gehörte mir. Ich bin kein armer Mann, und in meiner Position kann ich mir auch ehrliche Geschäfte leisten.«

»Und wieviel von dem gestohlenen Geld gehörte *nicht* Ihnen? Wieviel gehörte der Kompanie?«

»Eine Menge, das gebe ich zu. Die Kompanie hatte ihre Verluste – und meine Freunde auch.«

»Welche Freunde?«

»Bankiers, Grundbesitzer, Monopolpächter. Alle, die meine Dienste in Anspruch nehmen.«

Kelso schüttelte den Kopf. »Man braucht einen langen Löffel, um mit Ihnen zu essen, Mitra.«

Die Lippen des Black Zemindar kräuselten sich. »Ich fasse das als Kompliment auf, Kommodore, obwohl ich weiß, daß es nicht so gemeint war. Eines Tages werden Sie hoffentlich meinen wirklichen Wert erkennen. Ich habe viel für die Engländer getan und werde noch mehr tun. Ich könnte auch Ihnen helfen.«

»Ich brauche Ihre Hilfe nicht.«

»Auch nicht gegen die Dacoits?«

Einen Augenblick war Kelso versucht, einzuwilligen. Wie Gobindram Mitra dastand, in seiner Brokatjacke, die imponierende Figur durch den Turban noch vergrößert, wirkte er wirklich beeindruckend. Sein ungeheurer Körper wies unter der Kleidung offensichtlich mehr Muskeln als Fettpolster auf. Die Breite seiner Schultern, die kräftigen Handgelenke zeugten von Stärke, die festen Kinnbacken von Energie.

Dann aber schüttelte Kelso den Kopf. »Ich komme allein mit den Dacoits zurecht.«

»Ich hoffe es, Kommodore, ich hoffe es aufrichtig, denn Sie werden feststellen, daß es grausame Gegner sind.«

Ein indischer Diener stand an der Tür bereit, um sie auf ein Zeichen von Susan zu öffnen. Ein leckerer Duft von gut gewürzten Speisen wehte von der Küche herauf.

Gobindram Mitra wandte sich zum Gehen. »Tut mir leid, Kommodore, daß Sie meine Hilfe nicht annehmen wollen, und ich bedaure noch mehr, daß Sie mich unterschätzen.«

»Das werde ich nie tun.«

»Oh, aber genau das tun Sie, Kommodore – bei allem Respekt«, sagte er ernst. »Sie sehen mich nur als den Black Zemindar, den Inder, der durch seine Gier und Verschlagenheit da noch etwas herausholt, wo andere seiner Art längst versagt haben. Sie sehen in mir den Unterdrücker, den Eingeborenen, der sich nicht scheut, die Wucherzinsen von seinen Landsleuten auch dort noch einzutreiben, wo seine weißen Auftraggeber zu fein sind, um es selbst zu tun. Sie sehen in mir den cleveren Inder, der nur knapp innerhalb der Legalität bleibt.« Er machte eine Pause in der Hoffnung auf eine Antwort.

»Na und?« fragte Kelso barsch. »Stimmt das etwa nicht?«

Traurig schüttelte Gobindram Mitra den Kopf. »Nein. Aber wenn Sie es sagen?« Er ging zur Tür, blieb noch einmal kurz stehen und wandte sich um. »Jeder Mensch hat einen Traum, Kommodore, geben Sie mir nicht recht? Gleichgültig, welches seine Stellung im Leben ist, bleibt doch immer etwas, irgendein Wunsch, unerfüllbar.«

Als Kelso nicht antwortete, fuhr er fort: »Mein Wunschtraum ist, daß ich eines Tages von Ihnen akzeptiert werde, daß die Engländer erkennen: Gobindram Mitra ist mehr als ein Steuereintreiber, mehr als der Inder, der die letzten, versteckten Pice* aus seinen armen Landsleuten herausquetscht. Mein Traum ist, daß

* kleinste indische Kupfermünze, ein Viertel Anna (d. Ü.)

die Engländer eines Tages begreifen, was ich für sie getan habe.«

Noch immer antwortete Kelso nicht, und Susan, die zwischen ihnen stand und Gobindram Mitra ansah, während sie auf ein Wort ihres Mannes wartete, schien sehr verärgert zu sein.

»Am allermeisten, Kommodore, träume ich davon, daß eines Tages selbst Sie, der einzige völlig ehrenhafte Mann, den ich je getroffen habe, mich akzeptieren, mich in sein Haus einladen, mich vielleicht sogar als Freund betrachten würden.«

Die Hand zum Gruß erhoben, stieg er vorsichtig die Stufen hinunter. »Goodbye, Kommodore, goodbye, Lady Susan. Vergessen Sie Ihren Gast nicht.«

Kelso merkte zu seinem Ärger, daß er rot wurde, und noch mehr ärgerte er sich über Susans vorwurfsvollen Blick.

»Gast? Was meint er damit?«

»Henry Vansittart ist hier.«

Der Gouverneur saß behaglich im Salon, ein Glas Madeira in der Hand, die Flasche neben sich. Seine Kleidung war sorgfältig wie immer, wenn auch mit einem Stich ins Stutzerhafte, und seine Schuhe zeigten trotz des Straßenstaubes keinerlei Flecken. Zweifellos hatte er sie bei seinem Eintreffen durch einen Diener putzen lassen. Er wirkte entspannt und schien Kelsos Ärger in vollen Zügen zu genießen.

»Tut mir leid, daß ich Sie warten ließ«, sagte Kelso. »Ich hatte keine Ahnung, daß Sie hier sind.«

»Macht nichts. Was ich zu sagen habe, kann warten. Ich nehme an, Sie sind inzwischen den Black Zemindar losgeworden?«

»Er ist gegangen.«

Der Gouverneur streckte die Beine aus. »Wissen Sie, Kelso, für einen Mann in Ihrer Position haben Sie seltsame Freunde.«

»Das ist meine Sache. Wenn Sie glauben, Grund zur Klage über meine Pflichterfüllung zu haben – ich kann für meine Freunde einstehen.«

Der Gouverneur antwortete mit einem Achselzucken.

»Außerdem«, sagte Susan, »ist Gobindram Mitra nicht Rogers Freund, sondern meiner.«

»Wirklich?« Vansittart hob sein Monokel und musterte sie. »Dann ist Stuarts Geschichte möglicherweise wahr?«

»Welche Geschichte?« fragte Kelso.

»Vielleicht fragen wir besser Ihre Frau?«

»Es ist weiter nichts«, erwiderte Susan rasch. »Ich habe bei Serampore Land gekauft, wie ich dir schon sagte. Unglücklicherweise liegt es in der Nähe von Stuarts Salzlagern. Jetzt beklagt er sich darüber.«

»Warum?«

»Er bildet sich ein, ich störe ihn bei der Arbeit.«

»Was natürlich nicht zutrifft«, sagte der Gouverneur sarkastisch. »Wenn er deswegen nachher zu mir kommt, kann ich ihn also beruhigen?«

»Am besten wäre es, Sie ließen mich mit Alec Stuart verhandeln. Er hat mit seinem Salzmonopol so leicht und so viel Geld verdient, daß er sich kaum beklagen kann, wenn jetzt jemand mit etwas mehr Geschäftssinn eingreift.«

Der Gouverneur musterte sie voller Bewunderung, dann schüttelte er den Kopf. »Sie sind eine erstaunliche Frau, Susan. Ich habe noch nie eine Frau wie Sie getroffen. Erinnern Sie sich, daß Sie bei Ihrer Hochzeit sagten, innerhalb eines Jahres wollten Sie die reichste Frau Kalkuttas werden? Langsam fange ich an zu glauben, daß diese Worte nicht scherzhaft gemeint waren.«

»Das waren sie auch nicht.«

Ärgerlich sagte Kelso: »Würdest du mir bitte erklären, was es damit für eine Bewandtnis hat? Wie kannst du in das Salzmonopol eingreifen? Es gehört Stuart, zumindest ist es an ihn verpachtet worden. Er hat also legalen Anspruch darauf.«

»Salz herzustellen und es zu verkaufen, ja. Die Frage ist nur«, sagte Vansittart grinsend, »wie will er es verkaufen, wenn er es nicht auf den Markt bringen kann?«

Endlich begriff Kelso. »Sie meinen, daß Susans Land vor den Salzfeldern liegt?«

»Es umschließt sie«, sagte der Gouverneur, »und zwar lückenlos. Wenn Stuart sein Salz abtransportieren will, kann er das nur mit Genehmigung Ihrer Frau.«

Kelso zwang sich zur Ruhe. Trotz des Gouverneurs spöttischem Lächeln und Susans trotzigem Blick blieb sein Gesicht ausdruckslos. Die Temperatur im Raum stieg, obwohl die Sonne erst nachmittags diese Seite des Hauses beschien. Eine Fliege kroch um den Rand von Vansittarts Glas, eine andere hatte sich auf seine Perücke gesetzt. Plötzlich, wie auf ein unsichtbares Kommando hin, begannen die Punkahs zu arbeiten. In einem anderen Teil des Hauses stritten sich der Koch und der Kitmutgar*.

* der oberste Diener

»Roger hat wichtigere Dinge mit Ihnen zu besprechen als Salzmonopole«, sagte Susan schließlich. »Mit Ihrer Erlaubnis werde ich mich jetzt zurückziehen und Sie beide allein lassen.« Rasch und entschlossen entfernte sie sich, als fürchte sie, Kelso wolle sie zurückhalten; aber der schien ihr Gehen gar nicht zu bemerken.

»Ja, Kelso«, sagte der Gouverneur, als sie allein waren. »Sie haben eine bemerkenswerte Frau geheiratet.«

»Ich plane einen weiteren Angriff auf die Dacoits.«

Überrascht sah ihn der Gouverneur an. Ihm schien, als habe Kelso bei der Diskussion eben nur mit halbem Ohr zugehört, als sei er auch bei seinen Antworten in Gedanken ganz woanders gewesen.

»Der Gefangene, den Sie gestern sahen, hat eingewilligt, uns zu führen. Es ist unser Glück, daß er Mohammed Khan haßt.«

»Können Sie ihm trauen?«

»Das hat mich auch Susan eben gefragt. Nach meiner heutigen Unterhaltung mit ihm glaube ich, daß wir ihm trauen können.«

»Wann wollen Sie auslaufen?«

»Sobald er sich genügend erholt hat. In ein paar Tagen, einer Woche vielleicht. Wir können nicht länger warten.«

»Welche Streitkräfte wollen Sie mitnehmen?«

»Die *Calcutta*, wie vorher, und die Mörserboote. Die können uns in den Sümpfen von Nutzen sein. Auch ein Zug von Caillauds Leuten wäre uns eine gute Hilfe.«

»Das leite ich alles in die Wege«, sagte der Gouverneur. »Ich bewundere Ihre Entschlossenheit, Kelso. Sie werden nicht eher ruhen, bis Mohammed Khan tot ist.«

»Meinen Sie nicht, daß ich recht habe?«

»Natürlich haben Sie recht. Die Dacoits müssen vernichtet werden. Aber bei Ihnen scheint der Haß tiefer zu sitzen, er ist irgendwie persönlicher.«

Kelso blickte ihn finster an. »Sie vergessen, daß ich allen Grund habe, ihn zu hassen.«

Der Gouverneur lachte. »Natürlich, ich hatte es wirklich ganz vergessen. Es war ja Mohammed Khan, der Ihnen die Flitterwochen verdorben hat.«

Ein indischer Diener öffnete die Tür, sah sich um, als suche er die Herrin, und zog sich dann wieder zurück. Draußen auf dem Rasen bellte ein Hund. Die Stimme eines Inders stieg und fiel in unmelodischem Singsang. Ein Papagei kreischte in der Zeder vorm Haus.

»Ich möchte, daß der Gefangene verlegt wird«, sagte Kelso.

»Ins Hospital, meinen Sie? Wir wollen doch nicht übertreiben.«

»Ins Wachlokal des Forts. Er ist dort sicherer.«

»Sie glauben wirklich, daß ihn jemand ausschalten will?«

»Er ist der einzige, der uns zum Versteck der Piraten führen kann.«

»Ja, aber weiß denn jemand davon? Ich nehme doch an, daß Sie es niemandem – außer Susan – erzählt haben?«

»Da bin ich mir nicht sicher. Draußen in der Halle ... Ich wußte nicht, daß er hier war.«

»Wer?«

»Gobindram Mitra.«

Der Gouverneur runzelte die Stirn. »Das war unvorsichtig von Ihnen. Sie kennen meinen Spruch: Traue niemals einem Eingeborenen. Aber Mitra ist in Ordnung. Er hat zu viele Eisen in zu vielen Feuern, um seine Stellung aufs Spiel zu setzen.«

»Hoffentlich haben Sie recht.«

»Wann wollen Sie den Mann verlegen lassen?«

»So bald wie möglich.«

»Ich gebe den Befehl, wenn ich in mein Büro zurückkomme.«

»Er ist ein kranker Mann«, erinnerte Kelso, »und sollte anständig behandelt werden.«

Der Gouverneur nickte. »Es scheint mir ungewöhnlich, so viel für einen Piraten zu tun, aber ich glaube, Sie haben recht.«

»Ich weiß, daß ich recht habe.«

Kelso trat mit Vansittart hinaus in die Halle. Auf den Stufen des Wasserreservoirs wimmelte es jetzt von Dienstpersonal, Wasserträgern und armen Indern; alles plauderte, rief oder lachte. Die Szene wurde noch hektischer durch die Hunde, die bellend um die Beine der Leute rannten, und durch die Kutschen, die alle Augenblicke vorbeifuhren, ohne auf Kinder, Hunde oder Alte in der Gosse Rücksicht zu nehmen.

»Ich begreife nicht, wie Sie diesen Lärm aushalten«, sagte der Gouverneur. »Es ist jetzt modern, draußen in Chowringhee zu wohnen.«

»Mir gefällt es hier.«

»Ich wüßte nicht, warum.«

»Nach Sonnenuntergang ist es friedlich und ruhig. Vor allem kann ich den Fluß sehen.«

Der Gouverneur ging die Stufen hinunter und stieg in seinen Wagen. »Seien Sie nicht zu streng mit Susan«, sagte er. »Viele Leute haben ohne große Anstrengung ein Vermögen verdient. Sie wenigstens arbeitet hart dafür.«

»Vergessen Sie nicht, den Gefangenen verlegen zu lassen.«

Der Gouverneur war im Begriff, seinem Kutscher das Zeichen zur Abfahrt zu geben, als ein rennender Eingeborener um die Straßenecke bog. Sein Turban war aufgegangen und hing über die Schulter. Er rang nach Atem.

»Sahib!«

Er taumelte vorwärts und brach vor Kelsos Füßen zusammen.

»Was ist los?« Kelso kniete neben ihm nieder. »Was ist passiert?«

Als er ihm ins Gesicht sah, erkannte er den Gefangenenwärter, der ihm am Morgen die Tür geöffnet hatte.

»Was ist passiert?«

»Der gefangene Dacoit, Sahib – er ist tot.«

19

Kelso wäre die Straße hinuntergerannt, wenn ihn der Gouverneur nicht zurückgehalten hätte.

»Steigen Sie ein, dann können wir in ein paar Minuten dort sein.«

Selbst der Gouverneur schien es eilig zu haben, denn als Kelso zögerte, wandte er sich an den Kutscher und befahl: »Ins Chowringhee-Gefängnis, aber schnell.« Kelso kletterte auf den Sitz neben ihm.

Anstatt den Versuch zu machen, auf der überfüllten Straße zu wenden, fuhr der Kutscher den etwas weiteren Weg rund um den Platz. Steif auf der Kante der Bank sitzend, verriet Kelso nichts von seiner Ungeduld, seinem Ärger und seiner tiefen Enttäuschung. Wenn die Nachricht stimmte – und er konnte kaum annehmen, daß der Wärter sich irrte –, war seine Hoffnung auf einen raschen und entscheidenden Sieg über die Dacoits vernichtet. Mohammed Khan konnte dann weiterhin sicher in seinen Sümpfen hausen, konnte fortfahren zu plündern und ein Gebiet zu terrorisieren, das, wenigstens dem Namen nach, unter britischer Herrschaft stand. Man würde das Gesetz der Engländer mißachtet sehen, und das gerade in einer kritischen, entscheidenden Zeit, drei Jahre nach dem Sieg bei Plassey. Die Ostindische Handelskompanie mußte der Verachtung anheimfallen.

»Schneller!« Der Gouverneur ließ seine Ungeduld durchblicken.

»Aber, Sahib . . .« Der Kutscher zeigte verzweifelt auf das Gedränge von Bettlern, Bediensteten und armen Indern, das ihm den Weg versperrte.

»Fahr hindurch, zum Teufel! Nimm die Peitsche!«

Der Kutscher, der seinen Herrn mehr fürchtete als den Mob, gehorchte. Die Peitsche knallte, die Pferde stiegen hoch, und wie durch ein Wunder war der Weg plötzlich frei.

Sie fuhren den Zall-Basar hinunter und bogen in die Chowringhee Road ein.

Eine kleine Menschenmenge hatte sich vor dem Gefängnis versammelt.

»Macht Platz!« rief Kelso und bahnte sich mit Schultern, Fäusten und Füßen den Weg zum Gefängnistor. Ein verängstigter Posten trat ihm auf den Stufen entgegen.

»Hier entlang, Sahib.«

Der Mann schien erleichtert, die Verantwortung abladen zu können. Mit vorgehaltenem Gewehr lief er voraus, führte sie durch die Korridore und dann die Stufen hinunter zu den unterirdischen Zellen.

Es herrschte völlige Stille. Kelso bemerkte den Unterschied zu seinen früheren Besuchen. Die Zellentür stand offen.

Zwei Tote lagen auf dem Boden. Der eine, knapp innerhalb der Türöffnung, die Arme im Todeskampf ausgebreitet, war Ramdullah. Der andere, auf dem Strohhaufen, fast genau in der gleichen Position, wie Kelso ihn vor zwei Stunden verlassen hatte, war der Dacoit.

Er lag wie in Ruhestellung auf der Seite. Das geschiente Bein mit dem Verband hob sich weiß von dem schmutzigen Stroh ab. Nur die verkrampften Finger deuteten auf den Todeskampf hin. In der Brust klaffte eine tiefe Stichwunde.

»Tot?« Der Gouverneur war Kelso in die Zelle gefolgt. Überrascht blickte er auf den Leichnam des Oberaufsehers nieder. »Das war also nicht Ramdullahs Werk.«

»Nein. Er wußte, was ihm blühte, wenn dem Gefangenen ein Leid geschehen würde.«

»Was hat sich dann abgespielt? Er hat sich doch wohl nicht selbst umgebracht?«

»Nein. Ob Sie es glauben oder nicht, er starb bei dem Versuch, den Gefangenen zu verteidigen.«

Einen Augenblick war Kelso wie vernichtet. Noch vor einer halben Stunde hatte er den deutlichen Erfolg vor Augen gehabt; Ibrahim, der gefangene Dacoit, war seine Trumpfkarte gewesen. Jetzt hatte man sie ihm aus der Hand geschlagen.

»Wenn nicht Ramdullah, wer dann?« fragte der Gouverneur.

»Wir müssen es herausfinden.«

»Nur ein einziger kann es getan haben. Nur einer wußte davon.«

»Gobindram Mitra?«

»Wer sonst?«

Zweifelnd sah ihn der Gouverneur an. »Sie könnten recht haben.«

»Ich weiß, daß ich recht habe.«

»Aber bei allem Respekt, Kelso: Dies ist nicht die Art von Mitra.«

»Warum nicht?«

»Er ist zu schlau, zu gerissen, um sich eine derartige Blöße zu geben. Überlegen Sie doch: Er hört, wie Sie Susan erzählen, daß der gefangene Dacoit Ihnen helfen will, das Versteck zu finden. Innerhalb der nächsten Stunde ist der Gefangene tot.«

»Na und?«

»Wenn Ihre Vermutung zuträfe, wäre Gobindram Mitra ein Narr – und das möchte ich bezweifeln.«

»Er hat eben in Panik gehandelt.«

»Sah es nach Panik aus, als er ging?«

Kelso erinnerte sich an Mitras Abschied, den Ausdruck der Freundschaft, seine Trauer über die Zurückweisung, das langsame Hinabsteigen der Stufen. Er schüttelte den Kopf. »Nein; aber ich bin trotzdem überzeugt, daß er es war.«

»Wir werden ihn natürlich verhören«, sagte der Gouverneur, »aber diskret. Ob es uns gefällt oder nicht, der Black Zemindar hat eine nicht zu unterschätzende Position in Kalkutta. Wir wären schön blamiert, wenn wir jemanden seines Ranges anklagten und sich dann herausstellte, daß wir unrecht hatten.«

»Er *muß* es gewesen sein!«

»Das werden wir herausfinden.«

Sie vernahmen die anderen Gefängniswärter; doch waren alle so verängstigt, daß sie nur unzusammenhängende Worte von sich geben konnten. Kein einziger wollte etwas gesehen haben. Der

Schreiber gab zu, daß er nicht in seinem Dienstzimmer war, der Posten hatte seinen Platz verlassen, um einem dringenden Bedürfnis nachzukommen. Jeder hätte das Gefängnis ungestört betreten können.

»Aber die Zellentür stand offen«, beharrte Kelso. »Wer hat sie geöffnet? Das konnte nur Ramdullah gewesen sein.«

»Sieht so aus.«

»Warum sollte er die Tür öffnen?«

»Um den Gefangenen zu versorgen?«

»Das glaube ich kaum. Er wollte ihn zwar nicht sterben lassen, aber ich bezweifle, daß er ihm besondere Fürsorge zukommen lassen wollte.«

»Dann hat er sie für den Mörder geöffnet.«

Kelso nickte. »Das ist einleuchtend. Aber es bedeutet, daß Ramdullah den Mörder kannte.«

Zögernd stimmte Vansittart zu. »Somit wären wir wieder bei Gobindram Mitra.« Es war bemerkenswert, wie die Krise den Gouverneur verändert hatte. Verschwunden war sein geckenhaftes Wesen, sein affiger Akzent. So, dachte Kelso, müssen ihn die Herren des Direktoriums erlebt haben, als sie ihn zum Gouverneur ernannten.

Nachdem der erste Zorn und die erste Enttäuschung verraucht waren, brauchte Kelso Zeit zum Nachdenken. Je mehr er sich die ganze Sache überlegte, desto überzeugter wurde er, daß Vansittarts erste Reaktion berechtigt war. Hätte der Black Zemindar wirklich so überstürzt gehandelt, wenn der Verdacht zuerst auf ihn fallen mußte? Wenn er wollte, daß der Gefangene umgebracht wurde, wäre er dann nicht umsichtiger zu Werke gegangen? Andererseits konnte er nicht wissen, wieweit der Dacoit imstande oder auch willens war zu helfen. Außerdem bestand durchaus die Möglichkeit, daß er bereits eine Kartenskizze angefertigt hatte.

Ein plötzlicher Gedanke durchfuhr Kelso.

»Augenblick!« Er ging zu den Zellen zurück. Die Leichen waren bereits entfernt worden – in diesem Klima war die rasche Beseitigung der Toten eine zwingende Notwendigkeit –, und bis auf die beiden Blutlachen im Staub sah die Zelle so aus wie vorher.

Kelso trat zu dem Strohhaufen, auf dem der Gefangene gelegen hatte. Das blutgetränkte Stroh war über und über mit Fliegen bedeckt.

Er kniete nieder und untersuchte den Boden.

Im Staub, zum Glück außerhalb der Blutlache, entdeckte er ein paar Striche. Sie waren so unbestimmt, daß man sie auch für den Abdruck einer Schüssel oder eines Fußes halten konnte. Für Kelso aber bedeuteten sie eine Nachricht.

Ein umgekehrtes U stellte das Ostufer des Salzsees dar. Da war sogar ein Fleck, der die Sümpfe bezeichnete. Dann sah er andere Linien, die vom See durch die Sümpfe führten: ein Dreizack, dessen mittlere, östlichste Zinke gezackt war. An ihrem Ende, nahe dem Seeufer, waren zwei ovale Linien eingezeichnet, die offensichtlich Boote darstellten.

Der Gefangene hatte sein Versprechen gehalten.

Kelso wischte Staub darüber, löschte mit dem Fuß die letzten Linien und stieg wieder nach oben.

»Etwas gefunden?«

Kelso schüttelte den Kopf. »Schicken Sie jemanden nach Mitra?«

Der Gouverneur schien überrascht. »Natürlich. Nur dachte ich, daß Sie, der ja so versessen darauf ist . . .«

»Er wird nichts zugeben«, sagte Kelso. »Das ist selbstverständlich. Auch werden Sie keine Beweise finden. Vor einer Stunde erst sagte ich, daß man einen langen Löffel braucht, um mit Gobindram Mitra zu speisen. Die Ereignisse haben mir recht gegeben.«

Der Gouverneur folgte Kelso nach draußen in den Sonnenschein. Die Menschenansammlung, die ihren Eintritt so erschwert hatte, war inzwischen zerstreut worden. »Kann ich Sie nach Hause bringen?« fragte der Gouverneur.

»Nein, danke.«

»Möchten Sie dabeisein, wenn wir Mitra vernehmen?«

»Es wäre doch nur Zeitverschwendung. Gobindram Mitra war bestimmt weit entfernt, als die Morde begangen wurden, und er wird Zeugen beibringen, die sein Alibi bestätigen. Ich habe zuviel zu tun.«

»Nanu? Was können Sie denn anderes tun als warten?«

Kelso schob das Kinn vor. »Ich kann zum Beispiel eine Strafexpedition vorbereiten. Mit oder ohne unseren Gefangenen werde ich Mohammed Khan jetzt vernichten.«

Er ging zunächst nach Hause. Susan war im Salon, als er vorbeieilte, aber er blieb nicht stehen, sondern rannte nach oben, wobei er zwei Stufen auf einmal nahm. Im Schlafzimmer warf er die Kleider ab und stieg unter die Dusche.

»Liebling!«

Nur ein gereiztes Stirnrunzeln ließ erkennen, daß er sie gehört hatte.

»Was ist denn los? Wieso diese Aufregung?« fragte sie.

»Weißt du das nicht?« Er konnte wegen der Dusche ihre Antwort nicht hören. »Ramdullah, der Gefangenenwärter, ist ermordet worden«, sagte er.

Dann machte er eine Pause und drehte den Wasserhahn zu, um ihre Antwort zu hören. »Was hast du gesagt?«

»Ich sagte, wie schrecklich!«

»Oh, ich weiß nicht. Er hat genug Leid verursacht, solange er lebte.«

Dann kam er heraus und frottierte sich. »Jetzt muß ich zum Fluß hinunter.« Sein Kopf verschwand in einem frischen Hemd, das er sich überstülpte. »Warum? Weil ich hinter Mohammed Khan her bin. Ich dachte, das hätte ich dir gesagt.«

»Ja, aber das war, als der Gefangene . . .« Sie zögerte.

»Ja?« Er steckte die Hände in die Hemdsärmel. »Was ist mit dem Gefangenen?«

»Ich dachte, du wolltest warten, bis er sich erholt hat?«

»Ich habe meine Pläne geändert.«

Unsicher sah sie zu, wie er seine Borduniform anzog und den Säbel umschnallte.

»Wie lange bleibst du weg?«

»Nicht lange.« Er lächelte und küßte sie flüchtig auf die Wange. »Diesmal werde ich es schaffen.«

Sie erwiderte sein Lächeln und versuchte, ihn in die Arme zu schließen, aber er war zu ungeduldig. Schließlich sagte sie: »Ich weiß nicht, ob ich dich damit behelligen sollte, aber Reza Ahmed ist weg.«

»Weg? Aber er war doch vor einer Stunde noch hier! Er stand in der Halle, als Gobindram Mitra . . .« Er hielt inne. Reza Ahmed, den *Sirdar**, hatte er ganz vergessen; er mußte ebenfalls gehört haben, was er über den Gefangenen erzählte. »Von wem weißt du, daß er weg ist?«

»Der Koch hat es mir gemeldet. Er sagte, Reza Ahmed sei vor einer Stunde aus dem Haus gestürzt und nicht zurückgekehrt.«

»Hat er das schon früher gemacht?«

»Nie. Er war immer ein musterhafter Diener.« Besorgt blickte sie ihn an. »Ist das wichtig?«

»Könnte sein«, sagte er. »Ich habe es dir noch nicht erzählt,

---

* Leibdiener

aber du solltest es meiner Meinung nach schon gehört haben: Ramdullah war nicht der einzige, auch der gefangene Dacoit ist ermordet worden.«

»Der Gefangene!« Erstaunt sah sie ihn an. »Aber warum?«

»Vermutlich, weil er uns zu Mohammed Khan führen wollte.«

»Aber . . .« Sie verstand immer noch nicht. »Wer wußte denn, daß er dir helfen wollte? Ich dachte, du kamst direkt aus dem Gefängnis nach Hause?«

»Ja, das stimmt.«

»Dann . . .«

»Niemand wußte davon – niemand konnte es wissen –, außer Gobindram Mitra, dir, dem Gouverneur und Reza Ahmed.«

»Dann solltest du Reza Ahmed verhaften lassen.«

Vorsichtig fragte er: »Wieso bist du so sicher, daß er der Schuldige ist?«

»Das ist doch ganz klar. Bestimmt war es weder der Gouverneur noch ich. Und Gobindram Mitra auch nicht.«

»Woher willst du das wissen?«

»Woher?« Sie beschattete ihre Augen vor dem hereinflutenden Sonnenlicht. »Weil ich vorhin wegging, um ihn zu suchen. Ich mußte noch etwas Geschäftliches mit ihm besprechen. Er war aber nicht in seinem Büro. Es hieß, er sei zur Fähre gegangen. Ich folgte ihm zum Fluß und sah gerade noch, wie die Fähre mit ihm an Bord ablegte.«

20

Sie liefen noch vor der Morgendämmerung aus und hatten bei Hellwerden die Bucht bereits hinter sich gelassen. Im Sumpfgürtel herrschte eine geisterhafte Stille. Störche standen Posten vor dem Schilf, aus den Binsen äugten wachsame Wasserratten. Im nackten Geäst eines toten Baumes hockte ein Geier. Selbst die Ochsenfrösche hatten ihr Quaken eingestellt, als warteten sie wie alle Lebewesen auf das Hellwerden.

Es begann wie immer mit einem wahren Farbenrausch, einem geradezu königlichen Leuchten und Glühen im Osten, nach wenigen Minuten gefolgt von glitzernden Sonnenstrahlen. Mit diesen kam auch der Frühdunst, und Lebrun schickte die Lotgasten auf ihre Position in den Ketten. Er war so klug gewesen, während der letzten Fahrt Karten mit den Wassertiefen anfertigen zu lassen, so daß sich jetzt die Spannung nicht in gleichem Maße aufbaute, obgleich die *Calcutta* unter vollen Segeln fuhr.

Kelso stand wie üblich an der Luvreling des Achterdecks, fühlte die frische Brise und die Sonne auf seinem Gesicht und war so glücklich wie seit langem nicht mehr. Dies hatte er vermißt, Sonne, Wind und die Bewegungen des Decks unter den Füßen. Sobald Fenton zurückkehrte, wollte er einen Grund finden, um mit seinem eigenen Schiff, der *Protector*, wieder in See zu gehen.

»Sir!«

Eins der Mörserboote, die *Flora*, die ihnen im Abstand einer Kabellänge folgte, war auf eine Schlammbank gelaufen und bekam gefährliche Schlagseite. Beddow, der Bootsführer, mußte sich rasch entscheiden, ob er die Segel stehen und es darauf ankommen lassen wollte, von selbst freizudriften, oder ob er die Segel wegnehmen und versuchen sollte zu warpen*. Eine weitere Kabellänge dahinter folgte das zweite Mörserboot, die *Blackwall*.

»Sollen wir warten, Sir?« fragte Lebrun.

»Nein. Beddow muß selbst sehen, wie er klarkommt.«

Kelso war wütend. Mit Seekarten ausgestattet und hinter einem größeren Schiff herfahrend, hätte die *Flora* niemals so weit vom Kurs abkommen dürfen, daß ihr so etwas passierte. Beddow, ein Mann mittleren Alters, war wohl schon zu lange in Indien, und sein Beurteilungsvermögen oder zumindest seine Konzentrationsfähigkeit hatten bereits gelitten.

»Was, in drei Teufels Namen . . .!« Beddow hatte sich offenbar entschlossen zu warpen, da er wohl einsah, daß seine *Flora* zu fest saß. Also ließ er ein Boot aussetzen, um den Warpanker auszufahren, was ein stundenlanges Manöver bedeutete. Dabei hatte er aber anscheinend vergessen, die Segel wegnehmen zu lassen.

»Er wird kentern, wenn er nicht aufpaßt!«

»Soll ich ihm signalisieren lassen, Sir?«

»Nein. Er scheint es gemerkt zu haben.« Wütend schlug Kelso mit der Faust auf die Reling. »Sein Glück, daß diese Boote so breit sind!«

Die beiden Mörserboote waren ziemlich neu in der Marine, hatten aber bereits ihre Brauchbarkeit bewiesen. In dem sumpfigen, mit Inseln übersäten Mündungsgebiet des Ganges und noch viel mehr in dem flachen See waren Schiffe mit weniger als neun

---

* durch Ausfahren eines Ankers und Einholen der Ankerkette ein Schiff fortbewegen

Fuß Tiefgang von unschätzbarem Wert. Bis vor kurzem war ihre Verwendbarkeit infolge der geringen Feuerkraft allerdings noch sehr eingeschränkt gewesen. Acht Zwölfpfünder, auf einem einzigen Deck montiert, waren für die Breitseiten eines Kriegsschiffs keine ernstzunehmenden Gegner. Es bedurfte erst der Genialität eines pensionierten Artillerieoffiziers in Greenwich, um zu beweisen, daß diese ketschgetakelten* Fahrzeuge mittschiffs zwei Mörser tragen konnten, wenn man ihren Kiel mit Teak- oder Eichenholz entsprechend verstärkte. Damit besaßen sie eine Feuerkraft, die selbst den größten Linienschiffen gefährlich werden konnte. Anstatt ihre Kugeln direkt ins Ziel zu feuern, schossen sie Lobs, das heißt, sie jagten ihre gewaltigen Mörserladungen in hohem Bogen in die Luft, so daß sie dann wie Bomben senkrecht von oben ins Ziel stürzten. Bei einer gut ausgebildeten Besatzung und mit etwas Glück war die Trefferwirkung verheerend.

»Er hat sich entschlossen, zu warpen, Sir.«

Kelso grunzte. Je länger die Verzögerung, desto weniger Tageslicht stand ihnen nachher zur Verfügung, um die Dacoits in ihrem Schlupfwinkel auszuräuchern.

»Sie scheint freizukommen, Sir. Gleich schafft sie es. Jetzt ist sie frei!«

Kelso verschränkte die Hände auf dem Rücken und machte ein finsteres Gesicht. »Geben Sie hinüber: ›Besser Position halten!‹«

Den ganzen Morgen über segelten sie nach Osten, und gegen Mittag sichteten sie das Ende des Sees. Durch das Glas sah Kelso Flamingos und Störche zwischen den gelben Sumpfdotterblumen auf der Suche nach Futter einherstolzieren. Der Mast eines Wracks ragte aus dem Wasser, und von Zeit zu Zeit passierten sie Schiffstrümmer und halbverweste Leichen. Vom lebenden Feind war jedoch nichts zu sehen.

»Kapitän Lebrun!«

»Sir?«

»Lassen Sie Signal setzen: ›Klar Schiff zum Gefecht!‹«

»Aye, aye, Sir.«

»Dann schicken Sie die Freiwache zum Essen.«

Kelso richtete sich auf eine lange Wartezeit ein. Die Dacoits hatten sie bestimmt schon bemerkt. Jetzt kam es darauf an, was sie tun würden. Wenn sie zum offenen Kampf herauskamen, ermu-

---

* Ketsch = Segelfahrzeug mit einem Groß- und einem kleineren Besanmast, der vor dem Ruder steht.

tigt durch die geringe Zahl seiner Streitkräfte – die beiden Mörserboote zählten in dieser Situation kaum –, dann mußte der Ausgang bald feststehen. Wenn sie aber vorzogen zu warten, dann blieb Kelso nichts anderes übrig, als hineinzusegeln und sie zu suchen.

Trotz einer leichten Brise war es glühendheiß an Deck. Die jetzt nur noch eine Viertelmeile entfernten Sümpfe gaben eine starke Ausdünstung von sich, ein Gemisch aus verfaulender Vegetation, verwesenden Leichen, stagnierendem Brackwasser und Schlamm. Libellen flogen im Zickzack über die Wasserfläche zwischen Wildenten, Reihern und rosafarbenen Flamingos.

»Kaffee, Sir – kochendheiß!«

Kelso warf einen angewiderten Blick auf den dampfenden Kaffee und auf die Schüssel unappetitlichen Essens. Er fragte sich, warum Seeleute so gleichgültig gegenüber den Annehmlichkeiten des Lebens waren. Es fiel wirklich schwer, sich unattraktiveres Essen und Trinken vorzustellen als das gebotene, zumal unter der heißen Sonne Bengalens.

»Stellen Sie es auf die Nagelbank.«

»Aye, aye, Sir. Soll ich Ihnen einen Stuhl holen?«

»Nein, danke. Ich stehe lieber.«

Die Hitze flimmerte über den Sümpfen, so daß er ständig blinzeln mußte. Dabei war ihm klar, daß diese Mühe unnötig war, denn schärfere Augen als seine hielten Ausguck. Oben im Vortopp richtete der junge Midshipman Francis, der gescheiteste der Seekadetten, sein Glas auf die unbestimmte Grünfläche aus Sümpfen, Schilf und Binsen mit vereinzelten baumbestandenen Inseln dazwischen, und dem entging bestimmt nichts. Irgendwo in dieser flimmernden Umgebung hielten sich ein Dutzend Grabs und Gallivaten verborgen. Auch Mohammed Khan befand sich wahrscheinlich dort.

»Glauben Sie, daß die Dacoits herauskommen und kämpfen, Sir?« Das war Elliott, der Erste Offizier, mit seiner überflüssigen Fragerei.

Kelso antwortete nicht. Noch sechs Stunden Tageslicht. Wenn er jetzt hineinsegelte, konnte er seine Aufgabe längst vor Einbruch der Dunkelheit beendet haben – oder bei dem Versuch bereits selbst vernichtet worden sein. Andererseits mußte er aber auch an Major Caillauds Zug denken: vierundzwanzig Mann des 39. Infanterieregiments befanden sich unter Deck, klar zum Einsatz. Sobald er die Schiffe der Dacoits verbrannt hatte, würden diese Soldaten vorrücken und den Stützpunkt zerstören. Sechs Stunden Helligkeit brauchte er hierfür mindestens.

»Signal an *Blackwall*: ›Ich komme an Bord.‹«

»Aye, aye, Sir.«

»Kapitän Lebrun!«

»Sir?«

»Die kommen nicht heraus. Ich segle hinein und greife an.«

»Aye, aye, Sir. Sie denken . . .«

»Ich übergebe Ihnen hier das Kommando. Sie wissen, was zu tun ist?«

»Ja, Sir.«

»Wenn ich das verabredete Signal gebe, folgen Sie uns und laufen ein – aber nicht vorher. Ist das klar?«

»Aye, aye, Sir.« Lebrun begleitete ihn zur Pforte und sah zu, wie der Kommodore das Seefallreep hinunterkletterte und in das wartende Dingi stieg. »Viel Erfolg, Sir!«

Interessiert blickte sich Kelso um, als er an Bord der Mörserketsch kam. Er hatte sie zwar im Hafen schon öfter besichtigt, war aber noch nie während eines Kampfeinsatzes an Bord gewesen. Oberleutnant zur See Fox, der Kommandant, war noch jung, aber ein guter Seemann. Kelso vertraute ihm.

»Wir segeln hinein, Sir?«

»Ja, Mr. Fox. Ich nehme an, daß alles gefechtsbereit ist?«

»Alles klar, sobald Sie den Befehl geben, Sir.«

»Gehen Sie also wieder an den Wind.«

Als sich die Segel der *Blackwall* füllten und sie auf die Sümpfe zulief, musterte Kelso die Besatzung und sah sich die für den Angriff getroffenen Vorbereitungen an. Unter der Aufsicht des Artilleriemaaten transportierten vier Mann die gewaltigen Geschosse nach mittschiffs, die von den Mörsern gefeuert werden sollten. Eine andere Gruppe unter der Leitung eines Bootsmannsmaaten scherte eine Stahltrosse durch die Backbordpforte und hakte sie über den Kattdavit. Das war die Spring, die um das Spill genommen und steifgehievt wurde, sobald die Ketsch geankert hatte und klar war zum Feuern.

»Dies hier sieht aus wie eine Fahrrinne, Sir«, rief Fox.

»Nein. Meiner Meinung nach ist die, nach der wir suchen, noch weiter vorn.«

»Backbord! Komm auf! Recht so!«

Sie segelten eine weitere Viertelmeile, und Kelso begann bereits zu fürchten, daß er sich geirrt hatte, als ein Ausguckposten rief:

»Fahrrinne Backbord voraus, Sir!«

»Das muß sie sein.« Er rief zum Ausgucksmann hinauf: »Wie weit reicht sie?«

»Ein gutes Stück, Sir, vielleicht eine Kabellänge. Dann teilt sie sich in kleinere Rinnen.«

»Wie viele können Sie ausmachen?«

»Drei, Sir.«

Kelso nickte befriedigt. »Das sind sie.«

Die *Blackwall* segelte mit frischer Brise drauflos, allerdings hatte sie das Besansegel festgemacht, denn selbst eine so flachbodige Ketsch konnte auf Grund laufen.

»Ein halb über drei!« rief der Lotgast aus den Stampfstockketten.

»Recht so steuern!«

Selbst von Deck aus konnte Kelso jetzt die sich teilenden Fahrrinnen erkennen. Die mittlere führte zu Mohammed Khans Schlupfwinkel, wenn die Zeichnung des Gefangenen stimmte. Kelso beabsichtigte, mit der *Blackwall* den Kanal bis zu seinem Ende zu segeln und die *Flora* in die südliche Rinne zu schicken, wo sie mit etwas Glück eine Position finden würde, von der aus sie ihnen Deckungsfeuer geben konnte.

»Ein halb über drei!«

Die Wassertiefe war also noch ausreichend.

»Bald müßten wir sie eigentlich in Sicht bekommen, Sir.« Aus Fox' Stimme hörte man die Besorgnis heraus. Die *Blackwall* war sein erstes Schiff, und er wollte es nicht gern in den Sümpfen verlieren.

»Sir! Ich glaube, da ist etwas, voraus – zwei Strich an Backbord.«

Kelso schwang sein Glas in die angegebene Richtung, konnte aber außer den Umrissen der Bäume nichts ausmachen.

»Was sehen Sie?«

»Masten, Sir – wenigstens kommt es mir so vor. Vier, fünf, sechs Masten. Sieht wie Eingeborenenschiffe aus, Sir.«

»Welche Entfernung?«

»Viertelmeile, Sir, vielleicht auch weniger.«

Trotz seiner äußerlichen Ruhe verspürte Kelso doch deutliche Erleichterung. Er hatte sich völlig auf das Wohlwollen des Piraten verlassen. Wäre das Ganze eine Falle gewesen oder hätte Kelso die Skizze falsch gedeutet, so wäre jetzt wohl ein Totalverlust der Mörserboote und ihrer Besatzungen unvermeidlich. Die *Calcutta* im tieferen Wasser des Sees konnte ihnen jedenfalls nicht zu Hilfe kommen.

»Dort, Sir! Jetzt sehen Sie es selbst.«

Langsam tauchten sie auf, hinter einer Insel, die sie vorher den Blicken entzogen hatte: Zehn oder ein Dutzend Fahrzeuge mit Lateinersegeln lagen in einer Lagune vor Anker.

»Was werden sie jetzt tun, Sir?«

»Herauskommen und uns angreifen, würde ich sagen – außer wenn ihnen klar ist, daß sie dann der *Calcutta* das Vergnügen bereiten, sie eine nach der anderen zu frühstücken.«

In der Tat schienen die Decoits völlig verwirrt zu sein. Auf einigen Booten wurden Segel gesetzt, andere blieben vor Anker liegen. Schreie und Verwünschungen schallten über das Wasser. Dann hörte man einen scharfen Knall, anscheinend einen Pistolenschuß. Drei der Gallivaten waren ankerauf gegangen, aber nur, um in der engen Hafeneinfahrt miteinander zu kollidieren.

Kelso wandte sich um und stellte fest, daß *Flora* gleichfalls auf Position war.

»Machen Sie weiter, Mr. Fox.«

Der Anker wurde ausgefahren und die Segel wurden festgemacht, fast noch bevor der Kommandant die Befehle dazu gegeben hatte. Vier Mann liefen ans Spill.

Es klickte laut und regelmäßig, langsam wurde das Heck in den Wind gehievt. Fox peilte die Gallivaten ein.

»Noch ein Pall! Stopp!«

Der Oberleutnant salutierte. »Klar zum Feuern, Sir.«

»Dann schießen Sie, sobald Sie ein Ziel haben«, sagte Kelso, »denn ich sehe, die Dacoits sind auf die gleiche Idee gekommen.«

Lediglich zwei Gallivaten feuerten, die beiden, die abseits gelegen hatten und nicht in das allgemeine Durcheinander in der Einfahrt verwickelt waren. Die dritte fuhr mit achterlicher Brise direkt auf die *Blackwall* los.

»Feindliches Fahrzeug nähert sich, Sir«, rief der Bootsmann.

»Macht nichts«, sagte Kelso ruhig. »Gleich ist sie in Reichweite der *Calcutta*.«

Plötzlich war die Hölle los, als die Geschosse der Gallivaten die Ketsch eingabelten. Tatsächlich traf nur ein einziger Schuß, die größte Verwirrung rührte von dem riesigen Vogelschwarm her, der sich kreischend von den Sümpfen erhob.

Fox blieb vollkommen ruhig. Der Bootsmann schüttete Pulver in die ungeheure Mündung des Backbordmörsers, während der

Kommandant die Zündschnur zurechtschnitt. Für ihn schien das Aufblitzen auf den Gallivaten nicht unmittelbar bevorstehende Einschläge zu bedeuten. Kelso hatte den Eindruck, das Boot könnte getroffen, Fox' ganze Besatzung getötet werden, er aber würde fortfahren, sorgfältig die genaue Länge der Zündschnur abzumessen.

»Fertig?«

Das ungeheure Geschoß wurde angehoben und in die Mündung des Mörsers gefiert. Fox nahm den Luntenstock von einem Kanonier entgegen und hielt ihn an die Zündschnur der Granate. Er wartete einen Augenblick, bis sie glimmte, und hielt ihn dann an das Zündloch des Mörsers.

Ungeheures Getöse erfüllte die Luft, und Kelso sah die Granate höher und höher steigen. Schließlich kam sie außer Sicht, aber dann, nach einer schier endlos scheinenden Verzögerung, tauchte sie wieder auf.

Herab fiel sie, schneller und immer schneller. Selbst wenn sie nicht detonieren sollte, war ihre Wucht doch so ungeheuer, daß sie auf jeden Fall ausreichte, eine Gallivate zu versenken.

Aber sie detonierte – sogar ein wenig zu früh, denn sie sahen die Wirkung der Detonation auf mehreren Booten. Es war, als habe ein Mann mit einer Sense über die Decks von Spielzeugschiffen gemäht: Masten, Luken, Verschanzungen, alles wurde über Bord geblasen. Eine Gallivate fing Feuer.

»Gut gemacht!« sagte Kelso. »Noch ein paar solche, wenn es geht.«

»Sir, das Piratenschiff kommt näher. Sollen wir klarmachen zur Abwehr?«

»Noch nicht«, antwortete Kelso. » *Calcutta* ist gleich in Reichweite.«

Die Gallivate war jetzt knapp eine Kabellänge entfernt und infolge des engen Fahrwassers gezwungen, sich frontal zu nähern, wodurch sie nur das leichte Buggeschütz einsetzen konnte. Aber selbst dieses wurde nur mit großen Unterbrechungen abgeschossen, als sei dem Kommandanten klar, daß seine einzige Aussicht auf Erfolg darin bestand, die Ketsch zu entern und die Besatzung mit seinem halben Hundert schreiender Dacoits zu überwältigen und niederzumachen.

»Die *Calcutta* feuert!« rief jemand, und fast im selben Augenblick stiegen an Backbord und Steuerbord der Gallivate Wassersäulen hoch.

Ein dritter Schuß, ein wenig verzögert, krachte in ihre Decksplanken.

»Den zweiten Mörser!« rief Fox, ohne sich im geringsten um die Gallivate zu kümmern.

Wieder brannte er die Zündschnur der Granate an und hielt dann den Luntenstock ans Zündloch. Der zweite Mörser feuerte mit einem ohrenbetäubenden Donnern, das aber beinahe unterging im Krach der jetzt bei ihnen einschlagenden Kugeln. Eine landete in der Back, tötete zwei Mann und verwundete einen dritten schwer. Eine andere durchschlug das Schanzkleid und verfehlte den Mörser samt Bedienungsmannschaft nur um Haaresbreite. Der Besanmast wurde so sauber abgeschlagen wie Gras von einer Sichel.

»Es geht heiß her, Sir«, bemerkte Fox mit fröhlichem Grinsen.

»Mag sein«, stimmte Kelso zu. »Trotzdem bin ich lieber in unseren Schuhen als in den ihrigen.«

»Treffer!« Die Besatzung stieß ein Triumphgeschrei aus, als die zweite Mörsergranate mitten zwischen die dicht beieinander liegenden Grabs und Gallivaten fiel. Ein weiteres Schiff fing Feuer, während die Flammen des ersten noch nicht gelöscht waren.

»Die Gallivate, Sir!« brüllte jemand in Kelsos Ohr.

Erst jetzt, so rasch spielte sich alles ab, sah er, daß die Gallivate, die noch vor einer Minute mit gefährlicher Geschwindigkeit auf sie losgerast war, plötzlich nach Steuerbord ausscherte wie von einer Riesenfaust getroffen und auf einer Schlammbank landete. Sie holte so stark über, daß ihr Mast mitsamt dem Segel in einem Winkel von höchstens zwanzig Grad über den Binsen lag. Einige Leute der Besatzung sprangen bereits ins Wasser.

»*Flora* ist getroffen, Sir!«

Kelso wandte sich um und richtete sein Glas auf die zweite Ketsch, die er völlig vergessen hatte. Sicher mußte sie den Feind gut in Sicht haben. Aber hatte sie überhaupt schon gefeuert?

Es schien, als hätten die Gallivaten Zielwechsel gemacht, vielleicht in der Annahme, die *Blackwall* sei außer Gefecht gesetzt, denn noch während Kelso die *Flora* beobachtete, stiegen Wassersäulen rings um sie hoch, und zumindest ein Treffer riß ein häßliches Loch in ihr Heck.

»Ob sie uns vergessen haben, Sir?« fragte der Bootsmann, bekam aber sofort die Antwort in Form einer unordentlichen Breitseite. Wieder ging der größte Teil der Geschosse harmlos ins

Schilf, nur einer schlug in den Rumpf.

»Nur noch zwei von ihnen feuern, Sir«, bemerkte Fox.

»Denken Sie, daß Sie die beiden erwischen können?«

»Ich will es versuchen.«

Die *Calcutta* pumpte noch immer ihren Geschoßhagel in die eine Gallivate, die sie in Sicht hatte. Diese lag jetzt vollständig auf der Seite, Mast, Segel und die Besatzung waren im Wasser.

Geduldig sah Kelso zu, wie Fox die Vorbereitungen zum Angriff auf die beiden Gallivaten traf, die noch immer feuerten. Leider befanden sie sich auf entgegengesetzten Seiten der Lagune, etwa drei Kabellängen voneinander entfernt, so daß er nur jeweils eine unter Beschuß nehmen konnte.

»An das Spill! Drei Pallen bitte, Mr. Lovelace.«

Klick, klick, klick, machte das Spill, während Fox das Ziel einpeilte.

»Noch eins! Gut so!« Befriedigt nickte Fox. »Sie liegt in der Linie, Sir.«

»Wieviel Pulver, Sir?« schrie der Bootsmann.

»Wir wollen es mit dreiviertelvoll versuchen.«

Während der Bootsmann das Pulver abmaß und in den Backbordmörser schüttete, berechnete Fox die erforderliche Länge der Zündschnur. Es schien endlos zu dauern. Man hörte die fernen Kanonen feuern, und die Besatzung, mit Ausnahme des unerschütterlichen Oberleutnant Fox, hielt den Atem an.

Dann kamen die Aufschläge – einige gingen ins Schilf, einige durch die Takelage, zumindest zwei jedoch trafen den Bootskörper. Noch immer ließ sich Fox nicht beirren.

Man hörte ein allgemeines Aufatmen, als er endlich aufstand und die Zündschnur anlegte. Dann griff er zum Luntenstock.

Mit einem gewaltigen Donner erhob sich die Mörsergranate in die Luft. Quälende Sekunden sahen sie ihren Aufstieg, dann, wie vorher, ihr Fallen.

»Wo ist sie?« schrie jemand. »Ich habe sie aus den Augen verloren.«

»Dort! Siehst du nicht? Da kommt sie . . .«

Die ferne Gallivate schien auseinanderzuplatzen. Mast, Luken, Kanonen, selbst Teile des Rumpfes flogen in die Luft. Als der Krach der Detonation sich legte, sah man sie sinken.

»Hurra!« Der Jubel hallte über das Deck.

»Zum Jubeln ist Zeit, wenn wir die andere erwischt haben«, schnauzte Fox. »Mr. Lovelace, vier Pallen einhieven, bitte.«

»Sir! Sir!« schrie einer der Kadetten. »Sie wartet nicht auf uns, Sie kommt heraus, um zu kämpfen.«

Kelso nickte zufrieden. »Tatsächlich, bei Gott! Um so besser!«

»Jetzt kann ich sie nicht treffen, Sir«, sagte Fox, »höchstens durch Zufall. Sie bewegt sich zu rasch.«

»Das sehe ich ein. Dann schlage ich vor, Sie vollenden die Arbeit, die Sie vorhin angefangen haben.« Er zeigte auf die Linie von Grabs und Gallivaten, von denen einige lichterloh brannten. So groß war die Verwirrung in der Lagune und so dicht lagen die Boote beieinander, daß selbst jetzt noch kein einziges es geschafft hatte, sich aus dem Pulk zu befreien.

»Ich nehme das Ende der Linie, Sir«, sagte Fox. »Wenn wir bei dieser Windrichtung dort Feuer legen . . .«

»Ja, machen Sie nur!«

Wieder ließ Fox die Spring einhieven, bis die Mittellinie der Ketsch auf das Ziel zeigte. Wieder benötigte er unendlich viel Zeit, um das Pulvergewicht zu bestimmen und die Länge der Zündschnur abzumessen.

»Klar zum Feuern!«

Sie standen da wie Kinder, die bei einem Feuerwerk zusehen, als er den Luntenstock in das Zündloch steckte und die ungeheure Granate sich in die Lüfte erhob.

»Oh!« Ein langgezogener Seufzer hallte über das Deck, als die Granate mitten in der Luft detonierte.

»Der Teufel soll sie holen!« knurrte Fox. »Mindestens ein sechzehntel Zoll zu kurz!«

»Versuchen Sie es noch einmal«, ermutigte ihn Kelso. »Die werden uns nicht entkommen.«

Das erwies sich als zutreffend. Die eine Gallivate, die freilag, hatte kaum die Einfahrt erreicht, als sie in Sicht der *Calcutta* kam und aus dem Wasser geblasen wurde. Eine einzige Breitseite, gezielt und abgefeuert von Geschützbedienungen, die schon lange ungeduldig auf ihre Gelegenheit gewartet hatten, genügte, um sie zu erledigen.

»Sehen Sie, da drüben, Sir!« Der Bootsmann deutete über die Lagune, wo eine weitere Gallivate brannte. Wie Fox vorausgesagt hatte, verbreiteten sich die vom Wind getriebenen Flammen mit unheimlicher Geschwindigkeit.

»Sie werden geröstet, die ganze Bande«, bemerkte ein Mann der Besatzung.

Fox schien seltsam bedrückt nach dem überwältigenden Sieg,

der bestimmt zu seiner Beförderung beitragen würde. Mit bis zum Ellbogen aufgekrempelten Ärmeln, das Gesicht rauchgeschwärzt, ähnelte er kaum noch dem schmucken jungen Oberleutnant, der vor einer Stunde mit dem Feuern begonnen hatte. Manch älterer Offizier hätte seine Niedergeschlagenheit wohl für Enttäuschung darüber gehalten, daß der Kampf vorbei war; aber Kelso glaubte, es besser zu wissen. Es mußte wohl die Enttäuschung eines Perfektionisten sein, dem es, nachdem er so gut gekämpft hatte, nicht vergönnt war, den Gnadenstoß zu führen. Den letzten, entscheidenden Schuß hatte die *Flora* abgefeuert.

»Gratuliere, Mr. Fox«, sagte Kelso. »Ihnen und Ihrer Besatzung! Sie haben gut und geschickt gekämpft, und Sie werden nicht enttäuscht sein, wenn Sie meinen Gefechtsbericht lesen.«

»Danke, Sir.«

»Jetzt bitte ich Sie, an *Calcutta* zu signalisieren: ›Rot an Blau: Wir haben ihre Schiffe vernichtet. Jetzt beginnt die Verfolgung zu Lande.«

21

Das Signal bedeutete der *Calcutta*, draußen im See zu bleiben. Es wäre sinnlos, sie den Tücken des flachen Wassers auszusetzen, nachdem sie die ihr zugewiesene Aufgabe so hervorragend gelöst hatte. Lebrun und seine Besatzung waren sicherlich enttäuscht, daß der Sumpf und die Inseln dazwischen ihre Teilnahme an der Aktion eingeschränkt hatten, die wahrscheinlich als eine der schnellsten und wirkungsvollsten in die Marinegeschichte eingehen würde. Mohammed Khans Flotte war vernichtet. Kelso war froh, aber zum Jubeln bestand seiner Ansicht nach kein Anlaß. Wenn Mohammed Khan selbst noch am Leben war – und er konnte sich kaum vorstellen, daß der Anführer sich fangen ließ –, war die Gefahr, die von den Dacoits drohte, noch längst nicht beseitigt. Hunderte von Halsabschneidern, die sich im Dschungel verbargen, konnten von Wild und Fischen leben, konnten jederzeit hervorbrechen, ein Dorf überfallen oder nichtsahnende, arglose Reisende. In ein paar Monaten waren sie bestimmt wieder so stark wie vorher.

»Das Großboot und die Gig werden drüben zu Wasser gelassen, Sir«, bemerkte Fox.

Durch sein Glas beobachtete Kelso, wie die Rotröcke eifrig

über das Seefallreep in die Boote kletterten. Vierundzwanzig mit Musketen und Bajonetten bewaffnete Soldaten waren kaum eine beeindruckende Streitmacht, aber die englischen Soldaten hatten in der Schlacht bei Plassey und auch vorher schon in der Carnatic* ein derartiges Prestige gewonnen, daß sie bei den Bengalen für unbesiegbar galten. Ob die Dacoits diese Ansicht teilten, blieb abzuwarten.

»Suchen Sie noch Freiwillige, Sir?«

»Was?« Kelso ließ das Glas sinken und blickte überrascht in Fox' eifriges Gesicht.

»Für den Landungstrupp?«

»Danke, Mr. Fox. Ich weiß noch nicht, was wir vorfinden, aber auf jeden Fall möchte ich, daß Sie hierbleiben und das Kommando übernehmen.«

»Aye, aye, Sir.«

Als er die Enttäuschung im Gesicht des jungen Offiziers bemerkte, fügte er hinzu: »Da die Sicht der *Calcutta* beschränkt ist, muß ich mich auf Sie verlassen.«

Das Großboot und die Gig bewegten sich scheinbar unmerklich über den See, die rhythmisch eintauchenden Riemen glitzerten in der Sonne, und erst als sie in die Rinne zwischen den Sümpfen einfuhren, konnte man ihren Fortschritt an den Binsen, dem Schilf und den Baumgerippen feststellen. Acht Mann saßen im Großboot an den Riemen, dazu ein Bootsmannsmaat als Bootssteurer, zwei Mann in der Gig. Kelso überlegte, ob er sie mit an Land schicken oder als Nachhut hier zurücklassen sollte für den Fall, daß die Streitkräfte der Dacoits sich als stärker erwiesen als vermutet.

Eine weitere Viertelstunde verstrich, bis das Großboot längsseits festmachte und ein schwitzender Sergeant an Bord kletterte.

»Sergeant Lester, Sir!«

»Also los, Sergeant, wir werden die Lage besprechen, wenn wir an Land fahren.«

Die Sümpfe sahen vom Heck des niedrigen Bootes erheblich anders aus. Die Vegetation war dichter, auch farbiger. Kleine Vögel und Säugetiere, die vom höheren Deck der Ketsch nicht zu sehen waren, flatterten, hoppelten und schwammen neben ihnen her: Eisvögel, Sumpfmeisen und Rohrsänger, Wühlmäuse, Ratten und Wasserschlangen. Die Binsen standen in voller Blüte und

* Südindien

dufteten betörend.

Einen Nachteil brachte der niedrige Standort so dicht über dem Wasser allerdings mit sich: die beschränkte Sicht. Erst als sie aus den Sümpfen heraus und in die offene Lagune kamen, sahen sie die Wracks, die treibenden Spieren, die Leichen und, etwas weiter entfernt, den Kai.

Er war nichts weiter als eine Plattform, einige hundert Meter lang, auf Pfählen errichtet, die in gleichmäßigen Abständen aus dem Wasser ragten. Dahinter lagen Schuppen aus Bambus und Rohrgeflecht und ein größeres, strohgedecktes Gebäude aus Holz, das wie ein Versammlungshaus aussah. Wenn es auch Wohnhütten gab, mußten sie wohl landeinwärts liegen, vielleicht unter den Bäumen, denn es war sonst nichts zu sehen als Sand, die weiße Linie des Ufers und dahinter der Dschungel.

»Sieht aus, als hätten Sie den Piratenschiffen ein Ende bereitet, Sir«, bemerkte der Sergeant und deutete auf die Wracks vor ihnen.

Die Oberfläche der Lagune war übersät mit den Zeugen der Schlacht. Spieren, Leichen und Fässer schwammen auf der sanften Dünung. In der Nähe des Kais und an der ganzen östlichen Bucht ragten Masten und Schiffsrümpfe aus dem Wasser. Wenn Mohammed Khan kein weiteres Versteck besaß, dann hatte er hier alle seetüchtigen Schiffe verloren.

»Sollen wir an den Kai gehen, Sir?«

»Im Augenblick noch nicht. Ich will erst einen eingehenderen Blick darauf werfen.«

Kelso war sich des Erstaunens im Boot bewußt, aber er ließ sich nichts anmerken. Alle Dacoits, die noch imstande waren, Widerstand zu leisten, hatten bestimmt hinter dem Kai Verteidigungspositionen bezogen, und er beabsichtigte nicht, ein Dutzend Seeleute und doppelt so viele Soldaten direkt ins feindliche Feuer zu führen.

»Auf Riemen!«

Während die Bootsbesatzung, auf die Riemen gestützt, ausruhte, glitt das Boot noch einen Augenblick durchs Wasser und blieb dann bewegungslos liegen, genau neben einem Wrack. Der Mast ragte heraus wie ein Wegweiser, und durch das klare Wasser sahen sie den zerfetzten Rumpf, das Deck mit den ausgeschwenkten Geschützen, aber nur einen einzigen Mann der Besatzung, und zwar den Rudergänger. Aus irgendeinem Grund hatte man ihn am Rad festgezurrt, und nun schwankte er im Strom hin und her, so daß es aussah, als steure er das Schiff einem geisterhaften Bestimmungsort entgegen.

»Ich habe eine Bewegung gesehen, Sir – dort, bei den Büschen!«

»Sehr gut, Sergeant. Halten Sie die Augen offen, auch ihr, Leute! Laßt es mich wissen, wenn ihr etwas seht.«

Das Boot wandte sich südwärts; dicht gefolgt von der Gig, fuhren sie jetzt parallel zur Küste, aber in einem Abstand, der sie nicht der Gefahr eines Zufallstreffers aussetzte. Zuerst sah man niemanden unter den Bäumen, aber plötzlich riefen alle Rotröcke gleichzeitig: »Dort, Sir! Dort drüben! Sie rennen zwischen den Bäumen davon!«

Kelso sah sie ebenfalls deutlich und freute sich, daß seine List geglückt war. Dadurch, daß er den Anschein erweckte, als wolle er woanders landen, hatte er die Dacoits gezwungen, aus ihren Verstecken zu kommen und sich zu zeigen.

»Wie viele sehen Sie?«

»Zwanzig bis dreißig, Sir.«

»Eher fünfzig, glaube ich.«

»Da sind noch mehr, Sir, weiter hinten. Sehen Sie? Jetzt stoßen sie zu den anderen.«

Wie viele mochten es wohl sein? fragte er sich. Hundert? Waren das alle, oder hatte Mohammed Khan noch weitere Leute in Reserve? Es gab nur eine einzige Möglichkeit, das herauszufinden.

»Drehen Sie nach Steuerbord!«

Sie gelangten vom tieferen Wasser in die flache Uferregion, in Binsengestrüpp, verfaulte Vegetation und verborgene Baumstämme. Die Seeleute rissen an den Riemen, der Schweiß lief ihnen über Gesicht und Arme.

»Pullt, ihr Halunken! Pullt!« rief der Bootssteurer.

Nur langsam kamen sie vorwärts. Immer häufiger verfingen sich die Riemen in den Schlinggewächsen, stießen die Boote mit dem Bug gegen verborgene Hindernisse. Kelso war sich durchaus klar über die Gefährlichkeit der Situation. Je weiter sie vordrangen, desto schwieriger wurde es, kehrtzumachen. Auch kam es nicht in Frage, die letzten hundert Meter schwimmend oder zu Fuß zurückzulegen, denn die Schlammbänke vor dem Ufer waren weich und zäh. Bevor sie ein paar Schritte gehen konnten, mußten sie im grundlosen Schlick versinken. Außerdem kamen sie dann auch in den Schußbereich der lauernden Dacoits. »Lassen Sie die Musketen laden, Sergeant, aber sagen Sie den Leuten, daß nur jeweils die beiden vordersten im Bug schießen sollen und danach die nächsten beiden nach vorn lassen. Wir wollen auf jeden Fall Unfälle vermeiden.«

Noch während er sprach, prasselte eine aus dem Schutz der Bäume abgefeuerte Salve über sie hinweg. Die indischen Scharfschützen – falls das nicht eine zu hochtrabende Bezeichnung war, denn kein einziger Schuß traf – kauerten hinter den Palmen, ab und zu sah man einen von ihnen auftauchen. Ihre Musketen schienen von vorsintflutlicher Konstruktion zu sein. Die Männer in ihren Lendentüchern waren von der Sonne so dunkelbraun gebrannt, daß sie sich kaum vom schattigen Hintergrund abhoben.

Weitere Schüsse wurden abgefeuert, aber mit dem gleichen negativen Effekt.

Die beiden Soldaten im Bug hoben ihre jetzt geladenen Gewehre.

»Moment noch!« befahl Kelso. »Gleich werden sie die Geduld verlieren und herauskommen. Dann habt ihr ein besseres Ziel.«

Das Boot machte zwar noch etwas Fahrt, wurde aber immer langsamer. Jeder einzelne Meter bedeutete eine ungeheure Anstrengung für die schweißüberströmten Seeleute, und noch immer waren sie nahezu hundert Meter vom Ufer entfernt.

»Da, Sir! Sie kommen!«

Was er gehofft hatte, trat ein: Die Dacoits verließen die deckungbietenden Bäume und begannen, zum Wasser vorzurücken.

»Los, Männer«, befahl der Sergeant. »Ihr wißt, was zu tun ist.«

Die beiden Rotröcke hoben die Gewehre, zielten sorgfältig und feuerten. Zwei Dacoits ließen ihre Musketen fallen, warfen die Arme in die Luft und stürzten ins Wasser.

»Die nächsten beiden! Lebhaft!«

Die Männer im Bug wechselten die Plätze, zwei neue Scharfschützen zielten und feuerten. Lediglich ein Dacoit fiel dieses Mal, aber die anderen drängelten nervös zurück.

»Schnell! Noch zwei Schüsse, bevor sie verschwinden!«

Wieder wechselten die Soldaten die Plätze, und diesmal wurden zwei Dacoits getötet oder verwundet, die übrigen flüchteten in den Schutz der Bäume.

»Also gut, Sergeant, lassen Sie Ihre Leute weiterfeuern«, sagte Kelso. Die Boote kamen jetzt in offeneres Wasser, der Abstand zum Ufer betrug nur noch fünfzig Meter, und selbst die Eingeborenen mit ihren veralteten Musketen konnten bei dieser geringen Entfernung kaum fehlen. Und in der Tat, noch während er sprach, durchschlug eine Kugel das Dollbord und pfiff zwischen zwei überraschten Rotröcken hindurch. Eine andere traf die Wasserfläche, prallte ab und verschwand aufheulend in den Binsen.

»Bleibt dran, Jungs!« schrie der Sergeant. »Gebt ihnen keine Zeit, sich wieder festzusetzen.«

Eine zweite Aufforderung brauchten die Soldaten nicht. Da ihre roten Röcke vor dem Blau der Lagune ein großartiges Ziel bildeten, waren sie in einer wenig beneidenswerten Lage. Einer von ihnen, ein besonders großer Mann, der im Heck saß, wurde zwischen die Augen getroffen und kippte lautlos vornüber. Ein Seemann erhielt einen Armschuß.

»Nehmen Sie den Riemen, Brigson!« befahl der Sergeant, und während der Soldat auf den Platz des Getroffenen kletterte, luden die anderen ihre Gewehre und warteten nervös darauf, in den Bug vorzurücken.

Es sprach sehr für ihre Disziplin, daß auch nicht die geringste Panik ausbrach.

»Feuer!« Zwei Musketen knallten, zwei Rotröcke standen auf, verschwanden nach achtern und machten den nächsten beiden Platz.

Die Seeleute, die mit dem Rücken zum Gegner saßen, waren in einer wenig beneidenswerten Situation. Alles, was sie hörten, war das Krachen der Musketen, das Pfeifen der Kugeln und das Stöhnen der Verwundeten. Plötzlich verließ sie die Erschöpfung. Arme, die vor kurzem noch zu müde zum Pullen schienen, wurden auf wunderbare Weise neu belebt. Mit hoher Geschwindigkeit glitt das Boot dem Ufer entgegen, gefolgt von der Gig.

»Auf Riemen!« befahl Kelso.

»Bajonett aufpflanzen!« rief der Sergeant. Kaum berührte das Boot den Sandstrand, sprangen die Soldaten an Land. Ohne auf den Sergeanten zu warten, rannten sie auf die niedrigen Bäume zu.

»Ihnen nach, Sergeant!« rief Kelso. »Ich möchte sie nicht im Dschungel verlieren.«

Dann sprang auch er auf den nassen Sand und rief dem Bootsmannsmaat zu: »Ein Mann bleibt in jedem Boot, der Rest nimmt Deckung!«

Mit gezücktem Säbel rannte er den Strand hinauf, hinter ihm her flitzte Padstow, der bereits neiderfüllt den Rotröcken nachblickte.

Es war schwieriger, als Kelso geglaubt hatte, denn der trockene

Sand war weich und tief, und er keuchte heftig, bevor er die Bäume erreichte. Padstow hinter ihm grunzte bei jedem Schritt, aber weniger vor Erschöpfung als vor Enttäuschung, daß ihm die Rotröcke zuvorgekommen waren.

Vom Kampf selbst sah und hörte man allerdings nichts. Als sie im Schatten der Bäume anhielten, waren nicht die geringsten Anzeichen von Dacoits oder Soldaten festzustellen. Das einzige, was sie hörten, war die Stimme des Sergeanten, atemlos und ärgerlich, der seinen Leuten »Halt« zurief.

»Möchten Sie, daß ich ihnen nachlaufe, Sir?«

»Nein, Sie bleiben bei mir.«

Den Säbel in der einen, die Pistole in der anderen Hand, ging Kelso am Rand des Waldes entlang zum Kai. Alles deutete darauf hin, daß es sich um eine ständige Siedlung handelte, die von einer großen Zahl Menschen bewohnt wurde. Im kurzen Gras ringsum lagen Töpfe, Schüsseln und Krüge, auch sahen sie zahlreiche Feuerstellen mit frischer Asche. Fischernetze waren am Strand und auf den Büschen zum Trocknen ausgebreitet. Daneben lag, von Brombeerbüschen verdeckt, kieloben ein Dingi. An seinem Bug erkannten sie noch den Namen eines vermißten Indienfahrers, den die Piraten vor drei Jahren, soweit sich damals feststellen ließ, gekapert hatten. Es war die *Royal Sovereign.*

»Diese verfluchten Teufel!« murmelte Padstow. »Möchte wissen, was aus der Besatzung geworden ist!«

Kelso antwortete nicht. Ihm war klar, was sich abgespielt hatte. Die Besatzung mußte zuerst dran glauben – ihr wurde mit dem Messer die Kehle aufgeschlitzt oder ein Dolch zwischen die Rippen gestoßen. In gewisser Weise waren sie noch glücklich dran, verglichen mit dem, was den anderen bevorstand.

Den Offizieren erging es schlimmer, denn die Dacoits waren Experten im Verlängern des Todeskampfes. Was die weiblichen Passagiere anlangte ...

»Wir wollen mal einen Blick dort hineinwerfen«, sagte Kelso und deutete auf die Schuppen. »Aber halten Sie die Augen auf.«

Es waren primitive Bauwerke, Bambusgerippe, an denen Strohmatten befestigt waren. Die Wände, am Boden festgepflockt, konnten aufgerollt und fortgeschafft werden.

Sobald sie sich an das Halbdunkel im Innern der Schuppen gewöhnt hatten, sahen sie einiges von dem Beutegut, das Mohammed Khan im Lauf der Jahre zusammengeraubt hatte: Weinfässer, Seidenballen, Brokatstoff, verschlossene Seekisten, die vielleicht Juwelen enthielten. Da waren noch ungeöffnete Ballen, auf denen die Beschriftung *Mysore* oder anderer Ostindienfahrer zu erkennen war, von denen man wußte, daß die Piraten sie gekapert hatten. In einer Ecke stand sogar ein Spinett – der Himmel mochte wissen, wie und warum sie das an Land geschafft hatten – und drei Violinen in ihren Kästen. Mindestens zwanzig Teppiche lehnten aufgerollt an einer Wand, sie wirkten wie betrunkene Riesen. Körpern am Galgen vergleichbar, hingen Damen- und Herrengewänder von einer Leine unter der Decke herab. Sie sahen sowohl Kompanie- wie Marineoffiziersuniformen, rote Röcke und weiße Kniehosen von Soldaten, gut geschnittene Herrenanzüge und grob gesponnene von einfacheren Leuten, und schließlich prachtvolle, spitzenbesetzte Damenkleider aus Seide oder Satin.

»Schweine«, murmelte Padstow. »Verdammte Schweine!«

In den anderen Schuppen sah es ähnlich aus, mit Ausnahme des einen, der am dichtesten zum Kai hin lag. Der war leer.

Kelso schätzte den Wert der geraubten Waren, die er gesehen hatte, auf mindestens hunderttausend Pfund. Kein Wunder, daß die Kompanie mit allen Mitteln versuchte, Mohammed Khans Plünderungen ein Ende zu bereiten.

»Sir!« Der Sergeant eilte unter den Bäumen hervor. Hinter ihm, ordentlich ausgerichtet in Marschformation, kamen mit schwingenden Armen wie auf dem Kasernenhof oder Paradeplatz die Rotröcke. »Wir stellten sie kurz vor dem Dorf, Sir. Bedaure den Übereifer.«

»Haben Sie einige Dacoits getötet?«

»Zwei, Sir. Der Rest gab Fersengeld.«

Kelso nickte. »Sehr gut, Sergeant. Es wäre sinnlos, sie im Dschungel zu verfolgen. Zweifellos ist es ihre Absicht, uns dort in einen Hinterhalt zu locken.«

»Bestimmt, Sir.«

»Sie sagen, da sei ein Dorf?«

»Ja, zwei- bis dreihundert Yards entfernt.«

»Wie groß?«

»Ziemlich groß, Sir. Ich schätze, dreißig bis vierzig Hütten auf einer Lichtung. Wir sind aber nicht hineingegangen.«

»Gut. Dann werden wir jetzt hineingehen, Sergeant. Schicken Sie zwei Mann als Patrouille voraus und lassen Sie zwei Mann auf jeder Seite als Flankenschutz ausschwärmen.«

Der Pfad durch den Wald war tief ausgefahren, die Wagenspuren deuteten darauf hin, daß die Dacoits Ochsenkarren eingesetzt hatten, um das Beutegut zum Dorf zu transportieren. Sie fanden weitere Feuerstellen, einige schwelten noch, und über einer hing sogar ein Kochtopf. Im Gebüsch lag der Leichnam eines gefallenen Dacoit.

»Wie weit?«

»Gleich, Sir. Sie können es zwischen den Bäumen schon sehen.«

Kelso hob die Hand, und die Marschkolonne blieb stehen. Im Dschungel schien alles ruhig zu sein, selbst die Vögel schwiegen. Aber Kelso war auf einen Hinterhalt gefaßt, und auch die Patrouille bewegte sich nur langsam und vorsichtig auf das Dorf zu.

»Haltet die Augen offen, Jungs«, schärfte er den Soldaten nochmals ein.

Fast unerwartet stießen sie auf die Lichtung. Weder war da eine Einfriedung noch sonst eine Verteidigungsstellung. Vom dichten Dschungel traten sie direkt ins Dorf.

Kelso blieb im Schatten der Bäume stehen und blickte über die sonnenbeschienene Lichtung, auf der sich etwa fünfzig unordentliche Hütten drängten. Es war das typische Eingeborenendorf, schmutzig und übelriechend, jedoch zeugten die einzelnen Hütten von völlig unterschiedlichem Wohlstand. Die eine protzte mit einem prächtigen Teppich, der zu groß für den Grundriß war und diesen daher in leuchtendem Blau umgab wie der Wassergraben eine Burg. An einer Hüttenwand sahen sie das Ölgemälde eines vornehmen britischen Gentleman, das Jagdgewehr unter dem Arm, den Hund neben sich, und einen Blick milden Erstaunens im Gesicht, anscheinend darüber, daß er an der Außenseite hing. Lederschuhe und Reitstiefel standen vor den Eingängen, auch mehrere Stühle, ja sogar ein breites Doppelbett. Verstreut um die Feuerstellen lagen die Überreste europäischer Kleidungsstücke. Die Dacoits hatten sie vermutlich als Tischtücher benutzt.

»Sergeant! Nehmen Sie die Hälfte der Leute und durchsuchen Sie mit ihnen die Hütten auf dieser Seite. Ich nehme mir die andere Seite vor.«

Gefolgt von Padstow, der sichtlich enttäuscht darüber war, daß er sein Entermesser nicht hatte benutzen können, begann Kelso die Durchsuchung.

Die Hütten erwiesen sich als leer, nur in einer saß ein altes Weib, das mit zahnlosem Mund unzusammenhängende Worte murmelte, während es ihnen folgte. Männer, Frauen und Kinder waren geflohen, und zwar manche von ihnen so überstürzt, daß halbaufgegessene Mahlzeiten in Schüsseln herumstanden. Aufgrund der Schlafstellen – im Durchschnitt vier pro Hütte – errechnete Kelso eine Einwohnerzahl von rund zweihundert Menschen. Etwa die Hälfte war wohl in dem kürzlichen Gefecht umgekommen, der Rest mußte also mit Mohammed Khan im Dschungel sein.

Kelso wehrte sich gegen das Gefühl eines Mißerfolges; andererseits war ihm klar, daß es heller Wahnsinn gewesen wäre, den Dacoits mit einer Handvoll Soldaten kurz vor Einbruch der Nacht in den Dschungel zu folgen. Die endgültige Vernichtung mußte mit ausreichenden Landstreitkräften bei besserer Gelegenheit nachgeholt werden.

»Sir! Schnell! Hierher!« rief einer der Rotröcke aus einem Hütteneingang.

Als Kelso über die Lichtung eilte, sah er, daß es sich um eine größere Hütte handelte, die abseits unter den schattenspendenden Zweigen einer Zeder stand. Der Boden ringsum war geebnet, vor dem Eingang blühten sogar einige Büsche. Er wußte sofort: Dies mußte Mohammed Khans Behausung sein.

Er folgte dem Soldaten ins Innere und trat in einen Raum von solcher Pracht, daß jeder Nabob stolz gewesen wäre, ihn sein eigen zu nennen. Ein dicker Teppich bedeckte den Boden, seidene Gobelins und Kissen in leuchtenden Farben verstärkten den Eindruck verschwenderischen Reichtums. Silberne Pokale und Kaffeetassen aus edlem Porzellan standen auf schön ziselierten Tabletts, auf einem Tischchen befand sich eine große Schale mit Früchten.

»Hier herein, Sir!«

Kelso trat in den angrenzenden Raum, der zur Hälfte von einem großen Bett ausgefüllt wurde, auf dem ausgebreitete Tigerfelle lagen. In einer Ecke kauerte eine weiße Frau, die sie mit weit aufgerissenen, angsterfüllten Augen anstarrte.

»Großer Gott!«

Kelso ging auf sie zu, blieb aber sofort stehen, als die junge Frau – fast noch ein Kind – einen durchdringenden Schrei ausstieß.

»Hab keine Angst, mein Kind. Wir wollen dir helfen.«

Sie schien seine Worte nicht zu verstehen oder glaubte ihnen nicht, denn als Kelso weiterging, wich sie zurück und schrie noch lauter.

»Wir sind gekommen, dir zu helfen«, sagte Kelso. Er kniete neben ihr nieder und stellte zu seinem Entsetzen fest, daß sie mit Hand- und Fußgelenken an die Wand gefesselt war wie ein Tier.

Kreideweiß vor Zorn stand er auf und gab Padstow ein Zeichen. »Schneide sie los!«

»Aye, aye, Sir.«

Die junge Frau schrie noch gellender, als Padstow sich ihr mit dem Messer in der Hand näherte. Er mußte sie am Arm festhalten, bevor er ihre Handgelenke losschneiden konnte.

Als die Stricke endlich durchtrennt waren, hörte sie auf zu schreien. Ungläubig bewegte sie die Arme, ohne jedoch den verängstigten Blick von Padstow abzuwenden.

Dann deutete sie vorsichtig auf ihre Fußgelenke.

»Schon gut, Miss. Ich schneide die scheußlichen Stricke durch. Gleich haben wir Sie frei.«

Sie schüttelte den Kopf und streckte die Hand aus.

»Sie will das Messer haben«, sagte der Soldat. »Sie will sich selbst befreien.«

Padstow blickte Kelso an, der kurz nickte. Auch er konnte die fürchterlichen Folgen nicht vorhersehen. Padstow reichte ihr das Messer, mit dem Griff zuerst, den sie zögernd anfaßte.

Eine Weile starrte sie das Messer mißtrauisch an, dann schien sie einen Entschluß zu fassen. Sie hielt es fest in der Hand – und stieß es sich mit voller Wucht in die Brust.

Sie starb, ohne einen Laut von sich zu geben, und eine volle Minute standen die drei Männer bewegungslos da. Kelso, Padstow und auch der Rotrock waren zu entsetzt, um eine Bemerkung zu machen. Kelso war es, der sich schließlich als erster so weit erholte, daß er sagen konnte: »Armes Kind! Wer weiß, was es durchgemacht hat, um so etwas fertigzubringen!«

Der hartgesottene Padstow schien völlig gebrochen. »Tut mir leid, Sir – schrecklich leid«, stammelte er.

»Es war nicht Ihr Verschulden.«

»Ich hätte es wissen müssen. Ich hätte es ihrem Blick anmerken müssen.«

»Da war nichts zu machen«, sagte Kelso. »Sie wollte sterben.«

Er wandte sich ab und trat, vielleicht aus Zorn, heftig gegen das Bett. Dabei stieß er ein niedriges Tischchen um, von dem eine Menge Juwelen über den Boden rollten.

Ein Stück zog seinen Blick auf sich, ein diamantbesetztes Kreuz mit je einem Smaragd an den vier Enden. Er hob es auf, hielt es einen Augenblick in der Hand und steckte es dann in die Tasche.

22

»Wir haben ihre Flotte vernichtet«, sagte Kelso, »und ihre Hütten verbrannt. Wir haben so viel von ihrem Beutegut zurückgebracht, wie wir tragen konnten.«

»Großartig!« Der Gouverneur sprach für die anderen Ratsmitglieder, die vom Erfolg der Marine begeistert waren. »Somit ist Mohammed Khan machtlos, wenigstens im Augenblick.«

»Das bezweifle ich.« Kelso blickte in die eifrigen, freundlichen Gesichter an der Tafel, die er seit Jahren kannte, Männer, deren Anstrengungen dazu beigetragen hatten, Kalkutta aufzubauen: Holwell, Bishop, Blenkinsop, Hayward und McClusky. »Solange Mohammed Khan am Leben ist und ihm runde hundert Desperados zur Verfügung stehen, mit denen er rauben und morden kann, ist er nicht machtlos.«

»Aber im Augenblick...«

»Trotzdem. Meiner Meinung nach war er niemals gefährlicher. Wie ein verwundetes Tier wird er sich in den Dschungel zurückziehen, Kraft sammeln und den Eingeborenen noch größeren Schrecken einflößen. Nach ein paar Wochen hat er mehr Leute als heute und nach ein paar Monaten auch wieder Schiffe. Bevor das Jahr zu Ende geht, wird er stärker sein als je zuvor. Ich sage Ihnen, niemals wird es Frieden geben in Bengalen, solange Mohammed Khan am Leben ist.«

Es war heiß im Ratssaal, die Luft trotz der Deckenfächer zum Ersticken. Draußen im Hof führten die Soldaten des 39. Infanterieregiments die Wachablösung durch: ein lautes Kommando, das Scharren von Stiefeln, der rasche Abmarsch der abgelösten Wache in ihre Quartiere.

Der Gouverneur wie auch die anderen Ratsmitglieder schwitzten erheblich. Obwohl Vansittart sich offensichtlich bemühte, höflich zu sein, machten es ihm die Hitze, die Fliegen und eine Perücke, die an der Stirn klebte wie eine feuchte Haube, äußerst schwierig, seine Antipathie gegen Kelso zu verbergen. Er konnte ihn nicht leiden, mußte ihn aber bewundern. Als oberster Verwaltungsbeamter des Handelspostens, der sich zum einträglichsten im gesamten Bereich der Ostindischen Kompanie entwickelt hatte, der aber vor erst vier Jahren so unsicher gewesen war, daß einige Ratsmitglieder in einem Boot flüchteten, bevor die Truppen des Nabob einrückten, wußte er die Anwesenheit des Heeres und noch mehr die der Marine zu schätzen. Die Vorherrschaft zur

See war die Vorbedingung für Kalkuttas Verteidigung. Als dienstältester Marineoffizier war Kelso für ihn somit äußerst wichtig.

»Nun, mein lieber Kelso, was schlagen Sie also vor?«

»Eine Unternehmung – zwei Unternehmungen, eine unter Caillauds, die andere unter meinem Kommando.«

»Eine zu Lande, eine zu Wasser.«

»Mit Mohammed Khan in der Mitte.«

Vansittart tupfte sich mit dem Taschentuch den Schweiß von der Stirn, während er über den Vorschlag nachdachte. Seine Laune wurde dadurch nicht gerade besser, daß die Ratsmitglieder offensichtlich den Plan schon gebilligt hatten. Er sah es ihren Gesichtern an und wandte sich an Kelso: »Sie sind überzeugt davon, daß Sie Mohammed Khan finden?«

»Wir werden es versuchen.«

»Der Dschungel ist groß.«

»Den Eindruck habe ich auch.«

»Ich hätte gedacht, die Dacoits brächten es fertig, sich darin in alle Ewigkeit zu verstecken.«

»Damit könnten Sie recht haben.«

Der Gouverneur machte eine gereizte Bewegung. »Na und?«

»Ich stimme mit Ihnen überein hinsichtlich der Schwierigkeiten. Wenn Mohammed Khan weiß, daß wir kommen, werden wir ihn niemals finden. Unsere einzige Chance liegt in einem sorgfältig ausgearbeiteten Operationsplan und – vor allem – in striktester Geheimhaltung. Unter diesen Voraussetzungen könnten wir ihn mit ein wenig Glück endlich fassen.«

»Sie sehen also immerhin eine Möglichkeit?«

»Ja.«

»Es ist unsere einzige Chance!« warf Blenkinsop ein. Da er sehr dick war, litt er noch mehr unter der Hitze als der Gouverneur. »Kelso hat recht. Wir – oder vielmehr er – hat diesem verdammten Dacoit innerhalb weniger Monate zwei vernichtende Schläge versetzt. Noch ein solcher Schlag, und wir sind den Kerl für immer los. Selbstverständlich müssen wir die Unternehmung starten!«

Der Gouverneur tupfte sich erneut den Schweiß von der Stirn. »Niemand will Kelso aufhalten. Wir brauchen nur noch über den Zeitpunkt und die Methode zu sprechen.«

Die beiden Männer starrten einander feindselig an; schließlich war es Holwell, der Friedensstifter, der die Spannung löste, indem er sagte: »Darf ich dann vorschlagen, daß wir zwei Unternehmungen starten? Die Einzelheiten arbeiten Kelso und Caillaud aus – natürlich nach Rücksprache mit dem Gouverneur.«

Das wurde von allen akzeptiert. Kelso und Major Caillaud planten gemeinsam ihre Expedition, deren Einzelheiten jedoch auf Kelsos Verlangen geheim blieben. Kalkutta, in dem es Gobrindram Mitra und Tausende, vielleicht sogar Zehntausende möglicher Spione gab, konnte ein sehr ungünstiger Ausgangspunkt sein für eine Unternehmung, deren Gelingen allein auf Überraschung beruhte.

Kelso kehrte in sein Haus am Loll Diggy zurück und zu seiner liebevollen Susan. Sie schien ihm schöner als je zuvor, wie sie ihn da auf den Eingangsstufen erwartete, und noch ungeduldiger schien sie als sonst, ihn endlich in die Arme schließen zu können. Oben im Schlafgemach empfing sie ihn mit sehnsüchtig geöffneten Armen und lose über die entblößten Schultern fallendem Haar, als er erfrischt aus dem Duschbad kam.

»Liebster!«

Sie führte ihn zum Bett. Hundert Fragen harrten der Beantwortung, hundert Zweifel mußten geklärt werden, aber Kelso lag neben ihr mit einem Seufzer der Resignation, als akzeptiere er stillschweigend, daß er ihr nicht widerstehen konnte.

Doch als sie sich geliebt hatten und Susan bereits im Begriff war, einzuschlafen, zwang ihn sein Gewissen zum Sprechen.

»Was hast du gemacht, während ich weg war?«

Schläfrig sah sie ihn an. »Auf deine Rückkehr gewartet.«

»Doch nicht die ganze Zeit?« Er setzte sich im Bett auf und verschränkte die Hände über den Knien. »Sicher hast du Mitra gesehen.«

»Den Black Zemindar?« Überrascht starrte sie ihn an. »Aber Roger! Das hast du mir doch selbst aufgetragen!«

Natürlich, das hatte er ganz vergessen. »Nun, ich weiß nicht mehr genau. Vielleicht war es verkehrt. Ich möchte nicht, daß du einen Menschen triffst, der allgemein als Schurke gilt.«

»Aber Liebling!« Sie schüttelte den Schlaf ab und setzte sich ebenfalls auf, wobei ihre Schulter die seine berührte. Lächelnd sah sie ihm ins Gesicht, aber als sie an seinem steinernen Ausdruck und dem sorgsam abgewandten Blick merkte, daß er nicht zu verführen war, erklärte sie: »Gobindram Mitra ist für mich äußerst nützlich, wie ich dir schon erklärt habe. Er kennt alle Welt, hat seine Finger in jedem Kuchen. Denkst du, daß ich ohne seine Mithilfe die reiche Frau geworden wäre, die ich jetzt bin?«

Er wandte sich ihr zu und sah das Leuchten in ihren Augen. Habgier? Triumph? Was es auch war, es störte ihn. »Du bist also reich?«

»Reicher, als du dir vorstellen kannst. Als wir heirateten, sagte ich dir, daß sich hier jedem Menschen genügend Gelegenheiten zum Geldverdienen bieten. Sofern er mit einem gesunden Geschäftssinn ausgestattet ist, kann er in kürzester Zeit ein Vermögen erwerben. Sogar ein Narr wie Alec Stuart war dazu in der Lage.«

»Was ist denn aus dem Land geworden, das du bei Serampore gekauft hast?«

»Es hat sich als gute Geldanlage erwiesen. Um sein Salz durch mein Gebiet transportieren zu können, hat er eingewilligt, mir zehn Prozent seiner Einkünfte abzugeben.«

»Zehn Prozent! Mein Gott, das ist ja Erpressung!«

»Ich hätte fünfzehn bekommen können, wenn Gobindram Mitra nicht eingegriffen hätte.«

»Was hatte der damit zu tun?«

»Er ist mein Agent. Schließlich kennt er das Land und die hiesigen Gepflogenheiten. Er hielt es für klüger, sich mit zehn Prozent zu begnügen.«

Kelso schüttelte den Kopf. Dieses Gerede von Geld und Prozenten verwirrte ihn. Wenn Susan von Geschäften sprach, war sie für ihn verloren. Sie schien dann eine völlig fremde Frau zu sein.

»Und deine anderen Unternehmungen?«

»Verlaufen alle erfolgreich. Du solltest stolz auf mich sein, Liebling! Ich bezweifle, daß es einen einzigen Geschäftsmann in Kalkutta gibt, der in so kurzer Zeit so viel Geld verdient hat wie ich. Meine Modeläden, mein Weinlager, die Schenken, alles geht hervorragend. Ich besitze ein Dutzend Gehöfte und hundert Acres* Reisfelder. Die Ländereien, die ich für ein Butterbrot südlich der Chowringhee Road gekauft habe, sind ein Vermögen wert, sobald sich die Stadt ausdehnt. Zwangsläufig wird sie das tun, und dann werden unsere hiesigen Nachbarn dort nach Bauland Ausschau halten.«

»Mich wundert, daß du noch nicht ins Baugeschäft eingestiegen bist«, bemerkte er säuerlich.

»Aber das bin ich ja! Rajaratnam, der Baumeister, schuldete mir Geld. Ich habe sein Bauunternehmen gekauft, und jetzt arbei-

* 1 Acre = 4047 qm

tet er für mich. Er baut gerade ein Haus für Kevin Hayward, und weitere Gebäude sind von uns schon geplant.«

Nach einer Pause sagte er: »Ich verstehe dich nicht, Susan. Was ist dir denn so wichtig am Geld? Ich weiß, daß mein Gehalt als Kommodore nicht gerade üppig ist, aber wir leben doch komfortabel.«

Sie warf den Kopf zurück und ließ das nußbraune Haar über die weißen Schultern rieseln. »Komfortabel genug für Fort William vielleicht, aber nicht für England.«

»England liegt doch in weiter Ferne.« Ihm war unbehaglich zumute, denn im Innersten fürchtete er nichts so sehr wie den Gedanken an Rücktritt, den Gedanken an ein anderes Dasein als das des Marineoffiziers.

»Es liegt keineswegs in so weiter Ferne«, widersprach sie. »Nicht, wenn wir dieses fürchterliche Land erst verlassen und wieder wie zivilisierte Menschen leben können.«

»An Indien ist nichts auszusetzen«, murmelte er trotzig.

»Alles ist daran auszusetzen.« Sie wandte sich ihm zu, drückte ihn hinunter auf das Kissen und hielt ihn fest wie einen Gefangenen. »Liebling! Siehst du denn nicht, daß ich all dies nur für dich tue – oder für uns beide? In einem Jahr – in weniger als einem Jahr, wenn alles gutgeht – bin ich reich genug, um das auszuführen, was ich schon immer vorhatte. Du kannst dich zur Ruhe setzen, deinen Abschied von der Marine nehmen. Wir werden nach England zurückkehren und uns ein Anwesen kaufen. Dort werden wir endlich so leben, wie man es mich gelehrt hat, in einem schönen großen Haus mit vielen, vielen Dienern. Unsere Kutschen werden den Neid der Nachbarn erregen. Wir werden große Rasenflächen, Buchsbaumhecken, Teiche mit Wasserrosen und Lilien besitzen und ein Dutzend Gärtner beschäftigen. Wir werden den großartigsten Reitstall des Landes unterhalten. Du kannst reiten und fischen, vielleicht wirst du sogar Parlamentsmitglied!«

»Der Himmel möge mich davor bewahren!« Er versuchte, sich zu befreien, aber sie lag auf ihm. »Ich werde niemals meinen Abschied nehmen!«

Sie verschloß seinen Mund mit Küssen. »Das denkst du jetzt, aber warte, bis der Monsun kommt, bis die Straßen zu Sümpfen werden und die Luft zu feucht ist zum Atmen. Warte, bis ich dir die Reichtümer aufzähle, die ich besitze.«

»Ich bin nicht interessiert an deinen Reichtümern!« Wieder

versuchte er, sich zu befreien, aber unter ihren liebevollen und geschickten Händen war er hilflos.

»Liebster«, keuchte sie, als sie sich vereinigten. »Alles wird gut werden. Vertraue mir.«

Am nächsten Morgen war Kelso früh auf den Beinen, hatte schon geduscht und sich angezogen, bevor Susan erwachte. Sie lag so, wie er sie sich während seiner Abwesenheit immer vorstellte, die Arme ausgebreitet, den Kopf zur Seite geneigt und auf dem Kissen ihres Haares ruhend, die Lippen leicht geöffnet. Selbst im Schlaf schien sie sich noch ganz hinzugeben.

Er wandte sich rasch ab, denn wenn sie die Augen aufschlug, war er sofort wieder in ihrer Gewalt.

Padstow erwartete ihn unten in der Halle. »Ich glaubte, Sie oben herumgehen zu hören, Sir. Hätten Sie mich doch gerufen.«

»Ich gehe zum Fort und brauche dich im Augenblick nicht.«

»Verzeihung, Sir, aber wenn es Ihnen nichts ausmacht, möchte ich doch lieber mitgehen.«

»Wie du willst.«

»Da lungert allerhand widerliches Gesindel herum, Sir, besonders zu dieser Tageszeit. Es ist besser, kein Risiko einzugehen.«

Es war noch frisch, beinahe kühl, als sie in der Morgendämmerung den Platz überquerten. Die ersten Sonnenstrahlen glitzerten auf dem Wasser, die Hähne krähten, und die Vögel im Pipulbaum* begannen zu singen. Plötzlich fielen Kelso Susans Worte ein: »In einem Jahr; in weniger als einem Jahr . . .« Fröstelnd beschleunigte er den Schritt. Er war fest entschlossen, Indien niemals zu verlassen.

»Die schönste Tageszeit für diejenigen, die an Land leben müssen«, bemerkte Padstow.

Kelso nickte, und irgend etwas – vielleicht die Masten der Indienfahrer, die er jenseits der Minaretts sehen konnte – erinnerte ihn an die Morgendämmerung auf See. Der kühle Wind, der bald von der aufgehenden Sonne erwärmt wurde, die schweigenden Gestalten auf dem Achterdeck, ein Blick auf den Kompaß und aufs Log, die bequeme Stellung an der Luvreling, mit gespreizten Beinen, Hände auf dem Rücken verschränkt . . .

»Wann laufen wir wieder aus, Sir?«

»Wie?« War es Zufall, daß Padstow seine Gedanken erriet?

* Bobaum, der heilige Feigenbaum Buddhas (d. Ü.)

»Verzeihung, Sir, aber ich bin Seemann. Ein oder zwei Tage an Land, um mein Geld in den Kneipen auszugeben, um mit einem hübschen Mädchen ins Bett zu gehen, das lasse ich mir gefallen. Aber es dauert nicht lange, dann starre ich zum Hafen hinunter und denke: Wieviel schöner ist es doch auf See.«

»Wie können wir in See gehen ohne ein Schiff?« fragte Kelso gereizt. »Bis die *Protector* zurückkommt . . .«

»Es gibt ja noch andere Schiffe, Sir, zum Beispiel die *Calcutta*.«

»Die *Calcutta* wird hier gebraucht.«

»Gegen die Dacoits, Sir? Werden wir sie wieder angreifen?«

»Halt den Mund!« schnauzte Kelso. Das Pflaster war übersät mit Eingeborenen. Einige schliefen noch, einige hockten auf dem Boden, andere krabbelten auf Kniestümpfen, die Bettlerschale in der Hand. Jeder von ihnen konnte ein Spion sein.

Sie bogen in den Zall-Basar ein und wurden sofort konfrontiert mit dem Lärm und dem Gestank eines Haupteinkaufszentrums. Straßenhändler, die am Vorabend noch laut schreiend ihre Ware angepriesen hatten, bis auch der letzte mögliche Käufer schlafengegangen war, breiteten bereits wieder ihre Matten aus. Wasserträger mit drei oder vier Schläuchen aus Ziegenfellen, die von ihrem Joch baumelten, schoben sich vorbei. Ein schwerer Ochsenkarren mit riesigen Rädern polterte zum Platz, den sie gerade überquert hatten.

Sie bogen nach rechts in die Chitpur Road ein, die breiter und mit Bäumen bestanden war. An ihrem gepflasterten Fahrweg, an den sauberen Rinnsteinen merkte man: Sie kamen ins Europäerviertel. Selbst die Läden waren eleganter, wenn sie auch fremdartig klingende Namen hatten, wie zum Beispiel: ›Mahendra Bose, Herrenausstatter‹, oder ›Matilal Banerjee, Goldschmied‹, ›Paul Leperousse, Perückenmacher‹. Anders als die vollgestopften Läden des Zall-Basars schienen diese jedoch halb leer zu sein.

Kelso blieb vor einem Geschäft stehen. Es führte die Bezeichnung ›Matilda Higgs, Juwelen und Damenkleider‹. Er blickte hinein, sah leere Regale und einen Ladentisch, auf dem allerhand Schnickschnack feilgeboten wurde, und ein einziges, ziemlich schäbiges Kleid. Er warf Padstow einen Blick zu; wenn dies Susans Konkurrenz war, dann waren ihre Erfolge kein Wunder.

»Sie sind gekommen, um sich an dem Anblick zu weiden, ja?« schrillte eine aggressive Stimme aus dem schattigen Dunkel, während gleichzeitig ein Klecks Speichel auf den Staub klatschte.

Kelso blickte auf und versuchte, etwas in der Dunkelheit zu erkennen, bis er eine Frau mittleren Alters entdeckte, mit hagerem Gesicht und streitsüchtigem Mund.

»Ich verstehe Sie nicht, Madam. Ich wollte mich nur umsehen.«

»Nur umsehen!« äffte sie ihn höhnisch nach. »Und sich hämisch darüber freuen, daß ich nichts oder fast nichts zu verkaufen habe – nicht wie jemand anders, den wir alle kennen.«

Kelso zeigte keinerlei Ärger, obwohl ihm klar war, wen sie meinte. Padstows Hand, der eifrig bemüht war, ihn wegzuziehen, schüttelte er ärgerlich ab.

»Der Konvoi aus England ist längst überfällig, Madam. Ihnen brauche ich das nicht zu erzählen. Er sollte aber dieser Tage einlaufen. Er hat einen starken Geleitschutz von St. Helena bis hierher: die *Protector* unter der Führung von Kapitän Fenton und andere Marineschiffe. Wenn er ankommt, haben Sie eine Menge zu verkaufen.«

»Mag sein«, schnaubte die Person verächtlich. »Nachdem *sie* sich das Beste rausgesucht hat.«

Kelso wartete schweigend. Er fühlte, wie Padstow ihn am Arm zog. »Lassen Sie doch die alte Hexe, Sir. Mit der ist nicht zu reden.«

»Sie sprechen von meiner Frau?« fragte Kelso.

»Von wem sonst? Von der reichsten Frau in Bengalen – und der habgierigsten!«

»Sehen Sie sich vor, Madam!«

»Warum sollte ich? Sie hat mich aus dem Geschäft vertrieben, mich und viele andere. Was kann sie mir jetzt noch antun?«

Kelso erwiderte: »Ich bedaure, daß die Zeiten so schwer sind, aber das wird sich ändern. Wenn der Konvoi einläuft . . .«

»Der Konvoi, der Konvoi! Was nützt mir ein Konvoi, wenn *sie* all mein Geld hat?«

»Wie sollte sie das denn geschafft haben?«

»Indem sie mir meine Kundschaft stiehlt! Indem sie ihre Läden füllt mit dem, was sie sich aus den Konvois herauspickt, während arme ehrliche Leute sich mit einer solchen Auslage begnügen müssen.« Verächtlich wies sie auf ihren Laden. »Ein bißchen Schnickschnack, ein paar wertlose Schmuckstücke und ein Kleid, das schon gebraucht und längst aus der Mode war, als es vor drei, vier Jahren hier ankam.«

»Aber . . .« Er machte eine hilflose Bewegung. »Die Lage ist doch für alle gleich.«

»Glauben Sie?«

»Warum nicht?«

»Haben Sie ihre Läden gesehen? Das Modegeschäft, den Hutladen, das Lederwarengeschäft, die Schneiderei?«

»Nein. Ich interessiere mich nicht für den Handel.«

»Das sollten Sie aber – zumindest soweit es Ihre saubere Frau betrifft.«

»Kommen Sie doch, Sir«, drängelte Padstow. »Wenn Sie frühzeitig im Fort sein wollen, wie Sie sagten ...«

Kelso winkte gereizt ab. »Ich verstehe nicht, Madam. Wollen Sie damit sagen, daß Sie und die meisten anderen Ladenbesitzer nichts zu verkaufen haben, während die Geschäfte meiner Frau gut ausgestattet sind?«

»Sehen Sie doch selbst, überzeugen Sie sich!« schrie die Frau. »Sie brauchen mir nicht zu glauben, Sie können es selber sehen!«

»Das werde ich auch tun.« Er wandte sich zum Gehen, zögerte dann aber. »Wenn das stimmt, was Sie sagen, dann muß es doch eine Erklärung dafür geben.«

»Natürlich gibt es eine Erklärung – nur ist die für Sie nicht sehr angenehm.«

»Erklären Sie es mir.«

Sie schob sich ins Sonnenlicht vor und zog ihr Kleid über dem schlaffen Busen zusammen. Sie war schmutzig und ungekämmt.

»Kommen Sie doch, Sir«, drängte Padstow. »Von der kriegen Sie nur lauter Lügen zu hören.«

»Lügen, sagen Sie?« keifte die Frau. »Und wer bist du, du Fettsack, daß du mir die Wahrheit beibringen willst?« Sie trat dicht an Kelso heran und sagte: »Was Sie während der letzten Monate getrieben haben, weiß ich nicht, obwohl ich gehört habe, Sie wären hinter den Piraten her, oben am See.« Sie überlegte kurz und lachte dann höhnisch. »Hinter den Piraten! Daß ich nicht lache!«

»Was soll das heißen?«

»Wußte Ihre Frau, daß Sie hinter den Piraten her waren? Hatte sie Ihnen nichts zu erzählen?«

»Ich weiß nicht, was Sie meinen, Madam. Würden Sie sich bitte deutlicher ausdrücken und endlich aufhören, gehässige Bemerkungen über meine Frau zu machen?«

Sie seufzte und schüttelte den Kopf. »Arme Seele! Hat man je so eine Unschuld gesehen?« Sie musterte ihn scharf und strich sich eine fettige Haarsträhne aus dem Gesicht. »Also gut, wenn

Sie unbedingt wollen?«

»Kommen Sie doch, Sir.«

»Nein! Ich bleibe!«

Dann begann sie: »Wenn Sie es wirklich nicht wissen – und ich fange an zu glauben, daß Sie so unschuldig sind, wie Sie aussehen –, dann wird es allmählich Zeit, daß jemand Sie aufklärt.«

»Nichts als widerliches Geschwätz, Sir«, sagte Padstow beschwörend.

Die Ladenbesitzerin ignorierte ihn. »Wochen-, ja monatelang hatten wir schon Verdacht geschöpft. Als unsere Vorräte zur Neige gingen und keine Nachricht vom Konvoi kam, erschien es uns seltsam, daß einige Läden noch voll ausstaffiert waren. Die machten natürlich glänzende Geschäfte, obwohl sie ihre Preise beträchtlich erhöhten. Irgend jemand war pfiffiger gewesen als wir, hat auf Vorrat gekauft und dann auf die Verspätung des Konvois spekuliert.«

»Darin sehe ich nichts Unrechtes.«

»Das dachte ich mir. Würden Sie auch dann keinen Verdacht schöpfen, wenn Sie wüßten, daß all diese Läden ein und derselben Dame gehörten?«

»Sicher nicht.«

»Oder wenn Sie herausfänden, daß diese Waren nicht aus dem letzten und auch nicht aus dem vorletzten Konvoi stammten? Wenn Sie merkten, daß diese Sachen überhaupt nie in Kalkutta gelöscht worden waren, zumindest nicht aus einem Indienfahrer?«

»Um Himmels willen, Frau – wovon reden Sie eigentlich?«

»Daß es geraubte Sachen waren, davon rede ich! Diese prächtigen Kleider und Juwelen stammten nicht aus den Konvois, wenigstens nicht direkt. Sie stammten von den Piraten!«

Kelso konnte sich nicht erinnern, jemals so wütend oder so angewidert gewesen zu sein. Er wandte sich ab und sagte: »Sie haben ein verdammtes Schandmaul, und das wird Sie noch ins Unglück bringen. Ich rate Ihnen, es künftig zu zügeln.«

»Weshalb? Haben Sie Angst vor der Wahrheit?«

»Ich höre nur Wahrheiten an, Madam, keine Verleumdungen.«

»Dann wollen Sie auch nicht die Beweise hören?«

Langsam wandte er sich ihr wieder zu. Er war gut einen Kopf größer als sie und trat jetzt dicht an sie heran, aber sie wich keinen einzigen Zoll zurück.

»Wenn Sie Beweise haben, Madam – was ich nicht glaube –,

dann werde ich sie mir anhören. Wenn es aber nur Lügen sind . . .«

»Es sind keine Lügen.« Sie lachte gehässig und deutete auf Padstow. »Fragen Sie ihn, der so eifrig darauf bedacht ist, Sie wegzuziehen. Er weiß es!«

Kelso wandte den Blick nicht von ihr. »Ihren Beweis, Madam!«

Sie schnaubte verächtlich und strich sich erneut die Strähne aus den Augen. »Also gut! Vor einer Woche, vielleicht auch vor zehn Tagen, ging Mary Edgecombe – Mrs. Edgecombe ist mit einem Ihrer Offiziere verheiratet – in den Laden im Bow-Basar. Ram Soonder ist dort Geschäftsführerin, nicht Eigentümerin. Wir fanden das später heraus.«

»Der Laden gehört meiner Frau, ich weiß.«

»Es ging Mary nicht gut während der letzten Monate, kein Wunder nach dem Tod ihrer Tochter.« Heimtückisch musterte sie Kelso. »Sie haben davon gehört?«

»Ja. Sie war eine der Passagiere der *Mysore*, die von den Piraten umgebracht wurden.«

»Das ist richtig. Also, Mary Edgecombe ging in den Laden, um ein Hochzeitsgeschenk zu kaufen. Sie hoffte, eine Brosche oder sonst ein Schmuckstück zu finden, etwas Hübsches und nicht zu Teures.«

»Kommen Sie zur Sache, Madam.«

»Ich bin schon mitten drin – und es wird Ihnen nicht schmekken!« Sie zog die Bluse noch enger über ihre mageren Schultern und fuhr fort: »›Vielleicht, Madam, würden Sie gern ein Halsband sehen‹, fragte die Verkäuferin. ›Wir haben sehr hübsche hier – eben erst aus England gekommen.‹ – ›Nein, danke‹, antwortete Mary, und dann: ›Warten Sie!‹ Sie ergriff ein Halsband, wobei ihre Hände heftig zitterten. Sie konnte es kaum umdrehen, um sich den Verschluß anzusehen.« Die Frau grinste hämisch und entblößte dabei ihre schlechten Zähne. »Und wissen Sie, was dann geschah? Sie fiel in Ohnmacht!«

Kelsos Gesicht zeigte keinerlei Regung, weder Zweifel noch Ärger, noch Kummer. »Es war das Halsband ihrer Tochter?«

»Genau das.«

»Sie kann sich geirrt haben.«

»Keineswegs. Sie drehte die Schließe herum, und da standen die Anfangsbuchstaben K. R. E.: Kathleen Rose Edgecombe. Jeder Zweifel ist also ausgeschlossen.«

23

Gobindram Mitras Büro bestand aus einem Zimmer im Kompaniegebäude in Fort William. Es schien eine bescheidene Unterkunft zu sein für einen der reichsten und mächtigsten Männer Bengalens, aber es hatte gewisse Vorteile. Einer davon war, daß die europäischen Beamten und Angestellten, die größere und luftigere Räume besaßen, sich einbildeten, der Black Zemindar sei trotz seines Reichtums ihr Untergebener. Von Mitras Gesichtspunkt aus bedeutete es dagegen ein erhebliches Prestige, besonders bei seinen indischen Landsleuten, überhaupt ein Büro innerhalb der Mauern des Forts zu haben.

Kelso, der unangemeldet und ohne zu klopfen eintrat, genoß es, den Black Zemindar überrascht zu haben. Gobindram Mitra quälte sich von seinem Schreibtisch hoch, der mehr als die Hälfte des Raumes einnahm, und wischte sich das verschwitzte Gesicht. Im Raum herrschte eine Temperatur wie im Backofen.

»Kommodore! Welche Freude, Sie zu sehen! Kann ich Ihnen etwas zu trinken anbieten? Lassen Sie uns lieber in den Korridor gehen, dort ist es kühler.«

Er schien über den Besuch wirklich erfreut zu sein. Er öffnete die Tür und drückte sich eng an die Wand, damit Kelso genügend Platz hatte, um an seiner mächtigen Gestalt vorbei in die frischere Luft des Korridors zu gelangen.

»Wie oft habe ich davon geträumt, daß Kommodore Kelso, der Held von Gheriah* und . . .«

»Dies ist kein Höflichkeitsbesuch«, fiel Kelso ihm ins Wort, »und Sie werden kaum erfreut sein, wenn Sie hören, was ich zu sagen habe.«

Gobindram Mitra neigte den Kopf, schien aber keineswegs verwirrt, als er seinen Besucher zu einem Sessel im Empfangsteil des Flures geleitete. »Ich bedaure es, wenn Sie gekommen sind, um mich zu rügen, Kommodore – obwohl ich mir nicht vorstellen kann, weswegen –, aber das verringert keineswegs meine Freude, Sie hier in meinem bescheidenen Büro zu empfangen.«

Kelso kam gleich zur Sache. »Ich war vorhin in der Chitpur Road und hörte dort einige beunruhigende Neuigkeiten.«

»Von Miss Higgs, Miss Matilda Higgs?«

* Piratenfestung südlich von Bombay, die unter wesentlicher Mitwirkung Kelsos zerstört wurde

Nur langjährige Übung befähigte Kelso, sein Erstaunen zu verbergen. Es waren noch keine zwei Stunden vergangen seit seinem Zusammentreffen mit der Ladenbesitzerin, und zwar lediglich die Zeit, die er gebraucht hatte, um mit Caillaud den gemeinsamen Plan zu besprechen. In dieser kurzen Spanne sollte der Klatsch bereits bis hierher gedrungen sein?

»Sie haben davon gehört?«

»Es geschieht nur wenig in Kalkutta, was mir nicht früher oder später zu Ohren kommt.«

»Dann wissen Sie auch, weswegen ich hier bin?«

Gobindram Mitra saß steif auf der Stuhlkante, seine Hände ruhten im Schoß. »Ich habe gehört, daß Miss Higgs gewisse Bemerkungen machte. Sie drückte ihre Enttäuschung darüber aus, daß der Konvoi so lange überfällig ist.«

»Sie hat erheblich mehr gesagt.«

Gobindram Mitra hob die mächtigen Schultern und schien damit ein Achselzucken anzudeuten. »Miss Higgs ist Engländerin, deshalb muß ich mich vorsichtig ausdrücken. Aber Sie haben sie ja selbst gesehen, Kommodore, haben ihre vulgäre Sprache gehört. Sicher können Sie daraus gewisse Schlüsse ziehen.«

»Daß sie eine eifersüchtige, neidische alte Jungfer ist? Ist es das, was Sie sagen wollen?«

»Ja, so ähnlich. Natürlich ist sie neidisch. Sie ist erfolglos, wohingegen Lady Susan ...«

»Sie haben meine Frau dazu ermutigt, Mitra. Ich bin davon überzeugt, daß Sie hinter all ihren Plänen stecken.«

»Ich helfe ihr, soweit ich kann.«

»Helfen! Jetzt sehen Sie selbst, was Sie angerichtet haben! Meine Frau ist dem Skandal ausgesetzt, ihr Name ist in den Schmutz gezogen, als wäre sie eine gemeine Betrügerin.«

»Soweit ich weiß, trifft das nicht zu«, sagte Gobindram Mitra finster.

»Verstecken Sie sich nicht hinter leeren Worten! Sie wissen, was man sich über meine Frau erzählt. Woher hat sie die Waren, mit denen sie ihre Läden beliefert? Sagen Sie es mir. Wie kam das Halsband des von Piraten ermordeten Mädchens in einen ihrer Läden?«

»Haben Sie das Ihre Frau gefragt?« erkundigte sich Gobindram Mitra sanft. »Oder nehmen Sie von vornherein das Wort einer reizbaren alten Jungfer für bare Münze?«

Kelso atmete tief ein und setzte sich auf seinem Stuhl zurecht.

Er wollte gerecht sein, dazu war er entschlossen. Aber die Begegnung mit dieser Frau in der Chitpur Road hatte ihn zutiefst erschüttert.

»Wollen Sie mir einreden, daß die Geschichte über Mrs. Edgecombe nicht stimmt? Wollen Sie behaupten, das Halsband existiere nicht?«

»Doch, sicher gibt es ein Halsband. Aber ob es Mrs. Edgecombes Tochter gehörte, ist eine andere Frage.«

»Die Anfangsbuchstaben, verdammt! Es trug die Initialen des toten Mädchens!«

Gobindram Mitra saß da wie unbeteiligt, aber in seinen Augen war ein Ausdruck des Verstehens, sogar des Mitleids. »Ich muß gestehen, da sind Sie mir voraus, Kommodore. Ich habe die Initialen nicht gesehen – und, soviel ich weiß, auch niemand anderer.«

»Mrs. Edgecombe hat sie gesehen.«

»Sie meint, sie gesehen zu haben. Noch jetzt ist sie sich ihrer Sache nicht sicher. Mir scheint es auch bezeichnend, daß sie niemals offiziell Anklage erhoben hat.«

Kelso wartete. Er fühlte sich äußerst unbehaglich. Die Geschichte hatte ihn dermaßen aufgebracht, daß sein erster Impuls war, anzugreifen! Er konnte nicht glauben, daß Susan völlig schuldlos war, aber es war sehr viel leichter und auch tröstlicher zu glauben, daß sie nur zum Teil verantwortlich war. Der Black Zemindar, ihr böser Geist, mußte der wirkliche Schuldige sein.

»Wollen Sie damit sagen, alles ist nur ein Irrtum?«

»So ähnlich. Sie haben wahrscheinlich gehört, daß Mrs. Edgecombe ohnmächtig wurde. Als sie wieder zu sich kam, sah sie sich das Halsband nochmals an und stellte fest, daß es keinerlei Initialen trug. Es hatte niemals ihrer Tochter gehört.«

Kelso beobachtete ihn genau, versuchte, so etwas wie schlechtes Gewissen in seinen tiefliegenden Augen zu erkennen, aber er entdeckte nicht das geringste. Gobindram Mitra wirkte so gleichmütig und unbeteiligt wie eine Statue.

»Man muß wirklich sehr schlau sein, um mit Ihnen zu verhandeln, Mitra. Ich nehme an, daß Mrs. Edgecombe nun behauptet, das Halsband sei vertauscht worden?«

»Das tat sie zunächst. Jetzt ist sie ihrer Sache nicht mehr sicher.«

Holwell kam aus einer Tür am Ende des Korridors und ging nach einem flüchtigen Winken wieder zurück in sein Zimmer. Ein indischer Dhobi*, einen Korb voll Wäsche auf dem Kopf, schlurfte mit niedergeschlagenen Augen vorüber. Irgendwo – vielleicht auf dem unteren Korridor – hörte man schrilles Gezänk von Indern.

»Was ist mit den Waren in den Läden?« fragte Kelso. »Wollen Sie etwa behaupten, auch die seien eine optische Täuschung?«

»Keineswegs. Lady Susan hat noch Ware zu verkaufen, wenn die Vorräte anderer –« er zögerte und suchte nach dem passenden Wort – »Geschäftsleute schon zu Ende gegangen sind; aber doch nur, weil sie den Weitblick und den gesunden Geschäftssinn besaß, sich nicht allein auf die Konvois zu verlassen, die ja mitunter, wie Sie selbst am besten wissen, unpünktlich sind.«

»Meine Frau kauft Waren auf den Eingeborenenmärkten?«

»Ja. In Alipore, Sunderabad – sogar noch weiter entfernt, in Serampore.«

»Wer kauft für sie ein?«

»Ihre Agenten.«

»Auf Ihre Anweisungen hin?«

»Unter meiner Leitung. Ich kenne Bengalen wie kaum ein anderer, Kommodore. Ich weiß, wo man günstig einkaufen kann. Niemand, nicht einmal die Europäer, reisen so weit oder kennen die Märkte so gut. Wenn Sie jemandem die Verantwortung dafür zuschieben wollen, daß Lady Susan in der glücklichen Lage ist, noch genügend Ware anbieten zu können, obgleich der Konvoi so lange überfällig ist, dann bin ich der Verantwortliche.«

Kelso erhob sich in stillschweigender Anerkennung seiner Niederlage. Er musterte den Black Zemindar eingehend, und trotz der ausdruckslosen Miene hätte er schwören können, daß er in seinen Augen eine Bitte sah. Eine Bitte worum? Um Verstehen? Verzeihung? Vielleicht sogar Freundschaft?

»Ich bin froh, daß Sie gekommen sind, Kommodore, mehr als ich es mit Worten ausdrücken kann. Eines Tages vielleicht, wenn Sie sich dazu durchringen können, mir Ihr Vertrauen zu schenken . . .«

»Falls ich je lerne, Ihnen zu trauen!«

»Das werden Sie, Kommodore, ich fühle es.« Er legte die Hand aufs Herz. »Es gibt nichts, was ich so sehr ersehne wie Ihr Vertrauen . . .« Er zögerte. »Vielleicht eines Tages – wer weiß – sogar Ihre Freundschaft. Ich bin kein guter Mensch, Kommodore, das

* eingeborener Wäscher

179

wissen Sie, aber Ihnen wenigstens habe ich noch nie die Unwahrheit gesagt und auch nie versucht, etwas anderes vorzutäuschen, als ich wirklich bin.«

»Sie sind ein cleverer Schurke, Mitra, das gestehe ich Ihnen zu.«

»Ein ehrlicher Schurke, Kommodore, und einer, der Ihnen wohlwill, der es gut mit Ihnen meint.«

Während der nächsten Tage verwandte Kelso all seine Energie auf die Vorbereitung der Expedition. Major Caillaud, einer von Clives Schützlingen, zeigte die gleiche Entschlossenheit. Hundert Mann der Neununddreißiger wurden gedrillt und ausgerüstet für einen längeren Dschungeleinsatz. Mehrere Tage, notfalls sogar Wochen, sollten sie von dem leben, was sie selbst tragen konnten. Jeder von ihnen erhielt außerdem fünfzig Schuß Munition und eine Axt oder ein Buschmesser, um sich einen Weg durch den dichten Dschungel schlagen zu können. *Calcutta* und die Ketsch *Blackwall* übernahmen Verpflegung und Wasser für hundertfünfzig Mann.

Geheimhaltung war unmöglich. Der Hafenmeister, die Lebensmittelhändler, ja sogar die Kulis, die all diese Dinge an Bord schleppten, erkannten natürlich, daß irgend etwas im Gange war. Da beide Schiffe durch den Kanal mußten, konnte nicht einmal die Auslaufzeit geheim bleiben. Kelso war sich auch darüber klar, daß ein Mann wie Gobindram Mitra mehr über die Unternehmung wußte als jeder andere.

Bis auf den Operationsplan. Der war nur Caillaud und Kelso selbst bekannt, und das war ihre einzige Aussicht auf Erfolg.

Am Nachmittag liefen sie aus, unter der glühenden Sonne Kalkuttas. Sie hatten vor, den Salzsee bei Einbruch der Dunkelheit zu erreichen. Als Kelso nach Beendigung der Vorbereitungen nach Hause zurückkehrte, um sein Gepäck zu holen, wartete Susan auf ihn.

»Liebling! Ich möchte nicht, daß du gehst!«

Er duldete ihre Umarmung, aber mehr nicht. So bald wie möglich machte er sich frei. »In einer halben Stunde laufen wir aus.«

»Wie lange bleibst du weg?«

»Ein paar Tage, vielleicht Wochen, ich weiß es noch nicht.«

»Aber diesmal wirst du ihn finden?«

Er hob die Schultern. »Wer kann das sagen? Der Dschungel ist groß.«

»Aber du bist ein entschlossener Mann. Ich kann mir nicht vorstellen, daß du die Absicht hast, durch die Sümpfe zu ziehen in der Hoffnung, Mohammed Khan nur zufällig zu begegnen. Du weißt doch nicht einmal, auf welcher Seite des Sees er sich verborgen hält.«

Lächelnd nickte er. »Natürlich hast du recht. Ich hege eben so meine Vermutungen.«

»Und welche?«

Er ging zur Tür und stellte sicher, daß niemand lauschte. Dann spähte er sorgfältig aus dem Fenster. Schließlich ergriff er Susan an der Hand und führte sie in die Mitte des Zimmers.

»Ich verrate dir unseren Plan«, flüsterte er, »vorausgesetzt, du versprichst mir, ihn ganz für dich zu behalten.«

Sie nickte und sah ein wenig beunruhigt aus. »Natürlich. Wenn du meinst, du sollest ihn mir mitteilen?«

»Du bist meine Frau«, sagte er. »Wenn ich nicht einmal dir trauen könnte . . .« Dann erklärte er ihr sorgfältig und mit einer Andeutung von Erregung in der Stimme: »Wir segeln bei Tagesanbruch über den See, und zwar zur Nordseite, das heißt, wir erwecken diesen Anschein. Ein paar Leute werden dort auch tatsächlich an Land gesetzt.«

»Warum an der Nordküste? Ich denke, als ihr sein Dorf verbranntet, zog er sich mit seinen Leuten nach Süden zurück?«

»Ja.« Er musterte sie seltsam. »Das ist richtig, und ich vermute, daß sie noch immer im Süden sind. Dort hoffen wir sie auch zu finden.«

»Aber wie?«

»Nach Einbruch der Dunkelheit nehmen wir die Leute wieder an Bord und segeln quer über den See.«

»Und schifft sie im Süden aus?«

»Genau! *Calcutta* und *Blackwall* segeln dann weiter, um bei Einbruch der Dunkelheit am verlassenen Schlupfwinkel zu sein.«

»Und während der Nacht führst du deinen eigenen Landungstrupp nach Süden, um dich mit Major Caillaud zu vereinigen?«

»Oder vorher auf Mohammed Khans Leute zu stoßen.«

Bewundernd sah sie ihn an und schloß ihn nochmals in die Arme. »Mein tapferer Held! Diesmal wird es dir endlich gelingen, ihn zu fangen.«

24

Mit günstigem Wind segelte die *Calcutta* durch die Bucht. Das Fahrwasser erforderte äußerste Aufmerksamkeit und gutes seemännisches Können. Hinter den Kaianlagen wand sich die Fahrrinne zwischen den Hütten von Black Town auf der einen und den von Reisfeldern umgebenen Bauernhöfen auf der anderen Seite hindurch. Bisweilen war sie durch die enge Begrenzung klar zu erkennen, dann wieder war sie in dem breiten trüben Gewässer undefinierbar.

Bei der Nachmittagshitze tat es gut, in Bewegung zu sein. Zwar war es schwül, aber Kelso spürte den erfrischenden Fahrtwind. Am Ufer schliefen die Eingeborenen im Schatten oder lagen unter den Booten am Strand. Über der Stadt flimmerte die Hitze und verzerrte die Konturen der Häuser und der zahlreichen Minaretts. Die Sonne blendete, und das einzige Geräusch war das Summen und Schwirren der unzähligen Insekten. Kalkutta wirkte wie eine Totenstadt, aber Kelso wußte, daß irgendwo jemand wachsam die Schiffsbewegungen beobachtete und sie sofort durch Läufer oder Lichtsignale an Mohammed Khan und seine Piraten in ihrem neuen Schlupfwinkel am Seeufer weitermeldete.

Bei Sonnenuntergang kamen sie aus dem Schilfgürtel heraus und segelten auf Nordkurs dem dortigen Seeufer entgegen. Wieder passierten sie Untiefen, die Lotgasten standen in den Ketten, und Lebrun, der schwierige Situationen zu genießen schien, gab gelassen seine Kommandos. Er wurde auch nicht nervös, wenn das Schiff hin und wieder eine Schlammbank berührte.

Während Kelso von seinem Stammplatz an der Luvreling des Achterdecks aus alles beobachtete, wanderten seine Gedanken neun, ja beinahe zehn Jahre zurück bis zu der Zeit seines ersten Kommandos, seiner geliebten *Paragon*. Auch mit ihr, einem Schiff gleichen Typs, war er durch flache Gewässer gesegelt und wurde dabei von einem älteren Offizier beobachtet, von Kommodore James. Der war nun lange tot, und die *Paragon* lag als ausgebranntes Wrack auf dem Grund des Indischen Ozeans. Sein alter Freund Robert Clive und dessen Frau Margaret waren nach England zurückgekehrt, nur John Holwell lebte noch hier.

Und Susan. Sie hatte Sir Richard Lashley geheiratet und war zum zweitenmal Witwe geworden. Jetzt war sie Susan Kelso und mit einunddreißig noch genauso schön, ihre Haut genauso frisch und zart, ihre Leidenschaft noch ebenso tief wie damals, als er sie das erste Mal mit ihren blitzenden Augen und dem im Winde wehenden, nußbraunen Haar gesehen hatte.

»Susan!« Unwillkürlich hatte er ihren Namen laut ausgesprochen und schielte rasch hinüber zum Rudergänger; aber der schien nichts gehört zu haben.

Im Abstand von zwei Kabellängen folgte ihnen die *Blackwall* unter vollen Segeln. Dort gab es keinerlei Schwierigkeiten an Bord. Fox war ein fähiger Offizier, und außerdem brauchte die flachere Ketsch der Fregatte mit ihrem wesentlich größeren Tiefgang nur im Kielwasser zu folgen, um vor Grundberührungen sicher zu sein. Kelso sah die Neununddreißiger auf der Back des Mörserbootes stehen, wo sie zweifellos die allmählich einsetzende Abendkühle genossen. In den nächsten Tagen wurden ihre Disziplin und Ausdauer einer harten Probe unterzogen. Die *Calcutta* segelte gerade zwischen zwei ziemlich dicht beieinander liegenden Inseln hindurch. Die eine war klein und anscheinend nur von Vögeln bewohnt, auf der anderen, größeren, entdeckte er einen Anlegesteg und weiter weg, umgeben von Akazien, einen Bungalow. Kelso erkannte die Insel sofort wieder. Im verblassenden Licht sah er die Veranda, auf der er an so manchen Abenden mit Susan gesessen hatte. Er konnte auch die Lichtung ausmachen, auf der sie ihre Mahlzeiten eingenommen, den kleinen Strand, an dem sie so oft in der Sonne gelegen hatten.

»Sieht aus wie eine Fahrrinne dort vorn, Sir«, sagte Lebrun und lenkte damit seine Aufmerksamkeit von der Insel zu der fernen Nordküste. »Wenn sie tief genug ist, sollten wir eigentlich bis hin kommen oder zumindest so weit, daß wir den Rest mit den Booten zurücklegen können.«

»Gut«, sagte Kelso. »Gehen Sie so dicht heran wie möglich, und drehen Sie dann bei.«

Es war schon fast dunkel. Nur unter Marssegeln glitt die *Calcutta* lautlos der Küste entgegen. Nichts war zu hören außer dem monotonen Aussingen der Wassertiefe durch die Lotgasten und gelegentlichen Rufen der Ausgucksposten in Bug und Vortopp. Einmal setzte die Fregatte gewaltig auf, was von der Besatzung mit Flüchen quittiert wurde. Die Männer, die nicht zufällig in Reichweite der Reling oder der Deckstützen standen, purzelten hoffnungslos durcheinander.

»An die Brassen! Hart Backbord, Quartermeister!«

Ein paar kritische Augenblicke saß sie fest, aber dann glitt sie unter den Hurrarufen der Seeleute seitwärts in tieferes Wasser.

»Es wird langsam schwierig, Sir«, bemerkte Lebrun. »Ich weiß nicht, wie weit wir Ihrer Meinung nach noch gehen sollen.«

»Bis zum nächsten größeren Fleck offenen Wassers«, antwortete Kelso. »Wir brauchen morgen früh Platz zum Drehen.« Er deutete nach vorn auf einen dunklen Fleck jenseits der helleren Binsen. »Dort können wir die Nacht über ankern.«

»Die Nacht über, Sir?« Lebrun, der normalerweise so zurückhaltend war, vermochte seine Überraschung nicht zu verbergen.

»Natürlich. Wir setzen Major Caillauds Leute an Land. Gegen Morgen sollten sie dann schon am Seeufer ein oder zwei Meilen weitergekommen sein.«

»Ja, Sir, nur dachte ich . . .«

»Nun?«

Lebrun sah man die Verwirrung an. »Nichts, Sir, nur dachte ich, das Ganze sei vielleicht eine List. Die Piraten haben doch bestimmt ihre Späher unterwegs, und die haben gesehen, daß wir zu diesem Seeufer gesegelt sind.«

»Das können wir nicht ändern.«

»Nein, Sir, aber wenn wir jetzt kehrtmachen und die Südküste ansteuern, könnten wir die Soldaten im Schutz der Dunkelheit an Land setzen. Hätten wir dann nicht das Überraschungsmoment auf unserer Seite?«

»Vielleicht ja, vielleicht nein. Ich spiele genauso mit Mohammed Khans Gedankengängen wie Sie. Wenn er annimmt – was ich hoffe –, wir hätten versucht, ihn zu überlisten, wird er auf dieser Seite des Sees bleiben. Es ist mehr als ein Spiel, Kapitän, es ist ein Kampf der Intelligenzen. Gewinne ich, haben wir ihn morgen in der Zange. Gewinnt er, haben wir die ganze Unternehmung umsonst gestartet.« Aber, dachte er bei sich, ich *muß* gewinnen.

Es dauerte eine volle Stunde, bis sie sämtliche Boote ausgesetzt hatten und Major Caillaud mit seinen Leuten an Land pullten. Kelso befand sich im ersten Boot und war froh, daß sie festen Strand und eine Lichtung antrafen, auf der die Männer sich vor dem Beginn ihres langen Marsches durch den Dschungel sammeln und eine kurze Lagebesprechung abhalten konnten. Der Operationsplan sah vor, daß Caillaud während der kühleren Nacht so weit wie möglich vorstoßen und dann eine weitgefächerte Verteidigungslinie aufbauen sollte, so daß Kelsos Leute, wenn sie vom anderen Ende des Sees kamen, die Piraten in die Falle treiben würden.

Es war schon nach Mitternacht, bevor Kelso endlich in die

Koje kam, und acht Glasen* schlug es, als Padstow ihn mit den bekannten Worten weckte: »Heißer Tee, Sir!«

Kelso setzte sich auf und warf einen Blick durch die offene Stückpforte. Es war noch dunkel, obgleich er die Andeutung eines grauen Schimmers im Osten wahrzunehmen glaubte.

»Wind schwach, Sir, aus Nordnordost.«

»Sagen Sie Kapitän Lebrun, ich komme gleich an Deck.«

Er empfand die Morgenkühle, als er aus der Niedergangstür trat. Die Venus stand noch hoch am Himmel, und irgendwo in den Sümpfen schrie ein Vogel, aufgeschreckt von einer Ratte oder einer Schlange.

»Ein schöner Morgen, Sir«, begrüßte ihn Lebrun. »In einer halben Stunde beginnt es zu dämmern.«

Kelso nickte. »Wir gehen ankerauf, sobald wir genügend Sicht haben, und segeln dann in die Mitte des Sees.«

Den ganzen Morgen über fuhren sie ostwärts zum Ende des Sees, und gegen Mittag meldete der Ausguck im Vortopp den bekannten Stützpunkt der Dacoits rechts voraus. Alles kam ihnen so vertraut vor, die blumenübersäten Sumpfwiesen, die baumbestandenen Inseln, die vor dem Hintergrund von Schilf und Binsen schlecht auszumachen waren. Noch immer trieben Wrackteile, Spieren und Segeltuchfetzen auf der Wasserfläche. Später, als sie die Lagune erreichten, sahen sie noch mehr Zeugen des kürzlichen Gefechts.

»Großmarssegel backbrassen!«

Eine Kabellänge vor dem Anfang der Sümpfe und etwa eine halbe Meile von der Küste entfernt drehte die *Calcutta* bei. Für das letzte Stück wollten sie sich lieber auf die Boote und die Kraft der Bootsgasten verlassen.

Es war nicht die günstigste Tageszeit zum Rudern. Kelso, der im Heck eines der Boote saß, mußte die Augen gegen die blendende Sonne schützen, und er fühlte, wie ihm das klitschnasse Hemd am Körper klebte. Für die Männer an den Riemen, denen die Sonne auf den Rücken brannte, mußte es noch weitaus unangenehmer sein; aber sie hielten durch, angespornt von dem ständigen Antreiben des Bootsmannsmaaten, und sie ließen unterdrückte Hurrarufe hören, als sie endlich das offene Wasser der Lagune erreichten und zwischen den Wracks und Masten der gesunkenen Schiffe auf den Kai und den Sandstrand zuhielten.

---

* in diesem Fall vier Uhr morgens

Kelso stieg mit einem Gefühl der Erleichterung und mit Vorsicht an Land. Es tat gut, die gesprengten Kaianlagen, später dann die geschwärzten Ruinen des Dorfes zu sehen. Es tat gut, sich vor Augen zu halten, daß Mohammed Khan und seine Gefolgsleute für immer aus diesem Stützpunkt vertrieben waren. Andererseits konnte er aber nicht vergessen, daß sein Triumph nur von kurzer Dauer war, wenn er seine Aufgabe nicht vollendete. Erst mußte Mohammed Khan selbst vernichtet sein.

Nord oder Süd? Wie der Gouverneur betont hatte, der Dschungel war riesengroß. Er hatte sich für den Norden entschieden, aber wenn seine Entscheidung falsch war, dann hatte Mohammed Khan einen moralischen Sieg errungen.

»In welche Richtung marschieren wir, Sir?«

Kelso hatte sich entschlossen, Lebrun und Fox auf ihren Schiffen zu lassen, und das bedeutete, daß Elliott, der redselige Erste Offizier der *Calcutta*, bei dieser Unternehmung sein Unterführer war.

»Wir gehen zuerst ins Dorf. Teilen Sie die Leute in zwei Gruppen.«

»Aye, aye, Sir, aber . . .«

»Kein Aber, Mr. Elliott. Sie übernehmen die zweite Gruppe und folgen mir.«

Am Waldrand roch es verbrannt, und als sie die Lichtung betraten und die verkohlten Überreste des Dorfes sahen, stiegen immer noch Rauchschwaden aus der Asche auf. Ein paar Hunde liefen ihnen kläffend entgegen, machten jedoch beim ersten Anruf kehrt und flüchteten in den Dschungel. Kein anderes Lebenszeichen konnten sie feststellen.

Kelso winkte Elliott herbei, der, offenbar beleidigt, mit seiner Gruppe außerhalb des Dorfes haltgemacht hatte. Jetzt kam er eilends über die Lichtung und salutierte.

»Sir?«

»Wir rücken nach Norden vor, Mr. Elliott, und zwar so leise wie möglich. Mohammed Khans Leute haben uns auf dem See gesehen. Sie wissen also, daß wir hier sind.«

»Ja, Sir. Wäre es dann nicht besser, sie irrezuführen? Ich meine, wenn wir zur Südküste gingen . . .« Er brach ab, als er Kelsos Gesichtsausdruck sah.

»Major Caillauds Leute sind auf der Nordseite«, erklärte Kelso. »Unser Ziel ist es, die Piraten zwischen unseren beiden Kampfgruppen aufzureiben.«

»Ja, Sir. Aber wenn Mohammed Khans Leute gestern abend gesehen haben, daß die Rotröcke am Nordufer gelandet sind...«

»Mr. Elliott«, sagte Kelso, »ich kenne meinen Plan und habe weder Zeit noch Lust, ihn mit Ihnen zu erörtern. Ich wäre Ihnen verbunden, wenn Sie lediglich meine Befehle ausführten.«

»Ja, Sir. Selbstverständlich.«

»Sie führen Ihre Gruppe diesen Pfad hier entlang, zwei- dreihundert Meter in den Dschungel. Lassen Sie sie dann in Dwarslinie ausschwärmen, aber dicht genug, daß jeder mit seinem Nebenmann Fühlung behält. Meine Gruppe verfährt genauso. Schärfen Sie Ihren Leuten ein, sich so leise wie möglich zu bewegen, auch wenn das schwierig ist, da sie sich ihren Weg durch den Dschungel freischlagen müssen. Beim ersten Sichten des Gegners wird ein Warnschuß abgefeuert, dann lassen Sie Ihren Außenflügel einschwenken, so daß wir die Dacoits zwischen uns einschließen. Haben Sie verstanden?«

»Aye, aye, Sir.«

»Gut, Mr. Elliott.« Als er das reumütige Gesicht des jungen Offiziers sah, ließ sich Kelso doch so weit erweichen, daß er ihm auf die Schulter klopfte. »Und viel Glück!«

25

Ein geregelter Vormarsch durch den Urwald erwies sich als äußerst schwierig, und zwar schwieriger, als Kelso vermutet hatte. So war er nach einer Stunde qualvollen und kräftezehrenden Vorrückens gezwungen, haltzumachen. »Geben Sie den Haltebefehl an Mr. Elliott weiter«, rief er seinen Leuten zu.

Etwa zehn Minuten später erschien der junge Offizier, atemlos, zerzaust, verschwitzt, Gesicht und Hände von Dornen zerkratzt. Kelso sah seine eigenen Hände an und warf durch die trennenden Büsche einen Blick auf Padstows Gesicht. Wenn sie alle genauso mitgenommen aussahen, waren sie vermutlich in trüber Verfassung, wenn sie wirklich jemals auf den Feind stießen. Falls sie auf ihn stießen. Er empfand es als sehr entmutigend, daß sie bisher nicht das geringste gefunden hatten. Wenn die Dacoits vor ein paar Tagen oder sogar Stunden hier durchgekommen waren, mußten sie doch bestimmt einige Spuren hinterlassen haben.

»Keinerlei Anzeichen vom Feind auf Ihrem Flügel?« fragte er Elliott.

»Nein, nichts, Sir.«

»Dann muß Mohammed Khan also, wenn er wirklich hier auf dieser Seite des Sees steht, auf dem Wasserweg hinübergewechselt sein.«

»Ich denke, Sir, er hat keine Schiffe mehr?«

»Das war vor einer Woche. Er hatte inzwischen genügend Zeit, ein paar Kanus oder Flöße zurechtzuzimmern.«

»Immer unter der Voraussetzung, Sir, daß er sich wirklich auf dieser Seite befindet.«

»Ja.« Kelso musterte den Oberleutnant nachdenklich, aber nicht mehr unfreundlich. Es begann so auszusehen, als habe Elliott recht. Dann wandte er sich an seinen Steward, der sich bereits durch das Gewirr von Brombeerranken und Schlinggewächsen den Weg zu ihm bahnte.

»Padstow, geh hinunter zum See und versuch herauszufinden, ob jemand Spuren der Dacoits gesehen hat, Anzeichen dafür, daß sie vor kurzem hier durchgekommen sind – oder, noch wichtiger – ob jemand einen Pfad entdeckt hat.«

Nachdem Padstow sich unter greulichen Flüchen außer Sicht gehackt hatte, wandte sich Kelso an den Mann zu seiner Rechten: »Zehn Minuten Pause. Geben Sie es weiter durch die Linie. Die Leute können sich hinsetzen, sollen aber wachsam bleiben.«

Total erschöpft, wie er war, bezog Elliott diese Weisung auf sich und setzte sich, ohne weitere Erlaubnis abzuwarten, mit dem Rücken an einen Baum auf den Boden. Kelso blieb stehen.

»Wenn Mohammed Khan wirklich auf der anderen Seite des Sees ist«, bemerkte Elliott, »dann wird er sich jetzt ganz schön ins Fäustchen lachen.«

Kelso antwortete nicht.

»Ich bin überzeugt, Sir, er hat uns beigedreht im See liegen gesehen und dann unseren langen Weg mit den Booten verfolgt. Bestimmt wird er wissen, was wir jetzt tun, und auch, daß wir völlig erschöpft sind. Ich möchte beinahe annehmen, Sir, daß er schon darüber nachdenkt, ob dies nicht die günstigste Gelegenheit für einen Angriff aus dem Hinterhalt ist. Vielleicht erwartet er uns, wenn wir zu den Booten zurückkehren.«

»Wir gehen nicht zu den Booten zurück, Mr. Elliott. Wenigstens vorläufig nicht.«

»Aber, Sir . . .«

»Mr. Elliott!« sagte Kelso und versuchte dabei, seine Stimme unter Kontrolle zu halten. »Ich verwehre Ihnen nicht, die Richtigkeit meiner Maßnahmen anzuzweifeln. Vielleicht haben Sie mit Ihrer Beurteilung der Lage sogar recht, das wird sich heute abend herausstellen. Was ich aber nicht mehr dulden werde, und lassen Sie sich das ein für allemal gesagt sein, das ist Ihr ständiges Herummeckern an meinen Befehlen.«

Der arme Elliott stammelte: »Nein, Sir, natürlich nicht. Ich meine doch nur . . . Ich hoffe, Sie denken nicht, Sir – das würde mir niemals in den Sinn kommen . . .«

»Genug, Mr. Elliott«, winkte Kelso müde ab. »Sprechen wir nicht mehr darüber. Dort kommt mein Steward zurück. Hoffentlich bringt er uns tröstliche Nachrichten.«

Er sah Padstow, der fluchend und polternd durch das dichte Unterholz brach, mit mehr Besorgnis entgegen, als er sich anmerken lassen wollte. Padstows untersetzte Figur und sein mächtiger Brustkasten erinnerten ihn an einen Menschenaffen, einen übellaunigen, zum Angriff entschlossenen Gorilla.

»Sir!« Endlich kam er von den ihn behindernden Weinranken frei. Noch völlig außer Atem salutierte er.

»Was hast du gefunden?«

»Nichts, Sir. Keinerlei Anzeichen vom Feind.« Endlich hatte er sich wieder so weit erholt, daß er sein Taschentuch hervorziehen und sich das schweißüberströmte Gesicht abwischen konnte.

»Keine Spuren?« Kelso konnte nur schwer seine Enttäuschung verbergen.

»Nein, keine Spuren, Sir, obwohl Sullivan, der ganz unten am Wasser vorrückt, mir erzählte, er habe weiter hinten etwas gesehen.«

»Was?«

»Spuren von Feuern, Sir, in einer Lichtung am Ufer.«

»Wie viele?«

»Zehn, vielleicht auch ein Dutzend. Scheint ein Lager gewesen zu sein.«

»War die Asche kalt? Hat er sie angefaßt?«

Padstow machte ein verdutztes Gesicht.

»Weiß nicht, Sir. Hab' ihn nicht gefragt.«

»Macht nichts. Ist das alles?«

»Ja, Sir, außer . . .«

»Außer was?«

»Nun, Sir, er sagte, daß er unmittelbar am Wasser hin und wieder Fußspuren sah, als ob dort Fischer mit ihren Booten gelandet seien.«

»Oder Dacoits auf dem Weg nach Norden, am Ostufer entlang!« Kelsos Stimme verriet nichts von seiner aufkeimenden Hoffnung. »Mr. Elliott«, rief er.

»Sir?«

»Rufen Sie Ihre Leute zusammen und folgen Sie mir so schnell Sie können zum Wasser hinunter.«

Als er aus dem Dschungel heraus in den hellen Sonnenschein trat, der blendend vom spiegelglatten See reflektiert wurde, sah er die *Calcutta*. Sie lag jenseits der Sümpfe vor Anker, etwa eine Meile vom Land entfernt. Deutlich war ihr Rumpf und ihre Takelage zu erkennen, die backgebraßten Marssegel und sogar das Aufblitzen vom Glas des Ausgucks im Vortopp, der den Horizont absuchte. Offensichtlich hatte er noch nichts gefunden, denn es wehte kein Signal von der Rah.

All dies nahm Kelso mit einem einzigen Blick in sich auf, denn er hatte andere, unmittelbarere Probleme zu lösen. Nachdem sie sich durch Büsche und Schilf gezwängt hatten, kamen sie direkt am Wasser an einen schmalen Sandstreifen.

Ein Blick zeigte ihm, was er suchte. Der Sand und auch das kurze Gras am Ufer zeigten deutlich die Abdrücke nackter Füße, und, was noch wichtiger war, sie schienen alle in dieselbe Richtung zu weisen.

Ihm war klar: Irgendwo am Norduffer hielten sich Mohammed Khan und seine Dacoits verborgen.

»Ist es das, wonach wir suchten, Sir?« fragte Padstow und schirmte seine Augen gegen die blendenden Sonnenstrahlen ab.

Kelso nickte. Er fühlte sich erleichtert, beinahe fröhlich. »Mr. Lovegrove!« rief er.

»Sir?« Der Bootsmann, der noch mehr unter der Hitze zu leiden schien als alle anderen, trat zögernd aus dem Schatten der Uferbäume.

»Noch fünf Minuten. Sagen Sie den Leuten, sie sollen sich im Wasser erfrischen – aber keinen Krach dabei machen!«

»Aye, aye, Sir.«

»Danach wollen wir in Doppelreihe weiter vorrücken. Wir bleiben immer am Ufer. Zehn Schritt Abstand von Mann zu Mann.«

»Aye, aye, Sir.«

»Padstow und ich gehen voraus. Geben Sie die Befehle weiter an Mr. Elliott, wenn er hier eintrifft.«

Trotz Sonne und blendender Helligkeit kam es ihnen hier draußen wie eine Erlösung vor nach der stickigen Hitze des Dschungels. Gefolgt von Padstow schritt Kelso jetzt leichtfüßig über den Sand und die Grasbüschel. Von Zeit zu Zeit störte er Vögel aus der Mittagsruhe auf, bisweilen verließ er auch den Sandstrand und durchwatete seichte Buchten, dann wieder mußte er sich den Weg durch dichtes Gebüsch bahnen, wenn es bis ans tiefe Wasser herunterreichte. Hier, außerhalb des Dschungels, war es lautlos bis auf das gelegentliche Quäken und Flattern von aufgescheuchten Enten, das Schnattern der Affen in den Bäumen und das Quaken der Ochsenfrösche. Als Kelso sich einmal umsah, stellte er fest, daß Elliott gerade angekommen war. Binnen weniger Minuten zog eine schier endlose Doppelreihe von Seeleuten an dem buchtenreichen Seeufer entlang.

Sie gingen jetzt schon eine halbe Stunde, und langsam fing er an, Elliotts Zweifel zu teilen, als in der Ferne ein unverkennbares Geräusch zu hören war, das Kelsos Herz schneller schlagen ließ.

»Was war das, Sir?« fragte Padstow, der es auch gehört hatte.

»Ein Gewehrschuß.« Er versuchte, sich seine freudige Erregung nicht anmerken zu lassen. »Und noch einer, hast du gehört?«

»Sieht aus, als wären uns die Rotröcke zuvorgekommen, Sir.«

»Ja, aber ich bezweifle, daß sie die Arbeit ohne uns vollenden können.«

Er zog den Säbel, gab damit ein Beschleunigungzeichen an die ihm folgenden Seeleute und stürmte dann, ohne die Bestätigung abzuwarten, durch Schilf, Wasser und Gebüsch, dem Geräusch des Gewehrfeuers entgegen.

Er konnte nicht sagen, wie lange er schon rannte, watete, sprang und stolperte; das durch die Bäume gedämpfte Gewehrfeuer schien noch immer sehr weit entfernt, als er sich plötzlich zwei Dacoits gegenübersah, die wie durch Zauberei aus dem Dschungel auftauchten.

Die beiden waren genauso überrascht wie er, aber sie verloren keine Zeit, sondern gingen sofort zum Angriff über. Sie zogen den Dolch aus dem Lendenschurz und sprangen ihn an, wobei sie wilde Schreie ausstießen. Zweifellos hätten sie ihn auch sofort erledigt, wenn er sie nicht mit einem Säbelhieb empfangen hätte. Die Klinge verfehlte zwar ihr Ziel um wenige Zoll, zwang sie aber zum Stehenbleiben. Schon war auch Padstow mit einem mächtigen Satz an Kelsos Seite.

»Überlassen Sie das mir, Sir!« Wenn Padstow ein Messer in der Hand hatte, war er ein völlig anderer Mensch. Den stämmigen

Körper geduckt, das Leuchten der Kampfesfreude im Gesicht, wirkte er wie der furchtbare Gegner, der er auch war.

Die beiden Dacoits schienen das ebenfalls zu empfinden, denn sie zögerten zunächst. Dann entschlossen sie sich doch, vielleicht, weil sie das erneut aufflammende Gewehrfeuer hinter sich hörten.

Langsam schlichen sie näher, breitbeinig und mit vorgestreckten Krummdolchen. Ihre Füße platschten durchs Wasser, die scharfen Klingen blitzten in der Sonne.

Beide sprangen wie auf ein geheimes Zeichen im gleichen Augenblick vor und stießen mit ihren Dolchen nach Padstow.

Es sprach für das grenzenlose Vertrauen in die Fähigkeiten seines Herrn, daß der Mann aus Cornwall dem Ansprung der beiden nicht nur standhielt, ohne mit der Wimper zu zucken, sondern mit einem blitzschnellen Ausfall, genau im richtigen Augenblick, dem einen von ihnen das Entermesser bis zum Heft in die Brust stieß. Gleichzeitig fuhr Kelsos Klinge wie ein Blitz herunter und trennte mit einem gewaltigen Hieb den Arm des zweiten Piraten fast vollständig vom Körper.

Er schrie auf und stürzte, aber noch im Fallen stieß ihm Padstow sein Messer in den Rücken, so daß er starb, bevor er den Boden erreicht hatte.

»Das wird sie lehren!« keuchte Padstow, während er sein Messer im See abspülte.

Weitere Dacoits erschienen am Ufer, mehr als hundert Meter weiter vorn. Hinter ihnen kamen die Rotröcke und forderten mit Gewehr und Bajonett ihren Zoll.

»Wir müssen uns beeilen, Sir«, rief Padstow, »bevor die Jungs uns alle Arbeit wegnehmen!«

Ob er die Soldaten meinte, deren rote Röcke jetzt immer häufiger am Waldrand auftauchten, oder die Seeleute, die, nur noch einen Steinwurf weit entfernt, angehastet kamen, oder auch beide, blieb ungeklärt; aber auf Kelsos Nicken hin rannte er los, so schnell ihn seine stämmigen Beine trugen. Er rutschte und stolperte vorwärts, vom Ufer ins Wasser, vom Wasser zurück ans Ufer, bis er in einem Gewirr von Messerstößen und Säbelhieben verschwand, um nach kurzer Zeit triumphierend zwischen den Rotröcken wieder aufzutauchen.

»Sir! Sind Sie gesund?«

Keuchend und mit schweißbedecktem Gesicht tauchte Elliott neben ihm auf.

»Also, Mr. Elliott. Ihre Leute haben eine lange und mühsame Jagd hinter sich. Sie verdienen es, am Fangschuß teilzuhaben.«

»Danke, Sir.« Elliott wandte sich um und winkte seinen Seeleuten zu, die schon voller Sorge auf die rasch abnehmende Zahl der Dacoits blickten.

»Los, Jungs! Auf sie!«

Die Männer stürmten vor wie eine Woge, rufend, fluchend, mitunter stolpernd und der Länge nach hinfallend. Nur Elliott zögerte noch und fragte: »Sir?«

»Ja?«

»Ich dachte, Sir – das heißt – ich möchte mich entschuldigen. Ich habe wirklich geglaubt . . .«

Lächelnd klopfte ihm Kelso auf die Schulter. »Die Chancen standen gleich, Mr. Elliott. Ich hatte Glück, meine Vermutung hat sich als richtig erwiesen.«

26

Er traf Major Caillaud auf einer Lichtung ein paar hundert Meter vom Ufer entfernt. Rund zwanzig gefallene Dacoits lagen dort in grotesken Verrenkungen, und ein verwundeter Rotrock wurde von seinem Kameraden betreut. Am Rand der Lichtung stand eine Art Jagdhütte und davor ein Gestell, von dem ein erlegter Tiger und ein Keiler herabhingen. Zu der Hütte führte ein gut ausgetretener Pfad.

»Haben Sie Mohammed Khan gesehen?« Trotz des vollständigen Sieges, obwohl sie mehr als hundert Dacoits getötet oder gefangen hatten, dachte Kelso nicht an Ruhe, bevor er nicht den Anführer zur Strecke gebracht hatte. Ihm war allmählich klargeworden, daß ihm – mehr als an der völligen Vernichtung der Dacoits – an der Austragung seiner persönlichen Fehde mit Mohammed Khan gelegen war.

»Er war hier«, sagte Caillaud. »Ich sah ihn an der Spitze seiner Kolonne, als sie in unseren Hinterhalt liefen.«

»Wo war das?«

»Eine Viertelmeile von hier, dort hinten. Wir hatten eine andere Lichtung umstellt. Sie verloren zwanzig oder dreißig Mann bei unserem ersten Angriff.«

»Aber Mohammed Khan war nicht darunter?«

Caillaud hob die Schultern. »Ich kann es nicht sagen. Der

Kampf war ziemlich grimmig, nachdem sie sich erst wieder gefangen hatten. Es fehlte die Zeit, einzelne Gegner zu unterscheiden.«

»Er könnte also auch gefallen sein?«

»Das ist möglich, sogar wahrscheinlich. Wir können es feststellen, wenn wir zu der Lichtung zurückgehen.«

Es herrschte drückende Hitze im Dschungel, und der Pfad, dem sie folgten, lag oft über längere Stecken im glühenden Sonnenschein, wenn das schützende Dach der Bäume unterbrochen war. Überall auf dem Pfad und im angrenzenden Unterholz lagen die Leichen der bei ihrem Rückzug gefallenen Dacoits. Die meisten waren nackt bis auf Lendenschurz und Turban. Neben einem, der sich im Dorngestrüpp verfangen hatte, lag sein Krummdolch. Caillaud hob ihn auf und reichte ihn Kelso.

»Sehen Sie sich die gekrümmte Klinge an, die Schärfe der Schneide! Ein Stoß damit, und Sie können nicht mehr davon erzählen.«

Kelso untersuchte den Dolch und steckte ihn dann in seinen Gürtel.

»Wir müssen Mohammed Khan finden.«

Als sie zu der zweiten Lichtung kamen, zum Ort des Hinterhalts, konnte selbst Kelso, der an so vielen blutigen Kämpfen teilgenommen hatte, ein Gefühl der Übelkeit nicht unterdrücken. Überall lagen die Leichen gefallener Dacoits herum, ausgestreckt, zusammengekrümmt, andere wie entspannt schlafend. Gliedmaßen waren vom Körper, Köpfe vom Hals abgetrennt. Überall schwirrten Fliegen, klebte Blut und war Leichengeruch.

Er zwang sich dazu, alle Gefangenen eingehend zu mustern. Nicht ein einziger war dabei, der dem Anführer ähnlich sah.

»Er ist entkommen«, sagte Kelso düster.

Caillaud nickte. »Sieht so aus. Trotzdem haben wir unser Ziel erreicht: Die Macht der Dacoits ist gebrochen.«

»Nicht, solange Mohammed Khan lebt.« Dann blickte er sich suchend um. »Gibt es jemanden, der ihn gesehen haben könnte?«

»Kaum.« Caillaud überlegte einen Augenblick. »Ich weiß nicht – doch, es gibt eine Möglichkeit.«

Er führte Kelso über die Lichtung zum Dschungel und dort zu einer Auffangstellung aus Erdhügeln und Baumstämmen.

»Dies war unser Hinterhalt. Einer meiner Leute, Soldat Sibthorpe, wurde gleich zu Anfang schwer verwundet. Wenn er noch am Leben ist . . .«

Sie fanden ihn. Er lag auf der Seite, ohne sich zu regen, wahrscheinlich noch genauso, wie er gefallen war. Nach der fahlen Blässe seines Gesichts zu urteilen, war er tot.

»Keine Hoffnung mehr für ihn«, sagte Caillaud.

»Augenblick!« Kelso kniete neben dem Mann nieder und legte sein Ohr an dessen Brust. Er spürte zwar keinen Herzschlag, aber er fühlte – oder glaubte zu fühlen – eine leichte Bewegung der Brust. »Wasser, Major! Oder Branntwein!«

Caillaud zog eine Flasche aus der Tasche und reichte sie Kelso. Der legte den Arm unter die Schultern des Soldaten, hob ihn etwas an und hielt ihm die Flasche an die bleichen Lippen.

Zuerst kam keinerlei Reaktion von dem Verwundeten, aber als Kelso es erneut versuchte und diesmal tatsächlich ein wenig Branntwein in seine Kehle tröpfelte, hustete der Mann und öffnete die Augen.

»Major Caillaud, Sir!«

»Schon gut, Sibthorpe. Sie sind hier in Sicherheit. Es wird sich gleich jemand um Sie kümmern.«

»Danke, Sir. Tut mir leid, daß ich getroffen wurde.«

»Machen Sie sich keine Sorgen, mein Junge. Der Kampf ist gewonnen.«

Dem Verwundeten gelang ein schwaches Lächeln. »Haben wir's geschafft, Sir?«

»Dafür ist später Zeit«, unterbrach Kelso. »Was ich jetzt von Ihnen will, ist eine Auskunft.«

»Eine Auskunft, Sir? Ich weiß nichts.«

»Während Sie hier gelegen haben . . .«

»Ich verlor gleich die Besinnung, Sir, kann mich an nichts erinnern.«

»Versuchen Sie's, Mann! Los!«

Der Verwundete versuchte sich zu konzentrieren, aber aus seiner tödlichen Blässe und dem schwachen Atmen konnte man erkennen, daß er tödlich getroffen war.

»Es hat keinen Zweck«, sage Caillaud.

»Ist jemand hier vorbeigekommen?« fragte Kelso. »Diesen Pfad entlang? Überlegen Sie.«

Der Soldat schloß die Augen. Einen Augenblick schien es, als sei er wieder ohnmächtig geworden. Doch dann erinnerte er sich.

»Ja, da war einer, Sir. Er hat dort drüben gelegen, bei denen, die wir erschossen haben.«

»Aber er war nicht tot?«

»Nein, Sir – wenigstens schien es nicht so.«

»Was tat er denn?«

Der Soldat verzog das Gesicht, entweder vor Schmerz oder in Konzentration. »Er wartete, bis alle weg waren, Sir, dann stand er auf und rannte auf diesem Weg in den Dschungel.«

»Können Sie sich erinnern, was er anhatte?«

»Nein, Sir. Ich war verwundet, wie ich schon sagte . . .«

»War es ein gewöhnlicher Dacoit, trug er einen Lendenschurz?«

»Nein, Sir, bestimmt nicht.«

»Was denn?«

»Jetzt weiß ich's wieder, Sir. Er trug feine Sachen wie ein reicher Inder.«

»Kann das Mohammed Khan gewesen sein?«

Der Soldat nickte, die Antwort war nur noch undeutlich zu verstehen. »Ja, Sir.«

Kelso stand auf. »Ich verfolge ihn«, sagte er.

»Allein?«

»Ja. Wir haben keine Zeit zu verlieren. Er kann noch nicht sehr weit sein.«

»Nehmen Sie wenigstens ein paar meiner Leute mit, Kelso.«

»Nein, ihre roten Röcke sind zu auffallend im Dschungel. Ich wäre Ihnen aber dankbar, wenn Sie Padstow, meinem Steward, sagen, er soll mir folgen.«

Dann rannte er über die Lichtung und war im Dschungel verschwunden, bevor Caillaud protestieren konnte.

Kelso merkte, wie müde er war, als er in einen lockeren Trab fiel. Der anstrengende Marsch in der glühenden Hitze hatte ihn doch mehr angestrengt als vermutet. Aber Müdigkeit konnte ihn nicht bewegen, seinen Schritt zu verlangsamen oder gar die Verfolgung aufzugeben. Nichts in der Welt hätte das vermocht.

Er hielt den Säbel in der einen und die entsicherte Pistole in der anderen Hand. Ihm war klar, daß er rasch handeln mußte, wenn er auf den Anführer der Dacoits stieß.

Den Pfad, der nichts weiter war als ein Pirschsteig, hatten Caillauds Neununddreißiger bei ihrem Durchzug erheblich verbreitert. Sie mußten froh gewesen sein, ihn zu entdecken, da er ihnen den mühsamen Weg durch den dichten Dschungel ersparte. Die Büsche, Lianen, Ranken und andere Schlinggewächse am Rande waren flachgetreten, und er mußte unzählige Male über abgetrennte Zweige oder sonstige Hindernisse steigen. Ob der Pfad zu einem breiteren Weg und dann später zu einem Dorf führte? Oder würde er enden, wie er angefangen hatte, nämlich auf einer Lichtung? Die Erschöpfung zwang Kelso, in Schritt zu fallen, aber der Gedanke, daß Mohammed Khan am Ende doch entkommen könnte, trieb ihn bald wieder an. Müdigkeit zeigte dieselben Symptome wie eine Krankheit, dachte er. Arme und Beine wurden schwerer, das Atmen immer mühsamer. Sein Blick war getrübt, durch den Schweiß in den Augen sah er alles verschwommen und undeutlich. Von dem Dschungel ringsum nahm er so gut wie nichts wahr. Nur im Unterbewußtsein registrierte er das Kreischen von Papageien und Keilschwanzsittichen, das aufgeregte Schnattern der Affen in den Bäumen, das Vorübergleiten einer Schlange.

Plötzlich und so abrupt, daß es ihn völlig überraschte, hörte der Pfad auf. Er führte auf eine kleine Lichtung von höchstens fünf Yards Durchmesser, das war alles. Keine Hütte, kein Anzeichen einer Unterkunft, kein Pfad, der weiterführte, nichts.

Mit vor Erschöpfung zitternden Knien stand er einen Augenblick geblendet im grellen Sonnenlicht und wischte sich den Schweiß aus den Augen. Seine Hände waren so naß, daß er Säbel und Pistole nur mühsam festhalten konnte. Er kniete nieder, legte die Waffen auf den Boden und begann, sich die Hände trocken zu wischen, als ihn ein fürchterlicher Schlag auf die Schulter traf.

Er fiel vornüber aufs Gesicht und blieb einen Augenblick völlig benommen liegen, während sein Blut aus der Schulterwunde strömte.

»Kommodore Kelso!«

Mühsam wandte er sich um, drückte die eine Hand auf die schmerzende Schulter und versuchte, sich in eine sitzende Stellung aufzurichten.

Vor ihm stand breitbeinig Mohammed Khan, eine Pistole auf Kelsos Kopf gerichtet.

Sein Anblick, das dunkle, gut geschnittene Gesicht mit der scharfen Adlernase beschwor in Kelsos Gedächtnis das längst vergessen geglaubte Bild eines Nachmittags herauf, genauso einer wie dieser – durch die Zweige gefilterte Sonne, blühende Büsche, quakende Ochsenfrösche – und Susan vor diesem grausamen Menschen, der ihr das Kleid vom Leibe gerissen hatte.

»Sie waren es also doch«, sagte Kelso. »Auf der Insel im See. Ich habe es nicht geträumt!«

»Nein, das war kein Traum«, sagte der Anführer der Dacoits

verächtlich. »Ich hatte Sie in der Gewalt, hätte Sie töten können.«

»Vielleicht wäre das besser gewesen. Nun habe ich Sie vernichtet.«

»Meine Leute vielleicht und meine Schiffe.« Mohammed Khan schlug ihn mit voller Wucht ins Gesicht. »Aber mich nicht.«

»Sie auch.« Kelso, der hintenübergefallen war, setzte sich mühsam wieder auf. Im Mund schmeckte er das Blut. »Vielleicht nicht ich persönlich, da Sie mich sicherlich umbringen werden; aber meine Leute. Sie sind rings um den See verteilt. Ein Entkommen ist nicht mehr möglich.«

»Du weißes Schwein! Du bildest dir doch nicht ein, Mohammed Khan ließe sich von dem Abschaum der Engländer fangen? Ihr seid doch viel zu dumm – ihr allesamt! Bevor eure tölpelhaften Soldaten bis auf eine Meile an mich herankommen, bin ich längst über alle Berge.«

»Vorhin waren Sie aber nicht so schlau«, bemerkte Kelso. »Da sind Sie mitten in den Hinterhalt gelaufen.«

Wütend verzerrte der Dacoit das Gesicht. Einen Augenblick dachte Kelso, er würde schießen. Aber mühsam fing er sich wieder, obwohl seine Stimme vor Zorn bebte, als er sagte: »Ja, da war ich töricht, das gebe ich zu. Wie konnte ich auch dem Wort einer weißen Frau trauen!«

»Meiner Frau?«

»Natürlich. Ich habe nicht damit gerechnet, daß sie mich verraten würde.«

Kelsos Herz schlug heftig, dennoch hatte er seine Stimme völlig in der Gewalt, als er sagte: »Vielleicht macht sie sich doch nicht so viel aus Ihnen, wie Sie annehmen.«

Mohammed Khan nickte traurig. »Vielleicht. Obgleich ich geschworen hätte, als wir uns liebten . . .«

» *Nein*!« Trotz seiner Entschlossenheit, sich nichts anmerken zu lassen, entfuhr Kelso ein Aufschrei der Qual. »Das ist nicht wahr!«

»Was?« Mohammed Khans Trauer schwand aus seinem Gesicht. »Das wußten Sie nicht?« Laut lachend warf er den Kopf zurück. »Damals auf der Insel! Ich hätte sie ohnehin genommen, auch ohne ihre Einwilligung; aber sie bat um Ihr Leben. Ich dachte, sie täte es wirklich nur, um Sie zu retten – vielleicht war das zunächst auch ihre Absicht –, aber sie verlangte nach mir! Sie hielt mich lange umschlungen, nachdem wir uns geliebt hatten. Sie hat mich in Serampore besucht, später auch in unserem Dorf am Seeufer.«

»Das ist nicht wahr!«

»Natürlich ist es wahr. Sie wissen selbst, daß es stimmt.«

»Und Gobindram Mitra? Was tat er? Half er ihr dabei?«

»Nur insofern, als er sie begleitete. Gobindram Mitra ist ein Dummkopf. Hätte er sich mit mir verbündet, wie ich ihm oft vorgeschlagen habe, dann wären wir heute die Beherrscher Bengalens. Aber er entschied sich für die Engländer, dieser Narr, – für die *Handelskompanie*! Bald werde ich auch ihn töten müssen, aber –«, er lächelte, während er den Hahn der Pistole spannte –, »es wird mir nicht halb so viel Freude machen wie bei Ihnen.«

Allmählich wurden die Schatten länger, schon war der Sonnenschein in eine Ecke der Lichtung gewandert. Eine Schlange kam aus dem Unterholz und glitt, ohne von ihrer Anwesenheit Notiz zu nehmen, weiter in die Büsche. Ein Sittich schrie heiser.

»Wie oft war meine Frau bei Ihnen?« fragte Kelso.

»Zweimal.«

»Um mit Ihnen zu schlafen?« Kelsos Gesicht verriet seine Zweifel.

»Deshalb – und anderer Dinge wegen.«

»Was für anderer Dinge?«

Mohammed Khan hob die Schultern. »Da Sie doch gleich sterben werden, macht es nichts mehr aus, wenn Sie es erfahren. Wir unterhielten Geschäftsbeziehungen, die wir schon bei unserem ersten Zusammentreffen auf der Insel vereinbart und mit unserer Liebe besiegelt hatten. Ja, Susan ist eine bemerkenswerte Frau, Kelso, auch wenn sie mich verraten hat.«

»Susan hat Sie nicht verraten.«

»Was! Sie meinen . . .«

»Ich habe ihr falsche Informationen gegeben, habe ihr gesagt, wir wollten auf die Südseite des Sees.«

»Sie wußten also von uns?«

»Ich vermutete es. Ich konnte oder wollte es nicht glauben.« Er beobachtete Mohammed Khan sorgfältig und merkte an dessen freudigem und befriedigtem Gesicht, daß er im Augenblick noch nicht abdrücken würde. Es war wichtig, ihn zum Weitersprechen zu bringen.

»Was ich nicht verstehe«, sagte Kelso, »das ist, wie Ihre Geschäftsbeziehungen funktionierten. Was hatte meine Frau Ihnen denn Nützliches und Vorteilhaftes zu bieten?«

»Außer ihrem Körper, meinen Sie?« Mohammed Khan ließ

wieder sein unangenehmes Lachen hören. »Nun, ihre Läden in den besten Geschäftsstraßen Kalkuttas. Sie konnte tun, was mir versagt war: meine Beute verkaufen.«

»Ach! Und wie kamen die Sachen in ihre Läden?«

»Ganz einfach. Meine Leute brachten alles auf die Märkte in den ländlichen Bezirken. Ich ließ ihr die entsprechende Nachricht zukommen . . .«

»Auf welchem Weg?«

»Mein lieber Kelso, ich habe überall meine Spione. Sie sitzen in Serampore, in Kalkutta, ja sogar in Ihrem kostbaren Fort William.«

»Auch in meinem Haus?«

»Natürlich. Sie hatten doch einen Sirdar.«

»Reza Ahmed?«

»Ja. Er hat die Botschaften Ihrer Frau aus der Stadt befördert.«

»Und es war auch Reza Ahmed, der den gefangenen Dacoit umbrachte?«

Mohammed Khan schüttelte sich vor Lachen. »Nicht er persönlich, natürlich. Aber er überbrachte mir die Information.«

»Daß der Gefangene willens war, auszusagen?«

Mohammeds Gesicht verzerrte sich vor Wut. »Dieser unwissende Schuft! Er starb zu leicht und zu rasch. Was hätte ich nicht alles dafür gegeben, ihn in meiner Gewalt zu haben.«

»Besonders da er mir noch den Zugang zu Ihrem Schlupfwinkel aufgezeichnet hat.«

»Daher wußten Sie das! Ich habe mich gefragt, wie es möglich war. Allein hätten Sie den Weg niemals gefunden.«

»Dachten Sie, meine Frau hätte ihn mir verraten?« spottete Kelso.

»Nein, bestimmt nicht. Außerdem war sie noch nie dort.«

»Aber in Ihren ersten Schlupfwinkel kam sie?«

»Ja. Zu Geschäftsgesprächen – und anderen Dingen.«

»Sagen Sie . . .« Er mußte sich die Worte regelrecht vom Munde reißen. »Als sie dorthin kam – hat sie da Ihre Gefangene gesehen?«

»Das englische Mädchen?« Wieder wollte Mohammed Khan sich ausschütten vor Lachen. »Das war doch eine ganz dumme Göre! Eine wunderschöne Frau wie die Ihre, eine gebildete Frau, scheut sich nicht, mit Fürst Mohammed Khan, dem Anführer der Dacoits, ins Bett zu gehen, aber dieses dumme Gör . . .«

»Sie hat sich umgebracht, als wir sie losbanden. Wußten Sie das?«

»Ich kann's mir nicht vorstellen. Warum auch?«

»Aus Scham. Sie wollte nicht mehr leben mit dem Bewußtsein, daß Ihre schmutzigen Hände sie berührt, daß Ihr schwarzer Körper auf ihrem gelegen hatte. Sie war ein wohlerzogenes englisches Mädchen, das einen stinkenden Eingeborenen von einem Weißen unterscheiden konnte. Sie . . .«

Kelso warf sich im gleichen Augenblick zur Seite, als Mohammed Khan den Finger krümmte. Der Schuß ging fehl, und nun mußte es mindestens eine halbe Minute dauern, bis er nachgeladen hatte.

Kelso suchte in seinem Gürtel nach dem Krummdolch.

Dann stemmte er sich hoch und begann, durch das Gras auf Mohammed Khan zuzukriechen, der mit Laden beschäftigt war.

Ihm verschwamm alles vor Augen, aber er kroch weiter, eine Hand um den Dolchgriff gekrallt. Nur sein eiserner Wille hielt ihn aufrecht.

Undeutlich sah er, daß Mohammed Khans Füße vor ihm zurückwichen. Jetzt war er wieder in der Sonne und spürte ihre Wärme auf dem Rücken. Es schien unmöglich, Mohammed Khan einzuholen.

»Kelso!«

Er hielt inne, setzte sich auf und blinzelte ins grelle Sonnenlicht. Mohammed Khans Gesicht war haßverzerrt.

»Das hätten Sie nicht sagen dürfen, Kelso. Es ist mir klar, daß es ein Trick war, aber trotzdem hätten Sie's nicht sagen dürfen.«

»Es war durchaus kein Trick«, sagte Kelso. »Jeder Mensch weiß doch, was Sie sind – ein stinkender Eingeborener!«

Ein Schuß fiel, aber Kelso merkte zu seinem Erstaunen, daß er noch am Leben war. Er konnte es kaum glauben, daß Mohammed Khan aus einer Entfernung von knapp zwei Yards vorbeigeschossen hatte.

Seine Verwirrung wurde noch größer, als er sah, daß Mohammed Khan die Pistole fallen ließ und langsam zusammensackte. Seine Beine gaben nach, als fehle ihnen die Kraft, das Gewicht des Körpers zu tragen. Sein Gesicht drückte fassungsloses Erstaunen aus, während er zu Boden sank.

Mühsam stand Kelso auf und sah sich um.

Aus den Schatten am Rand der Lichtung trat Padstow, eine noch rauchende Muskete in der Hand.

27

Bei Tagesanbruch segelten sie in die Bucht und machten am Kai unter dem alten Fort fest. Die Nachricht von ihrem Erfolg war ihnen offenbar noch nicht vorausgeeilt, denn überall herrschte seltsame Stille, als hätten sie die Stadt unvermutet überrascht. In gewissem Sinne traf das auch zu, denn der Offizier vom Dienst, der verschlafen aus dem Wachlokal trat, sagte Kelso, daß man sie erst in ein paar Tagen zurückerwartet habe, zumindest nicht vor dem nächsten Morgen.

»Sie sind alle spät ins Bett gekommen, Sir, und noch müde vom Feiern.«

»Feiern? Was denn?«

»Den Konvoi, Sir. Gestern kurz nach Mittag ist er eingelaufen.«

»Ist alles wohlauf?«

»Jawohl, Sir. Wie Kapitän Fenton erzählte, haben sie weder einen Franzosen noch einen Holländer gesehen, und was die Piraten ...«

»Ist die *Protector* auch zurück?«

»Ja, sie liegt im Strom, Sir.« Der junge Offizier sah ihn neugierig an. »Sicherlich wollen Sie bald an Bord gehen, Sir?«

Während der letzten Wochen war kein einziger Tag vergangen, ohne daß sich Kelso nach dem Anblick seines Flaggschiffs sehnte, nach dem steilen, hochaufragenden Bug, dem stolzen Bugspriet und Klüverbaum, den ungeheuren Rahen. Noch vor einem Jahr hatte er geglaubt, nie könne ein anderes Schiff ihm seine *Paragon* ersetzen, aber er hatte sich geirrt. Jetzt empfand er ein beinahe physisches Verlangen, zum Fluß zu eilen und die *Protector* selbst in Augenschein zu nehmen.

Aber ihm war klar, daß der junge Mann seinen Wunsch erraten hatte, und da er der Kommodore war, sagte er nur beiläufig: »Später. Jetzt habe ich anderes zu tun.«

»Ja, Sir. Entschuldigen Sie, Sir, aber Ihre Schulter – sollten Sie nicht lieber einen Arzt aufsuchen?«

»Es ist nichts Schlimmes«, antwortete Kelso. »Der Arzt hat mich schon untersucht.«

In der Tat hatte Richardson an Bord der *Calcutta* einen Blick darauf geworfen und gesagt: »Eine saubere Wunde, kein Grund zur Beunruhigung.« Ein Urteil, das Kelso nur allzu gern akzeptierte.

»Major Caillaud!«

»Sir?«

»Ich gehe nach Hause, mich umziehen. Ich schlage vor, daß wir uns in einer Stunde im Dienstzimmer des Gouverneurs treffen.«

»Gut, Sir. Nur glauben Sie nicht, daß Sie mit dieser Schulter ...«

»In einer Stunde, Major.«

Den größten Teil der Nacht hatte er schlaflos in seiner Koje gelegen. Trotz des vollen Erfolgs, der sicherlich weitere Feiern, weitere Ansprachen und weitere Beifallskundgebungen zur Folge haben würde, fühlte er sich zutiefst bedrückt. Nur der Gedanke an die *Protector* mitten im Strom brachte einen Hoffnungsschimmer mit sich. Als er durch Loll Diggy kam, blickte er zum Fluß hinunter, aber dort war jetzt ein derartiger Mastenwald, daß man kein Schiff vom anderen unterscheiden konnte. Später, wenn er seine Meldung beim Gouverneur hinter sich gebracht hatte ...

Zuerst ging er nach Hause.

Padstow, noch in seiner Seemannskleidung, wartete in der Halle auf ihn, besorgt um ihn wie eine Glucke um ihre Küken.

»Ist Lady Susan schon auf?«

»Nein, Sir. Ich wollte sie nicht wecken, da ich wußte, Sie würden gleich hier sein.« Ohne Hintergedanken fügte er hinzu: »Dachte mir, Sie würden das lieber selbst tun.«

Wieviel wußte Padstow? fragte sich Kelso. Aus dem unbewegten Gesicht seines Stewards konnte er nicht das geringste ablesen.

»Sie können Frühstück für mich machen. Ich gehe gleich zum Gouverneur.«

»Aye, aye, Sir.« Padstow zögerte. »Soll ich es nach oben bringen?«

»Was?«

»Ihr Frühstück, Sir. Wollen Sie es bei Ihrer Ladyschaft einnehmen?«

Kelso runzelte die Stirn. »Ich frühstücke unten.«

Sein Herz schlug wild, als er die Tür des Schlafzimmers öffnete. Susan schlief tief und fest. Während er leise durch den Raum ging, konnte er den Blick nicht von ihrer ruhenden Gestalt wenden, von ihrem sinnlichen Körper, von ihrem Kopf mit dem über das Kissen flutenden Haar.

Wie schön sie war! Mit diesem leichten Lächeln sah sie so unschuldig, so lieblich aus, daß er selbst jetzt noch kaum glauben konnte, was er gehört hatte und woran es für ihn keinen Zweifel gab. Sie regte sich ein wenig, als spüre sie seinen forschenden Blick, öffnete aber nicht die Augen. Er ging ins Badezimmer und stieg unter die Dusche.

Das kühle Wasser erfrischte ihn, wenn es auch den Verband naß machte, den Richardson ihm nicht nur um die Schulter, sondern um die ganze Brust angelegt hatte. Es war aber keine Zeit, ihn zu wechseln. Er hatte zuviel zu tun.

»Bist du das, Liebling?«

Er frottierte sich gerade kräftig mit dem Handtuch, als er ihre schläfrige Frage hörte, aber er antwortete nicht. Er mußte alles mit einer Hand machen, da die verwundete Schulter bei jeder Bewegung schmerzte.

»Liebling?«

Es gelang ihm, sich das Handtuch um die Taille zu wickeln, bevor er wieder das Schlafzimmer betrat.

»Oh, Liebling! Du bist verwundet!«

Sie kniete auf dem Bett, ihr Nachthemd stand vorne weit offen. Als er näher kam, kroch sie auf ihn zu, und – ob durch Zufall oder beabsichtigt – das Nachtgewand glitt ihr von den Schultern.

»Oh, Liebster! Ist es schlimm?«

»Rühr mich nicht an!« Sein Ton war so scharf, daß sie mit überraschtem Gesicht innehielt. Ob sie sich ihrer Nacktheit bewußt war oder nicht, auf alle Fälle versuchte sie nicht, diese zu verbergen.

»Was ist passiert?«

»Eine leichte Schulterwunde. Kein Grund zur Besorgnis.«

»Laß sie mich sehen! Vielleicht kann ich etwas tun.«

»Nein!«

Wieder überraschte sie sein gereizter Ton. »Liebling, was ist denn? Du sprichst so böse.«

Er ging zur Kommode, um sich ein frisches Hemd zu holen, aber bevor er die Schublade öffnen konnte, war sie neben ihm.

»Laß mich das tun. Ich weiß nicht, was dich bedrückt, aber du kannst das nicht alles mit einer Hand machen.«

Ihr Körper duftete nach Schlaf und nach einem leichten Parfüm, das sie manchmal benutzte. Hatte sie gewußt, daß er nach Hause kommen würde? Er fand sie so begehrenswert, daß sein Ton noch schärfer wurde.

»Gib mir nur das Hemd, das Anziehen besorge ich allein.«

Nachdenklich betrachtete sie ihn und hielt ihm das Hemd mit ausgestreckten Armen entgegen. »Wie du willst.«

Zu jedem anderen Zeitpunkt hätte er ihr nicht widerstehen können. Jetzt wandte er ihr einfach den Rücken zu.

Enttäuscht trat sie ans Bett zurück. »Willst du mir nicht wenigstens sagen, was los ist?«

»Später. Erst muß ich dem Gouverneur Bericht erstatten.«

»Aber der kann doch warten!«

Ruhig sah er sie an, sah das nußbraune Haar über ihre weißen Schultern und die festen Brüste fließen und merkte, daß er ihr widerstehen *konnte*. Was er ihr zu sagen hatte, mußte er jetzt sagen.

»Die Expedition ist erfolgreich verlaufen. Wir hatten die Dacoits in der Falle zwischen Caillauds und meinen Leuten. Alle wurden getötet oder gefangengenommen.«

Nach einer winzigen Pause nickte sie. »Gut! Endlich hast du es geschafft. Ich freue mich.«

Er mühte sich mit seinen Schuhen ab und war froh, daß sie ihm keine Hilfe anbot.

»Einer der Toten, und das wird dich überraschen, war Reza Ahmed.«

»Unser Sirdar?« fragte sie. »Das überrascht mich nicht allzu sehr. Es wäre ein zu großer Zufall gewesen, daß er ausgerechnet an dem Morgen verschwand, als dein Gefangener umgebracht wurde.«

Er nickte ruhig. »Vermutlich.«

»Was ist mit ihrem Anführer? Ich kann mich nicht mehr an seinen Namen erinnern.«

»Mohammed Khan?«

»Ja, so hieß er.«

»Er wurde getötet.«

Wiederum eine fast unmerkliche Pause, dann nickte sie heftig. »Das ist großartig, Liebster! Dann werden wir von ihm wenigstens nicht mehr gestört.«

Er lockerte die Schnürsenkel, stellte den Schuh auf den Boden und schlüpfte mit dem Fuß hinein. »Ich dachte mir, daß du dich freuen würdest.«

Dann suchte er nach seinem Rock und wandte nichts dagegen ein, daß sie ihn brachte. Als er mit dem einen Arm hineingeschlüpft war und den anderen hineinsteckte, umschlang sie ihn plötzlich von hinten. »Liebster! Ich habe dich so vermißt. Beeil dich mit deinem unglückseligen Bericht beim Gouverneur. Es gibt so viel für uns zu erzählen – und noch mehr zu tun.«

Er zog die Uhr. »Ich habe noch ein paar Minuten Zeit, die werden genügen. Wir können das Erzählen gleich erledigen.«

»Fein!« Lachend klatschte sie in die Hände. »Dann brauchen wir keine Zeit mit Reden zu vergeuden, wenn du zurück bist.«

Er griff in die Tasche, zog die Hand wieder heraus und streckte sie ihr, Handrücken nach oben, entgegen. »Ich habe dir ein Geschenk mitgebracht.«

»Oh, Liebling! Danke. Dann bist du mir nicht mehr böse?«

Erwartungsvoll hielt sie die Hand unter seine. Nun öffnete er sie und ließ das brillantbesetzte Kreuz hineinfallen.

Aufmerksam, ja sogar grausam, beobachtete er sie. Ihr Lächeln verschwand, ihre Wangen verloren jede Farbe. Einen Augenblick glaubte er, sie würde umsinken.

»Aber das gehört mir! Weißt du nicht mehr? Es gehört mir.«

»Ja.«

»Aber – wo hast du es gefunden?«

»Neben Mohammed Khans Bett.«

Mit einem Schimmer freudiger Hoffnung sah sie ihn an, aber er sah auch die Angst in ihren Augen. »Wann hast du es gefunden? Ich denke, ihr habt seinen Bungalow verbrannt, als ihr das Dorf zerstörtet?«

»Ja. Dabei habe ich es auch gefunden.«

»Aber warum hast du dann bis jetzt gewartet, bevor du es mir wiedergabst?«

»Ich wollte erste Gewißheit haben.«

»Worüber?«

»Ich wollte erst Gewißheit haben, daß du wirklich die verlogene, betrügerische, käufliche Hure bist, worauf alles hinzudeuten schien.«

Hätte er sie ins Gesicht geschlagen, die Wirkung wäre kaum dramatischer gewesen. Sie taumelte rückwärts aufs Bett und blieb dort mit hängenden Schultern sitzen. Alle Schönheit war aus ihrem Gesicht gewichen. »Du weißt nicht, was du sagst. Warum?«

»Das wirst du gleich hören.« Er war jetzt vollständig angezogen und wirkte seltsam förmlich, fast wie ein Untersuchungsrichter, als er sie über die ganze Breite des Zimmers hinweg ansprach.

»Wie konnte diese Brosche, dieses brillantenbesetzte Kreuz, neben Mohammed Khans Bett liegen, wenn nicht du es dort zurückgelassen hattest?«

»Er hat es mir gestohlen, damals auf der Insel, als du verwundet und ohnmächtig warst.«

»Und du es bereitwillig mit ihm getrieben hast!«

»Um dir zu helfen. Ich schäme mich dessen nicht. Ich tat es, um dein Leben zu retten.«

»Und die geschäftliche Vereinbarung, die du mit ihm trafst – sein Diebesgut in deinen Läden zu verkaufen? Geschah das auch, um mich zu retten?«

»Ich weiß nicht, wovon du redest.«

»Vor ein paar Tagen erst fand ich heraus, was man in der Stadt über dich erzählt. ›Woher bekommt sie ihre Ware, obwohl der Konvoi schon lange überfällig ist?‹ fragten sie. ›Wie kam Kathleen Edgecombes Halsband in einen ihrer Läden?‹«

»Tratsch«, murmelte sie. »Nichts als Geschwätz.«

Unbarmherzig fuhr er fort und empfand dabei weder Mitleid noch Abscheu, als er sah, wie die Arroganz von ihr abbröckelte.

»Als ich dir von dem Gefangenen erzählte, fragtest du mich, ob er die Fahrrinne kenne. Welche Fahrrinne? Woher konntest du wissen, daß das Dorf der Dacoits nur auf dem Wasserweg zu erreichen war und auch nur dann, wenn man die Fahrrinnen kannte?«

Sie antwortete nicht, und er fuhr in dem gleichen leidenschaftslosen Ton fort: »Als der Gefangene ermordet wurde, konnten nur drei Menschen dafür verantwortlich sein: Gobindram Mitra, möglicherweise auch Reza Ahmed, und du. Ihr wart die einzigen, die davon wußten. Zuerst fiel mein Verdacht auf Mitra, denn du hast ja die Spur so geschickt verwischt, daß ich lange Zeit davon überzeugt war, Mitra habe bei allem seine Finger im Spiel. Ich mußte das ja glauben, da ich nicht annehmen konnte, daß du damit zu tun hattest.«

»Gobindram Mitra ist gemein und zu allem fähig.«

»Damit könntest du recht habe, nur in diesem Falle wäre es inkonsequent und würde nicht zu ihm passen. Gobindram Mitra ist viel zu schlau, um den Gefangenen auf diese Weise zu beseitigen. Ihm war völlig klar, daß dann der Verdacht sofort auf ihn fallen würde. Es mußte jemand anderer sein.«

»Reza Ahmed also. Er ist ja auch weggelaufen. Oder hast du dich entschlossen zu glauben, daß deine eigene Frau die Verräterin war?«

»Reza Ahmed war der Bote, das will ich dir zugestehen. Was du nicht weißt: Er wurde hier in Loll Diggy noch vor kurzem gesehen, bevor wir ausliefen.«

»Na bitte! Beweist das nicht alles?«

»Daß er als Bote eingesetzt wurde, ja. Aber für wen waren seine

Botschaften bestimmt?«

»Für mich? Willst du darauf hinaus?«

»Als ich vom Gefängnis zurückkam, sagte ich dir nur, daß Ramdullah, der Aufseher, ermordet worden sei. Aber du nahmst sofort an, wenn du auch nicht dazu kamst, es ganz auszusprechen, daß auch der Gefangene tot sei.«

Sie fing an zu weinen; wie sie so dasaß, nackt, mit vornüberhängenden Schultern und tränenüberströmtem Gesicht, wirkte sie alt und häßlich. Kaum konnte er in ihr die wunderschöne Frau wiedererkennen, die noch vor wenigen Minuten versucht hatte, ihn zu verführen.

»Dann hast du dich ein weiteres Mal verraten, als du mir sagtest, in welcher Richtung die Dacoits aus ihrem Dorf geflüchtet waren. Erstaunlicherweise wußtest du, daß sie sich nach Süden gewandt hatten.«

Sie antwortete nicht; es schien auch fraglich, daß sie in ihrem jämmerlichen Zustand überhaupt in der Lage war zu sprechen.

»Selbst das überzeugte mich nicht völlig. Ich räumte dir noch eine Chance ein. Bevor wir diesmal ausliefen, verriet ich dir unseren Operationsplan. Ich erzählte dir, er sei streng geheim und niemand außer Caillaud wisse davon. Das stimmte auch. Was nicht stimmte, war der Plan selbst. Ich sagte dir, wir planten in der Abenddämmerung eine Scheinlandung an der Nordküste, würden nach Einbruch der Dunkelheit die Leute wieder an Bord nehmen und über den See fahren. Nur der erste Teil des Planes stimmte. Prompt ließest du Mohammed Khan diese Nachricht zukommen und schicktest ihn damit in den sicheren Tod.«

Mit gebeugtem Kopf, von Schluchzen geschüttelt, saß sie auf dem Bettrand. Wie in Abwehr zog sie sich das Laken über die Schultern. »Es geschah für dich«, sagte sie mit tränenerstickter Stimme, »auch wenn du es mir niemals glauben wirst. Alles, was ich getan habe, tat ich für dich.«

»Ja, um unseren Namen zu ruinieren und in den schlimmsten Skandal zu ziehen!«

»Dazu braucht es doch nicht zu kommen. Kein Mensch außer uns weiß davon, und Mohammed Khan ist tot.«

»Und Gobindram Mitra?«

»Weiß von alldem nichts. Ich habe ihn nur benutzt, soweit das notwendig war. Außerdem – ob du es glaubst oder nicht –, er hat solche Hochachtung vor dir, daß er es nie verraten würde, selbst wenn er die Wahrheit wüßte. Er könnte nichts tun, was dir weh tun oder dir schaden würde.«

Ungerührt fuhr Kelso fort: »Die letzte Bestätigung gab mir gestern Mohammed Khan selbst, kurz bevor er starb. Danach hatte ich vierzehn Stunden Zeit, um zu überlegen und zu entscheiden, was jetzt geschehen muß.«

Durch einen Schleier von Tränen blickte sie zu ihm auf, einen kleinen Hoffnungsschimmer im Gesicht, gemischt mit einem Anflug ihrer alten Verschmitztheit. »Du willst mich doch nicht beim Gouverneur anzeigen? Es würde zuviel Verwirrung stiften und, wie du selbst gesagt hast, nicht nur meinen, sondern auch deinen Namen in den Schmutz ziehen.«

»Das wäre mir gleich. Ich tue, was ich für richtig halte.«

»Kann es richtig sein, einen Skandal zu verursachen, der die Grundlagen unserer ganzen hiesigen Gesellschaft erschüttern würde? Denk doch daran, Roger! Bedenke doch, wie unstabil unsere Lage hier ist, selbst jetzt noch – vier Jahre nach dem Sieg bei Plassey. Könnte die Kompanie das überleben?«

Bewundernd sah er sie an. Ihre Klugheit und ihr Instinkt hatten ihr den einzigen Weg gewiesen, der für sie erfolgverheißend schien.

»Du hast recht. Das bist du nicht wert. Es lohnt sich nicht, das europäische Prestige, das Bild, das die Inder von uns haben, einer solchen Person wegen, wie du es bist, zu zerstören.«

Sie hatte aufgehört zu weinen, und ihr Gesicht hellte sich ein wenig auf, als sähe sie einen Hoffnungsschimmer.

»Der Konvoi, der gestern angekommen ist, läuft in vierzehn Tagen wieder aus. Du wirst mitfahren.«

»Wir kehren nach England zurück?«

»*Du* kehrst nach England zurück.«

»Aber Roger! Ich bin deine Frau!«

»Vierzehn Tage sollten dir genügen, deine Geschäfte hier abzuwickeln und alles zu verkaufen, notfalls auch mit Verlust. Dann kannst du als das nach England zurückkehren, was du immer sein wolltest – eine reiche Frau.«

Sie nickte, erneut unter Tränen. »Ja, das habe ich immer gewollt, Roger, das gebe ich zu. Aber nicht ohne dich. Ich kann niemals glücklich werden, weder in England noch sonstwo, ohne dich.«

Er nahm seinen Säbel und schnallte ihn um, was nicht ganz ohne Schwierigkeiten vonstatten ging.

»Das hättest du dir vorher überlegen sollen. Du segelst mit diesem Konvoi nach England, oder ich bringe alles vor den Gouverneur. Du hast es in der Hand.«

Unglücklich nickte sie und schluckte. »Wenn du darauf bestehst, Roger. Aber wenn du doch nur verstehen würdest: Was ich auch getan habe – ich habe alles nur für dich getan.«

»Nein, nicht alles.« Er trat ans Bett und blieb neben ihr stehen. »Ich hätte dir vielleicht geglaubt, Susan, ich hätte wahrscheinlich sogar wieder nachgegeben, wie bisher immer, wenn eines nicht wäre.«

»Was denn?« Verständnislos sah sie ihn an.

»Das englische Mädchen, das wir in Mohammed Khans Schlafgemach fanden. Ich weiß ihren Namen nicht. Ich hielt es der Verwandten wegen für besser, keine Nachforschungen anzustellen.«

»Betty Lorimer.« Susans Stimme war nur noch ein Flüstern. »Ein verzogenes Kind, das erst das wirkliche Leben kennenlernen mußte.«

»Was du ihr beibringen wolltest, indem du es mit Mohammed Khan triebst, dort auf seinem Bett, offen und schamlos, wobei das arme Kind zusehen mußte.«

Susan hatte aufgehört zu weinen und saß mit gesenktem Kopf da, als erwarte sie einen Schlag.

»Du bist eine schöne Frau, Susan«, sagte er, »und ich habe dich geliebt. Wir hätten miteinander glücklich werden können, wenn du mit deiner Habgier nicht alles zerstört hättest. Du kannst jetzt zurückkehren und leben, wie du es immer wolltest, als reiche Frau. Ich werde hierbleiben und ebenfalls leben, wie ich es immer wollte: als Seemann. Mein Heim ist die See.«

Er bückte sich und küßte sie flüchtig auf den Kopf. Bevor sie reagieren konnte, war er aus dem Zimmer und lief die Treppen hinunter.

Pünktlich zwei Wochen später verließ der nach Westen gehende Konvoi den Hugli und segelte stromabwärts, der offenen See entgegen. Er bestand aus fünf Ostindienfahrern, alle voll beladen, und außerdem hatte jeder eine stattliche Anzahl heimkehrender Passagiere an Bord.

Zwei Marineschiffe fuhren als Geleitschutz mit, die *Protector* und die Korvette *Agamemnon*. Kelso stand auf dem Achterdeck seines Flaggschiffs und überwachte die sorgfältige Navigation durch das schwierige, gewundene Fahrwasser mit seinen zahlreichen Untiefen. Sie hatten günstigen Wind und ablaufendes Wasser, somit hoffte er, noch vor Einbruch der Dunkelheit auf See zu sein, auf dem Weg zur Coromandelküste.

Als sie die Mündung passierten und dann auf den neuen Kurs drehten, mußten sie kreuzen; aber die gut ausgestatteten Ostindienfahrer mit ihren weit ausladenden Rahen und ihrer enormen Segelfläche machten auch hart am Wind noch gut vier Knoten. Nachdem das Land außer Sicht gekommen war, hatten sie noch etwas mehr als eine Stunde Tageslicht.

Kelso auf der *Protector* entspannte sich.

Es tat ihm gut, wieder auf seinem eigenen Achterdeck zu stehen, das rhythmische Auf und Ab des Bugs vor dem Horizont zu beobachten. Es tat auch gut, den Schiffen des Konvois bei ihrem Wendemanöver zuzusehen, dem Ein- und Austauchen ihrer Vorsteven in der Dünung, dem Überholen der stattlichen Schiffe auf dem neuen Kurs.

Als Kommodore hatte er mit der *Protector* die Luvposition eingenommen, während *Agamemnon* eine Meile oder mehr in Lee stand. In der Mitte des Konvois fuhr die *Cleopatra*, der neueste und schnellste der Indienfahrer. Irgendwo unter den Passagieren, die auf der Leeseite des Achterdecks die frische Brise genossen, befand sich seine Frau.

Mitunter, wenn der Konvoi über Stag ging, kamen die beiden Schiffe dicht aneinander vorbei, und einmal glaubte er, gesehen zu haben, daß Susan ihm zuwinkte, ja ihm sogar eine Kußhand zuwarf.

In ein paar Wochen – oder auch Monaten, wenn der Wind abflaute – würden sie St. Helena erreichen, dann war auch dieses letzte, dünne Bindungsglied zwischen ihnen durchtrennt. Nach einem kurzen Aufenthalt zur Proviant- und Wasserergänzung, einer mehrtägigen Erholungspause für die Passagiere, würden die Indienfahrer ihre Reise fortsetzen. Sie waren dann durch ihre eigene, beachtliche Feuerkraft genügend gesichert. Nach wenigen Wochen – immer unter der Voraussetzung, daß sie günstigen Wind hatten – würden sie dann die Kapverden passieren, später die Kanarischen Inseln, die Biscaya und endlich den Kanal mit den grünen Hügeln Englands erreichen.

Zur gleichen Zeit würden die beiden Marineschiffe in der entgegengesetzten Richtung segeln und dabei einen anderen Konvoi nach Indien geleiten.

In St. Helena würden sich ihre Wege endgültig trennen.

Er wandte den Blick nach Steuerbord, weg von den Schiffen des Konvois und über die unendliche Weite der See. So klar war das Blau des Himmels und des Meeres, daß es schwerfiel, den Horizont zu erkennen. Die See mit ihrer heiteren Schönheit gab ihm mehr Befriedigung, als er jemals an Land empfunden hatte. Die Luft war frisch und rein, und der hin und wieder vom Bug aufspritzende Gischt schmeckte angenehm salzig. Voll Freude lauschte er dem Knarren und Quietschen des Holzes, dem gelegentlichen Klatschen der Segel gegen Mast und Rahen und vor allem dem unvergeßlichen Gesang des Windes in der Takelage.

Bitte beachten Sie
die folgenden Seiten:

Maritimes im Ullstein Buch

Cecil Scott Forester
11 Romane um Horatio Hornblower

Michael Green
Ruder hart rechts! (20192)
Ruder hart links! (20293)

Alexander Kent
14 Romane um Richard Bolitho

Wolfgang J. Krauss
Seewind (20282)

Hans Leip
Brandung hinter Tahiti (20060)
Godekes Knecht (20130)
Das Muschelhorn (20153)
Aber die Liebe (20198)
Jan Himp und die
kleine Brise (20210)
Der Nigger auf Scharhörn
(20291)

C. Northcote Parkinson
Horatio Hornblower (20064)

James Dillon White
7 Romane um Roger Kelso

Horst Haftmann
Oft spukt mir Neptun
Gischt aufs Deck (20206)

David Lewis
Ice Bird (20220)

Nicholas Monsarrat
Der ewige Seemann, Bd. 1
(20227)
Der ewige Seemann, Bd. 2
(20299)

ein Ullstein Buch

Bernard
Moitessier

Kap Horn –
der logische Weg

Mit zahlreichen Abbildungen

Ullstein Buch 20325

Als »Guru der Langstrecken-
segler« wird Bernard Moitessier oft bezeichnet, vor allem,
seit er eine Einhand-Nonstop-
Regatta um die Welt kurz
vor dem Sieg abbrach und
sich in die Südsee zurückzog.
In diesem Buch ist er mit
seiner Frau Françoise unterwegs auf »Joshua«: von Mar-
seille über den Atlantik,
durch den Panamakanal,
zu den Galapagos und nach
Tahiti. Ein Klassiker der
Segelliteratur, lange ver-
griffen, nun erstmals im Ta-
schenbuch.

ein Ullstein Buch